A CIDADE DAS MÁSCARAS

GENEVIEVE COGMAN

Copyright © Genevieve Cogman 2015
Publicado pela primeira vez em 2015 pela Pan, um selo da Pan Macmillan, uma divisão da Macmillan Publishers International Limited.

Título original em inglês: *The Masked City*

Tradução: Regiane Winarski
Revisão: Mellory Ferraz
Preparação: Ricardo Franzin e Suzannah Almeida
Adaptação da Capa original: Luana Botelho
Diagramação: SGuerra Design

Essa é uma obra de ficção. Nomes, personagens, lugares, organizações e situações são produtos da imaginação do autor ou usados como ficção. Qualquer semelhança com fatos reais é mera coincidência.

Todos os direitos reservados. Proibida a reprodução, no todo ou em partes, através de quaisquer meios. Os direitos morais do autor foram contemplados.

Dados Internacionais de Catalogação na Publicação (CIP)
(Câmara Brasileira do Livro, SP, Brasil)

C676c Cogman, Genevieve

A Cidade das Máscaras / Genevieve Cogman; Tradução Regiane Winarski. – São Paulo: Editora Morro Branco, 2017.
p. 400; 14x21cm.
ISBN: 978-85-92795-17-7

1. Literatura inglesa – Romance. 2. Ficção inglesa. I. Winarski, Regiane. II. Título.

CDD 823

Todos os direitos desta edição reservados à:
EDITORA MORRO BRANCO
Alameda Campinas 463, cj. 23.
01404-000 – São Paulo, SP – Brasil
Telefone (11) 3373-8168
www.editoramorrobranco.com.br

Impresso no Brasil
2017

AGRADECIMENTOS

Mais uma vez, agradeço a todos que me ajudaram com este livro. Agradeço à minha agente, Lucienne Diver, que me ajudou a encontrar monstros nas profundezas de Londres, e à minha editora, Bella Pagan, que é maravilhosa no que faz e a quem este livro deve muito.

Agradeço aos meus leitores beta, aos meus amigos, à minha família, aos meus apoiadores e ao time de Classificações no trabalho. Sua ajuda é muito apreciada.

E muitos agradecimentos à linda cidade de Veneza, que merece um texto muito melhor do que fui capaz de lhe dar.

MANUAL DO BIBLIOTECÁRIO ESTUDANTE

Trecho retirado do Documento de Instruções sobre
a Orientação Entre Vários Mundos

Seção 2.1, versão 4.13
Autor: Coppelia; editor: Kostchei;
Revisores: Gervase e Ntikuma
Somente para pessoas autorizadas

INTRODUÇÃO
Agora você já passou pelo treinamento básico e vai trabalhar em campo com um Bibliotecário mais experiente ou se preparar para isso. Este documento confidencial é um exame mais profundo da posição da Biblioteca em relação aos feéricos e aos dragões. Vai ajudá-lo a entender por que permanecemos desvinculados de qualquer lado.

OS FEÉRICOS — SUA PREDISPOSIÇÃO PARA O CAOS E SEUS PODERES
Você deve estar ciente dos perigos que os feéricos oferecem à humanidade. Eles se sustentam mediante interações emocionais com humanos, se alimentando de nós dessa forma. E veem todo mundo que não eles mesmos, humanos e até outros feéricos, como meros participantes, que desempenham papéis coadjuvantes em suas histórias pessoais. E aqui temos um interessante círculo vicioso. Quanto mais dramáticas suas histórias pessoais se tornam (por exemplo, desempenhando o papel do vilão, do trapaceiro ou do herói), mais poder os feéricos podem conseguir. E quanto mais poderosos eles forem, mais estereotipado esse comportamento

encenado se torna. Como resultado de tudo isso, o ponto de vista dos feéricos fica, de forma correspondente, mais sociopata[1] com o tempo.

Em termos de outros perigos, os feéricos exibem poderes que vão da capacidade de se vestir com um glamour básico (para afetar a percepção humana sobre eles) à habilidade de manipular emocionalmente os que estão ao seu redor. Além disso, os feéricos mais poderosos demonstram ocasionalmente poderes mágicos ou físicos específicos, dependendo do arquétipo ou do estereótipo pessoal que tenham optado por adotar.

OS FEÉRICOS — SEUS MUNDOS

Os mundos conhecidos estão distribuídos ao longo de um espectro que abrange desde a Ordem até o Caos. E quanto mais profundamente nos aventuramos nos mundos afetados pelo Caos, mais feéricos podem ser encontrados neles. Nos mundos afetados existe, claro, o risco de humanos serem contaminados pelo Caos. Isso pode comprometer os poderes de um Bibliotecário ou até impedi-lo de voltar para a Biblioteca. Em mundos assim, dominados pelos feéricos, a humanidade forma um elenco coadjuvante. Os papéis dos humanos variam desde animais de estimação até comida, e são vistos como adereços dos psicodramas, romances ou vendetas aos quais os feéricos ao redor se dedicam — feéricos estes contaminados de corpo e alma pelo Caos. Feéricos individuais ou mais fracos podem ser capazes de interagir com Bibliotecários individualmente, em um nível relativamente "humano". Os mais poderosos não vão querer ou não serão capazes de fazer isso.

---

[1] Se isso se trata de sociopatia ou psicopatia, é uma questão que extrapola o escopo deste documento informativo.

Cuidado na hora de formar alianças caso aproximações aparentemente simpáticas forem feitas, pois elas ainda obedecerão a motivações muito feéricas.

FEÉRICOS OU DRAGÕES — PRÓS E CONTRAS

Você pode se perguntar: por que não nos aliamos diretamente aos dragões? Eles procuram a Ordem, assim como os feéricos procuram o Caos. E representam a realidade, da mesma forma que os feéricos abraçam e se fortalecem mediante conceitos de ficção e irrealidade. Dessa forma, os dragões estimam o mundo "real" e o físico acima de tudo, tendo pouca paciência para questões da imaginação. Então, por que não devemos abraçar[2] a realidade física? A resposta é que, da forma deles, os dragões são tão tendenciosos e não humanos em seu ponto de vista quanto os feéricos.

OS DRAGÕES — SUA PREDISPOSIÇÃO PELA ORDEM E SEUS PODERES

Os dragões podem representar o mundo físico — o mundo que podemos tocar, se preferir —, mas a realidade física não é gentil.[3] É dura, brutal e impiedosa. Os poderes dos dragões lastreiam-se no reino físico: eles conseguem controlar o tempo, as marés, a terra e assim por diante. Dragões também são altamente práticos em seu pensamento e veem pouca necessidade de discutir sobre democracia, autodeterminação humana e outras fantasias do tipo — uma vez que se consideram, evidentemente, as criaturas mais poderosas presentes.

---

[2] Figurativamente falando. As vidas pessoais dos Bibliotecários só dizem respeito a eles.
[3] Bibliotecários que tenham opiniões teológicas diversas são lembrados de que suas crenças pessoais também só dizem respeito a eles.

Eles acreditam que têm automaticamente o direito de governar por causa disso. Então, nos mundos em que um alto grau de Ordem esteja presente, os dragões governam abertamente ou nos bastidores.

A BIBLIOTECA — COMO ELA MANTÉM O EQUILÍBRIO
Por intermédio de suas portas, que conduzem a múltiplos mundos alternativos — ligações estabelecidas mediante a coleta de livros-chave desses mundos —, a Biblioteca ajuda a manter o equilíbrio. Suas conexões com mundos diversos impedem que eles se afastem demais em direção ao Caos ou à Ordem, de modo a estabelecer, em algum ponto do meio, um ambiente razoavelmente estável para os humanos.[4] Bibliotecários Juniores podem ser altamente penalizados se forem flagrados fazendo pactos não autorizados com os feéricos, principalmente se isso prejudicar a neutralidade tão importante da Biblioteca — que deve ser preservada a todo custo. É preciso ressaltar que não estamos aqui para fazer julgamentos sobre o que é "melhor para a humanidade". A humanidade deve tomar suas próprias decisões. O propósito da Biblioteca é preservar a humanidade da realidade absoluta ou da irrealidade absoluta.
E você fará exatamente isso por meio da coleta dos livros indicados, para manter o equilíbrio.

---

[4] Estamos cientes de que o tema é tratado aqui de modo extremamente simplista. Uma discussão mais profunda está além do escopo deste documento informativo e exige um alto nível de conhecimento da Linguagem.

PRÓLOGO

O ar londrino estava poluído e sujo. Os sentidos de Kai eram melhores do que os de um humano, embora ele tentasse não parecer muito arrogante sobre isso. Mas nem ele conseguia enxergar melhor do que o londrino médio em um beco escuro. E até os londrinos andavam com cuidado pelas ruas estreitas atrás da Estação King's Cross.

Mas onde o crime florescia, também se multiplicavam os detetives. E ele tinha ido até lá para se encontrar com Peregrine Vale, amigo e combatente do crime.

Ele parou para inspecionar a vitrine de uma casa de penhores, tentando avaliar a rua atrás de si. Embora não conseguisse ver ninguém o seguindo especificamente, havia alguma coisa no ar que o estava deixando tenso, um pressentimento de perigo. Mas existiam poucos humanos que poderiam desafiar um dragão, mesmo em sua forma humana, e ele não esperava encontrar nenhum deles nesses becos.

Vale estava em um armazém logo depois da esquina. Quase lá, e Kai poderia descobrir de que tipo de assistência ele precisava com seu caso.

De repente, alguém gritou ali perto. Foi um grito de mulher, genuinamente apavorado, interrompido no meio por uma tosse engasgada. Kai se virou abruptamente, tentando espiar por dentro da espiral de neblina. Dois homens e uma mulher estavam encolhidos no fundo de uma passagem particularmente úmida. A mulher estava com as mãos presas atrás de suas costas por um agressor, enquanto o outro se preparava para bater de novo.

— Solte-a — disse Kai calmamente. Ele era capaz de encarar dois humanos com facilidade. Mesmo se fossem lobisomens, não eram um perigo significativo. Mas isso o atrasaria.

— Sai fora — rosnou um dos homens, desviando sua atenção da mulher para encará-lo. — Isso não é da sua conta, e essa não é sua parte da cidade.

— É da minha conta se eu quiser que seja. — Kai avançou pelo beco na direção do grupo, avaliando-o automaticamente, como os mestres de armas de seu pai o tinham treinado para fazer. Os homens eram musculosos nos ombros, corpulentos, mas ambos já mostravam sinais de decadência e belas panças. Podia enfrentá-los, assim como tinha feito com outros de seu tipo alguns dias atrás.

O homem que estava livre avançou na direção dele, os punhos erguidos em uma tosca postura de boxeador. Ele era mais ágil do que Kai esperava, mas não rápido o bastante. Blefou com o punho direito e tentou acertar uma esquerda, direto no maxilar de Kai, que desviou, bateu com a mão de lado nos rins do homem, deu um chute na parte de trás do joelho para desequilibrá-lo e jogou a cabeça dele contra a parede. O homem desabou.

— Não faça isso — disse o outro homem, recuando mais para o fundo do beco e segurando a mulher à frente de seu corpo como um escudo, o pânico começando a tomar conta de seus olhos. — Vá embora e ninguém se machuca...

— Solte essa mulher — corrigiu Kai — e *você* não vai se machucar. — Ele andou para frente, considerando as possíveis aberturas. Um desvio para o lado e um golpe no pescoço do homem poderiam ser a opção menos arriscada para a mulher, mas mesmo assim...

— Agora — disse uma voz vinda de cima.

Portas se abriram dos dois lados e às costas dele, ao mesmo tempo em que alguma coisa caiu de cima, indo em sua direção como um emaranhado de sombras. Kai mergulhou para um dos lados por instinto, mas subitamente havia homens demais no beco com ele. Uma dúzia, a parte de sua mente treinada para combate reparou, e mais atrás das portas abertas. Ele não tinha espaço para esquivar-se, e tudo indicava ser uma armadilha. Eles sequer ficaram para trás, deixando que outras pessoas levassem os primeiros golpes, na forma habitual dos valentões. Partiram para cima, a maioria só com os punhos, outros com socos ingleses ou tacos leves.

Ele tinha que voltar e sair. Não havia vergonha alguma nisso. Parte do treinamento de um guerreiro era reconhecer uma força superior e reagir da forma apropriada. Um braço contornou seu pescoço por trás. Ele o segurou, apoiou-se em um joelho e jogou o homem por cima da cabeça, em cima dos que se aproximavam. Permanecendo abaixado, girou, dando uma rasteira na perna de outro combatente. Kai usou o impulso para se virar e levantar. Havia quatro homens entre ele e a saída. Quatro obstáculos a remover.

O caso de Vale devia ser importante para exigir esse tipo de interferência.

Kai reparou nos fios da rede, a mesma que quase o acertou, emaranhados na rua. Era um trabalho sórdido, com metal entrelaçado nas cordas. Curioso. Por que todo esse trabalho para pegá-lo pessoalmente? Se já tinham capturado Vale, eles iam se arrepender.

Ele jogou um cotovelo para trás, sentindo o impacto ao atingir um queixo, e se lançou para frente em uma corrida em

ziguezague. Pelo menos um dos homens à sua frente deveria recuar...
Ele não esperava que todos fossem para cima dele de uma só vez, como um repentino tsunami humano. Socou para cima, acertando uma garganta, e depois para baixo, atingindo uma virilha — golpes para nocautear. Mas eles simplesmente não caíam. Sentiam a dor, grunhiam, cambaleavam, mas ainda ficavam em seu caminho.

Um golpe o acertou na nuca causando uma explosão repentina de dor, e sua próxima tentativa de golpe perdeu força enquanto ele se apoiava em um só joelho. Sabia que havia se tornado um alvo fácil, mas naquele momento seus músculos não tinham como reagir.

Outro homem bateu em sua cara. Ele cuspiu sangue.

Um homem vindo por trás se jogou em cima de Kai, derrubando-o no chão imundo. Kai lutou para respirar, ainda desnorteado pelos golpes. Conseguia sentir uma fúria absoluta correndo por suas veias agora. Como aqueles humanos ousavam atacá-lo assim?

Não havia espaço nele para medo. Não era *possível* que aquela escória pudesse vencer.

Ele sentiu seu corpo natural se manifestando, as mãos se tornando garras, escamas começando a surgir por toda a pele, enquanto sua verdadeira natureza surgia em meio a sua fúria. Ele insurgiria o rio contra eles, os escorraçaria desta Londres, faria com que pagassem pela *insolência*.

Por toda a Londres, ele podia sentir o Tâmisa e seus afluentes se agitarem em resposta à sua raiva. Ele talvez fosse o menor e mais jovem dos filhos de seu pai, mas ainda era um dragão da casa real. Com um impulso poderoso se jogou para trás, forçando o bandido para longe de suas costas, e se levantou, os dentes à mostra em um rosnado.

Mais corpos o acertaram e o derrubaram, mãos pesadas prendendo seus pulsos contra o solo. Suas garras deixavam longas marcas no chão à medida que Kai se esforçava para ganhar equilíbrio. Pela primeira vez, sentiu uma pontada de dúvida. Talvez fosse mais prudente assumir por completo sua verdadeira forma, aquela que eles não teriam como subjugar. Alertaria toda Londres que um dragão andava em meio a eles, mas se ele perdesse...

Uma mão se enfiou em seus cabelos, puxou sua cabeça para trás e ele sentiu um metal frio se fechar ao redor do seu pescoço. Agora, abruptamente, havia o toque feroz e elétrico de magia feérica no ar, presa ao redor dele, *restringindo-o*. Ele gritou em choque repentino, enquanto os rios distantes sumiam, desaparecendo totalmente de seus sentidos, e seus dedos, agora puramente humanos, arranhavam o concreto.

— Isso deve funcionar. — Aquela voz fria, pela primeira vez que alguém falava durante todo o ataque, foi a última coisa que Kai ouviu. Houve um derradeiro golpe em sua cabeça e ele finalmente se rendeu à inconsciência.

CAPÍTULO 1

Na noite anterior...

Era uma pena o veneno em sua taça de vinho, refletiu Irene. A sala subterrânea era quente, e uma taça de vinho gelado seria refrescante.

Ela não precisava dos sussurros de Kai atrás de seu ombro. Estava observando o homem com máscara de corvo pelo espelho. Seu verdadeiro nome era Charles Melancourt, e ambos estavam atrás do mesmo livro nas últimas semanas. Ele era agente de um comprador russo. Irene era agente da Biblioteca. Os dois já tinham se esbarrado muitas vezes enquanto investigavam as mesmas fontes, e ele certamente a reconhecera, apesar da máscara, assim como ela também o identificara.

Chegou ao fim o leilão da vez — um conjunto de dados cobertos de ouro com pontos de rubi — e houve uma série delicada de aplausos. Todo mundo estava mascarado, até os garçons carregando bandejas de comida e vinho. Aquele leilão não era exatamente ilegal, mas era certamente duvidoso. Entre os clientes havia os excêntricos, os muito ricos e uma grande quantidade de pessoas que tinham advogados só para provar o quanto elas eram inocentes (de qualquer coisa). Lâmpadas de éter ardiam nas paredes lançando um brilho branco no salão, o que fazia as miçangas dos vestidos caros e as condecorações militares cintilarem tanto quanto os itens em leilão. Ela também tinha reconhecido alguns dos seres feéricos de Londres por trás das máscaras. Mas Lorde Silver, o líder não oficial, não estava presente, fato pelo qual ela ficou extremamente agradecida.

Irene conseguira entrar com a ajuda de Vale. Não era nada mau ser amiga pessoal do maior detetive de Londres. Em troca, prometeu que ela e Kai estariam fora do local antes da meia-noite, antes que uma batida policial planejada acontecesse. Uma promessa que pretendia cumprir. Ela passou os últimos meses naquele mundo alternativo construindo uma identidade falsa de tradutora *freelancer*, e ter uma ficha criminal não seria conveniente.

— Próximo item — disse a leiloeira. — Um exemplar de *La Sorcière*, de Abraham ou "Bram" Stoker, baseado no livro de mesmo nome de Jules Michelet. Temos certeza de que nossos convidados não precisam ser lembrados de que este livro foi banido pelo Governo Britânico. E a Igreja o denunciou com alegações de indecência pública e heresia. Sem dúvida vai garantir ao comprador uma leitura divertida, haha. — Sua risada era desprovida de qualquer humor. — Vendido como parte dos bens de um anônimo. Os lances começam em mil libras. Alguém se habilita?

Irene levantou a mão. Melancourt também.

— A moça usando máscara veneziana, mil libras — disse a leiloeira.

— Mil e quinhentas! — gritou Melancourt.

Então ele faria lances altos em vez de subir devagar. Tudo bem. Pelo menos eles pareciam ser as únicas pessoas interessadas naquele lote.

— Duas mil — disse Irene com clareza.

— Duas mil e quinhentas! — retorquiu Melancourt.

Isso gerou alguns sussurros entre os outros proponentes. O livro era raro, mas nem tanto. Certos museus tinham cópias, então Irene estava sendo comparativamente íntegra ao tentar comprar o tomo em um leilão do submundo. Poderia simplesmente roubá-lo, afinal. Esse pensamento a fez sorrir.

— Três mil.

— Cinco mil! — A elevação repentina do lance fez o aposento ficar em silêncio. As pessoas estavam olhando para Irene, esperando para ver o que ela faria.

Kai se inclinou sobre os ombros dela. Fiel ao disfarce de guarda-costas, ele esteve o tempo todo de pé, recusou comida e bebida e ficou de olho na bolsa de viagem com a prova de pagamento.

— Podemos deixar que ele vença e visitá-lo depois — murmurou ele.

— Arriscado demais — sussurrou Irene em resposta.

Ela pegou a taça de vinho na bandeja que ele estava segurando, levou aos lábios e não teve dúvida da tensão repentina que viu na postura de Melancourt. Sim, *foi* ele quem a mandara. Ela achava que sim.

— **Vinho, ferva** — murmurou na Linguagem, rapidamente colocando na bandeja a taça que se aquecia sob seus dedos. O vinho já estava borbulhando e transbordou na bandeja, sibilando e soltando fumaça enquanto evaporava. As mãos de Kai se contraíram, mas ele manteve a bandeja firme.

O silêncio aumentou. Irene o rompeu.

— Dez mil — disse ela casualmente.

Melancourt bateu com o punho na coxa e soltou um palavrão.

— Algum outro lance? — perguntou a leiloeira, em meio ao burburinho crescente. — Dez mil da moça de máscara veneziana preta, dou-lhe uma, dou-lhe duas... Vendido! Venha tratar do pagamento com nossa equipe, madame, muito obrigada. O próximo item...

Irene se desligou do item seguinte e ficou de pé. Kai entregou a bandeja para um dos garçons e pegou a bolsa, seguindo-a até a mesa de pagamento. Ela ficou alerta para Melancourt, mas ele estava afundado na cadeira, sem tentar nada dramático. Homens e mulheres assentiram com respeito quando ela passou, e ela retribuiu o gesto educadamente.

— Seu pagamento, madame? — perguntou o homem na mesa com neutralidade. Havia vários homens grandes e musculosos logo atrás, para ajudar os clientes relutantes a cobrirem suas compras. Mas não seriam necessários desta vez.

Irene manteve o sorriso fraco enquanto o funcionário examinava seus diamantes sintéticos com uma lupa de joalheiro, para depois fechar a transação e entregar o livro. Ela tinha conseguido as pedras com um Bibliotecário que estava trabalhando em um alternativo mais avançado tecnologicamente, e elas pagavam as contas lindamente. A produção de diamantes lá era comparativamente barata, e tudo que o colega dela pediu em troca foi um conjunto completo de primeiras edições de Voltaire do mundo dela.

Eles estavam chegando à porta quando Melancourt os alcançou.

— Posso fazer um acordo — disse ele, a voz baixa, mas desesperada. — Se você me botar em contato com seu diretor...

— Infelizmente, é impossível — disse Irene. — Desculpe-me, mas a questão está encerrada. Você vai ter que me dar licença. — Ela se lembrou de que tinha um prazo, e já eram dez e meia.

Os lábios de Melancourt se tornaram uma linha fina embaixo da máscara.

— Não me considere responsável pelo que pode acontecer — disse ele com desprezo. — E você também vai ter que me dar licença. Eu tenho que ir. — Ele passou na frente dos dois e pediu a um garçom o casaco e o chapéu.

Eram quinze para as onze quando eles saíram do lugar, não usando mais as máscaras. A noite estava relativamente limpa, e as lâmpadas de éter mostravam todas as imperfeições das ruas do Soho. Algumas mulheres trabalhavam nas esquinas, mas a maioria estava nos *pubs* ou atuando em lugares fechados, e nenhuma tentou se aproximar de Kai e Irene. Melancourt já tinha sumido de vista.

— Você acha que ele vai tentar alguma coisa? — perguntou Kai, mantendo a voz baixa.

— Provavelmente. Vamos para a Oxford Street. Devemos ficar em segurança quando estivermos na via principal.

Enquanto seguiam nessa direção, Irene pensou em como sua vida mudara nos últimos poucos meses. Antes, era uma Bibliotecária andarilha, sempre em missão, pulando de um mundo alternativo para outro para coletar livros para a Biblioteca interdimensional a que servia. Agora, como Bibliotecária em Residência, tinha sua base estabelecida aqui, um aprendiz que respeitava e até amigos. Viajar pelos mundos não era a melhor forma de manter amizades, principalmente quando ela tinha que passar metade do tempo disfarçada. Mas agora, até havia gente daquele mundo, como Vale, que sabia o que ela era e a aceitava.

E, para ser sincera, ela estava gostando do trabalho. Era *recompensador* executar pedidos da Biblioteca e poder fazer isso com prontidão e eficiência. Fornecer livros únicos de algum mundo particular ajudava a estabilizá-lo, equilibrando-o entre a Ordem e o Caos ao aumentar sua ligação com a Biblioteca. Mas também era, por falta de uma palavra melhor, empolgante. No mês anterior, eles tiveram que se esgueirar por um labirinto cheio de autômatos, nos subterrâneos de Edimburgo, para salvar um exemplar perdido da narrativa *Regina Rosae*, de Erzsébet Báthory. Hoje, eles entraram e saíram de um leilão sem qualquer problema (a pequena tentativa de envenenamento era um detalhe menor). Irene não tinha certeza do que aconteceria amanhã, mas prometia ser interessante.

— Ah — disse Kai, com um tom de leve satisfação enquanto eles dobravam a esquina, passando por um *pub* e chegando a uma área mais escura da rua. — Foi o que pensei. Estamos sendo seguidos.

Irene virou a cabeça e avistou dois homens logo atrás, na virada da rua.

— Boa observação. Só aqueles dois?

— Pelo menos mais um. Acho que estão cortando caminho para nos interceptar se formos pela Berwick Street. — Kai franziu a testa. — O que vamos fazer?

— Vamos pela Berwick Street, claro — disse Irene com determinação. — De que outra forma vamos descobrir o que está acontecendo?

Kai olhou de lado para ela, as lâmpadas de éter transformando seu perfil em um agudo entalhe de mármore. Os olhos, por outro lado, pareciam apertados e escuros.

— Você vai me deixar cuidar da situação?

— Vou deixá-lo ir na frente — disse Irene. — Você os distrai, eu arrumo tudo.

Ele assentiu, aceitando a ordem. Ela não exigiria lutar lado a lado com ele em uma briga de rua. Ele era um dragão, afinal, e mesmo em forma humana podia saltar no ar e chutar a cabeça das pessoas. E aquelas saias longas de Londres não foram feitas para saltar e chutar.

Kai ser dragão era uma coisa complicada. Tornava-o um aprendiz útil, com capacidades além do normal humano, mas também queria dizer que ele vinha com sua própria cota de atitudes e preconceitos. Ele abominava os feéricos como forças do Caos, o que era constrangedor, considerando que tinham uma presença pesada naquele mundo. E se portava com a altivez de um dragão de sangue real, embora se recusasse a entrar em detalhes sobre seus pais. Irene tinha experiência suficiente para saber que isso poderia ser um problema — ou melhor, provavelmente *seria* um problema. Mas aqui e agora, ele era um excelente reforço.

Àquela hora o mercado e as lojas de tecidos da Berwick Street já estavam fechados e a rua, escura, exceto pelas lâmpadas de éter. Seria uma boa hora para os perseguidores agirem.

Como se obedecessem a um sinal, os dois homens começaram a se aproximar, enquanto um terceiro saía da esquina à frente deles. Estava mal vestido, com o casaco maltrapilho aberto e revelando uma gravata frouxa no pescoço, por cima de uma camisa parcialmente abotoada. O boné estava bem puxado sobre o rosto, escondendo os olhos.

— Podem parar aí — rosnou ele.

Kai e Irene pararam.

— Nós podemos fazer isso do jeito fácil — disse o rufião — ou podemos fazer isso do jeito difícil. Eu e os meninos não queremos machucar vocês desnecessariamente, certo?

— Ah, não! — Irene ofegou, esforçando-se para não parecer ameaçadora. — O que é isso?

— Só um pouco de violência necessária, moça — disse o homem. Ele deu um passo à frente. Ela podia ouvir os outros dois se aproximando por trás, mais rápido agora. — Se a senhorita se afastar desse jovem cavalheiro aqui, eu e os meninos não teremos qualquer motivo para perturbá-la.

Devia ser porque Kai estava carregando a bolsa. Melancourt certamente não tivera tempo de avisar que ela talvez tivesse habilidades incomuns. Bom, Irene não ia recusar uma vantagem.

— Então, que motivo vocês têm para *me* incomodar? — perguntou Kai. Ele passou a bolsa para Irene e ela deu um passo para trás, dando espaço para ele manobrar enquanto ela recuava para a lateral da rua. Com o canto do olho, ela conseguia ver luzes brilhando em janelas superiores e cortinas se abrindo. Por um momento, pensou ter visto alguma coisa se mover no telhado do outro lado da rua, mas não podia ter certeza, e o perigo no andar térreo era mais imediato. Felizmente, ela tinha total fé em Kai, que podia lidar com esses três bandidos de rua sozinho. Ele provavelmente nem suaria.

O homem na frente deles tirou um porrete pequeno e pesado do bolso. Manejava-o com desenvoltura, parecendo experiente. Cavalheiros da rua treinados, então. Um pouco mais do que mercenários do *pub* mais próximo.

Irene virou-se para observar os dois homens se aproximando por trás. O gingado tinha mudado de uma caminhada brusca para um andar casual. E agora que conseguia vê-los com mais clareza à luz do poste, notou que suas bochechas estavam cobertas de pelos, as sobrancelhas densas se encontravam acima do nariz e as unhas definitivamente não pareciam normais.

Lobisomens. Ela não esperava lobisomens.

Não havia leis contra os lobisomens naquele mundo alternativo. No entanto, à exceção daqueles que tinham dinheiro, eles ficavam presos às classes sociais dedicadas ao trabalho manual e à bandidagem casual. Lobisomens costumavam andar juntos em grupos pseudo familiares nas cidades grandes, ocupando turnos de trabalho inteiros em fábricas ou nas docas, ou simplesmente gerenciando esquemas de proteção. Irene nunca havia tentado descobrir o que os lobisomens faziam no campo. Talvez buscassem uma vida ao ar livre, só caçando coelhos, mas ela duvidava.

Felizmente, era preciso muito tempo e muitos esforços salivantes sob a lua cheia para transmitir a mácula do lobisomem. Assim, o perigo imediato não era esse. Mas eles eram mais resistentes do que o humano médio e difíceis de segurar em uma luta — a não ser que o oponente estivesse disposto a causar danos sérios.

— Vamos ficar com essa bolsa que você passou para a sua mocinha ali — grunhiu o primeiro homem, ou melhor, lobisomem. Ele lambeu os lábios. A língua era um pouco comprida demais. — Depois vocês vão levar um recadinho para quem os contratou, se é que vocês me entendem.

— Eu não recomendaria isso — disse Kai, deslizando o pé direito para a frente, no que Irene reconheceu vagamente como uma postura de arte marcial obscura. — Se vocês, cavalheiros, pudessem me dizer quem os contratou...

Os dois atrás dele correram de repente, tentando pegar os braços de Kai. Mas ele tinha previsto isso. Esticou a mão para trás a fim de agarrar os seus pulsos e depois os jogou violentamente para frente com o impulso deles mesmos. Em seguida, quando os puxou de volta, os dois quase caíram. Um falou um palavrão. O outro ficou em silêncio, mas lambeu os lábios com um brilho cruel nos olhos.

— Ah, temos um observador esperto aqui — disse o primeiro homem. — Fiquem em volta dele, rapazes. Vamos ensinar a ele um pouco de respeito. — Enquanto falava, dirigiu-se para a direita, as botas raspando na calçada, mas não se moveu na direção de Kai.

— Eu ainda gostaria de saber quem os enviou, cavalheiros — disse Kai. A postura dele permanecia tranquila e relaxada. Ele não tirou os olhos do líder dos três, mas Irene tinha certeza de que estava olhando os outros também. Às vezes, era fácil esquecer que ele passara um período como quase criminoso em um mundo *cyberpunk* de alta tecnologia. Devia estar acostumado a esse tipo de confronto. Talvez fosse algo até nostálgico.

— Aposto que gostaria — rosnou o que estava à esquerda de Kai. Ele chegou mais para o lado, bem mais perto de onde Irene estava, junto à parede, tentando ir para trás de Kai. — Pena que você só vai poder dizer para eles que...

Kai se moveu no instante da distração do sujeito, virando-se para dar um passo duplo rápido em sua direção. O punho fechado acertou um soco direto na barriga do homem, que grunhiu e cambaleou. Kai abriu a mão para acertar com a palma aberta a lateral do pescoço do sujeito, o rosto concentrado, interessado somente na forma apropriada do golpe. O homem cambaleou para trás com a força do impacto, cuspe voando da boca aberta. A respiração do lobisomem ficou difícil e ele se ajoelhou, os punhos peludos batendo na calçada, os olhos atordoados enquanto ele lutava para permanecer consciente.

Os outros dois correram para Kai, ambos rosnando com o fundo da garganta, um tentando chegar perto para mantê-lo ocupado, enquanto o primeiro usava seu porrete. A coisa toda virou uma briga corpo a corpo com uma série de golpes rápidos. Irene franziu a testa quando viu Kai se apoiar em um joelho e deu um passo à frente para ajudar. Mas o primeiro bandido se levantou cambaleante e a segurou, os dedos peludos de unhas grandes envolvendo o seu braço.

— Agora grite bem alto para o cavalheiro poder escutá-la — começou ele.

Irene olhou para os pés dele rapidamente. Botas. Botas com cadarços compridos e pesados. Serviria.

— Seus cadarços estão amarrados um no outro — ela informou a ele, sentindo o peso da Linguagem na garganta. Ela era uma Bibliotecária. E em momentos assim, esse fato era extremamente útil. O mundo ouvia suas palavras e se alterava em resposta. Ela podia ferver vinho, abrir portas, derrubar zepelins, dar vida a animais empalhados... E bem pior. Ou, nesse caso, amarrar um par de cadarços um no outro.

— O quê? — perguntou o bandido, previsivelmente confuso. Ela segurou e puxou o braço dele com força. Mas o bandido, com um sorriso arrogante de predador, continuou segurando o braço dela e chegou ainda mais perto... Antes de cair de cara no chão. Os cadarços tinham se amarrado um no outro.

Irene se soltou da mão dele com destreza enquanto caía, libertando-se. Ela não seria uma agente de campo muito eficiente se não soubesse se cuidar em uma briga. O bandido, enquanto isso, se debatia loucamente no chão, então Irene lhe deu um chute forte nos rins. Quando ela o chutou novamente, ele parou de se mover para tentar respirar. *Menos um para nos caçar quando iniciarmos nossa fuga,* pensou ela sombriamente.

Os sons de luta às suas costas tinham diminuído, e ela olhou na direção de Kai. Ele estava limpando sujeira das mangas do casaco, ainda que isso fosse desnecessário, e os dois outros bandidos de aluguel estavam caídos no chão ao lado dele. Um estava com o braço torcido em um ângulo nada natural e o outro, com o nariz sangrando. As cortinas nas janelas acima da rua tinham parado de tremer e o vulto sumira do telhado. Melancourt deveria ter decidido interromper suas perdas ali mesmo.

— Talvez o cavalheiro com o porrete possa fazer a gentileza de explicar — sugeriu Irene.

Kai se inclinou, botou o lobisomem de pé e o encostou na parede. As unhas tinham se recolhido e os pelos na face tinham voltado para o nível de um homem normal que há muito não se barbeava com asseio.

— Agora que passamos pelas preliminares — disse Kai —, podemos discutir a questão?

O bandido soltou um espasmo grunhido. Moveu a mão com cuidado para o rosto e, quando ficou claro que Kai não tentaria impedi-lo, limpou sangue e saliva.

— Tenho que dizer que você é mais do que eu esperava, chefe — murmurou ele. — Tudo bem. Desde que aceitemos que não haverá denúncia oficial nem nada parecido, certo?

— Estritamente pessoal — garantiu Kai. — Agora, talvez você queira responder à pergunta da minha amiga. Quem é você? E quem o mandou?

— Vou ser sincero com você, chefe — disse o lobisomem. Ele mexeu no ombro e fez uma careta. — Jesus, mas que chute é esse! Nós conhecemos uma mulher no Old Swan, um *pub* a três ruas daqui. Ela disse que você passaria por aqui com uma moça e nos deu sua descrição. Disse que queria sua bolsa e que era para dar um aviso a vocês: fiquem longe da vida das outras pessoas. Mas não queria nenhum de vocês morto. Tínhamos que ficar com a bolsa, e ela faria contato conosco.

Irene assentiu.

— Você pode me dizer alguma coisa sobre a mulher que os contratou?

Ele deu de ombros e fez outra careta.

— Era uma dama de verdade, com bolsa cheia, mas não disponível para qualquer um. Carregava uma sombrinha e tinha uma faca na manga. Casaco de noite, chapéu e luvas, nada óbvio, mas artigos de primeira. O broche no lenço dela parecia de ouro, mas não pude fazer mais do que olhar. Tinha um homem de olho nela, mas ela estava no comando. Cabelo escuro sob o chapéu, olhos escuros. Ninguém que eu conhecesse.

— Era estrangeira? — perguntou Kai casualmente. Uma pergunta um pouco menos direta do que *Ela poderia ser da embaixada de Liechtenstein, um antro local de feéricos e moradia de um certo Lorde Silver, que tem uma rixa constante com Vale?* Mas o pensamento estava lá.

Ele balançou a cabeça.

— Se era, não ficou óbvio. Parecia bem normal. Sotaque de gente fina, como o de vocês.

— E nada de memorável sobre o homem? — Irene estava tentando de tudo. — Ou sobre o broche no lenço dela?

— Bom, eu o reconheceria, senhorita — disse o bandido. — Mas não sou o seu sr. Vale, sou? Não consigo dar uma olhada nele e dizer de onde... — Ele moderou a linguagem visivelmente. — De onde vem a lama nos sapatos dele. E o broche no lenço era um par de mãos se apertando, nada especial.

Isso estava fácil demais. Irene se virou para Kai.

— Ele não está nos contando tudo. Faça-o falar.

Kai deu um passo à frente e o lobisomem se encolheu.

— Espere! Você disse que não ia me machucar!

— Na verdade, eu nunca disse isso. — Irene se concentrou. A Linguagem podia ser usada para ajustar as percepções de uma pessoa. Não durava muito, mas podia ser bem eficiente no tempo e local certos. Ela falou com o lobisomem. — **Você vê meu amigo como uma pessoa verdadeiramente apavorante que está disposta a fazer qualquer coisa para obrigá-lo a nos contar a verdade.**

Mexer com a mente das pessoas situava-se no lado duvidoso da ética, mas, Irene assegurou a si mesma, era preferível a dar uma surra no lobisomem para obter a informação.

31

Ele se encolheu antes que Kai pudesse chegar perto, fazendo uma careta e mostrando o pescoço.

— Tudo bem, tudo bem! — disse ele. — Nós a seguimos até o lado de fora, certo? E a vimos tomar um táxi particular para a Embaixada de Liechtenstein para se encontrar com o marido... Foi o que ela disse ao motorista. E ele a chamou de "minha lady"!

Isso era mais útil. Ainda que não pertencesse necessariamente à nobreza, não deveria haver tantas mulheres assim na embaixada que merecessem esse tipo de tratamento.

— Mas você tem certeza de que isso foi real e não só uma encenação para enganá-lo? — perguntou Irene.

Apesar da posição, o lobisomem pareceu arrogante.

— Foi real, e sabe por quê? Porque o homem que estava dirigindo o táxi, meu amigo George o conhecia. Ele é motorista regular da embaixada. Mesmo se ela quisesse enganar a gente, o motorista era real.

— O nome dele — disse Irene secamente.

O lobisomem hesitou, olhou para Kai de novo e cedeu.

— Vlad Petrov — murmurou ele. — Não sei mais do que isso.

Parecia bem sincero. E agora eles tinham um nome com o qual trabalhar.

— Acho que esse cavalheiro nos contou tudo que podia — disse Irene para Kai.

— Eu acho que concordo. — Kai se virou para o bandido. — Mas não vamos nos encontrar mais, certo?

— Pode deixar, chefe — concordou o bandido com entusiasmo. — Longe dos olhos, longe do coração, como minha mãe dizia.

Kai não se deu ao trabalho de perguntar o que isso queria dizer. Ele deu um passo para trás.

— Boa noite — disse. Ofereceu o braço a Irene e eles saíram andando juntos. Não foram seguidos.

Dobraram a esquina.

— O que você acha? — perguntou Kai baixinho.

— Tipos de nível muito baixo — respondeu Irene, e notou Kai assentir com a cabeça. — E descuidados com quem os contratou. Eles tiveram sorte de os novos funcionários não atacarem as pessoas erradas. Todo aquele papo com a bolsa e "não façam contato comigo, eu faço com vocês". Ela não queria mesmo que eles fizessem contato.

Kai assentiu de novo.

— Mas não consigo ver tudo isso como coisa do Silver. Bandidos não são o estilo dele. Mesmo que ele estivesse interessado no livro de Stoker. Nossa misteriosa feérica sabia que sairíamos do leilão com a bolsa, então com certeza saiu de lá também. Talvez fosse a cliente de Melancourt.

Irene tinha que concordar com a primeira parte. Era muito mais provável que Silver, ou Lorde Silver, em caso de absoluta necessidade, arrumasse duelistas munidos de chicotes e espadas, ou mandasse assassinos invadirem a casa deles à meia-noite, se realmente sentisse necessidade de se expressar dessa forma.

— Outro feérico faz sentido — disse ela. — Mas o tempo não bate. Não sei se alguém poderia estar no leilão, sair na mesma hora que nós e ainda conseguir contratar aqueles lobisomens para nos atacar.

Kai franziu a testa, pensativo.

— Ela pode ter saído antes e contratado os lobisomens para nos interceptarem caso ficássemos com o livro.

— Verdade. — Agora eles estavam quase na Oxford Street.

— Mas parece meio confuso e um jeito muito *descuidado* de lidar com as coisas.

— Sei que você faria melhor — disse Kai graciosamente.

Irene olhou para ele de lado.

33

— Eu estou falando em termos de uma operação planejada — acrescentou ele rapidamente. — Uma coisa bem organizada e eficiente, sem necessidade de confiar nos primeiros rufiões que encontrasse para que fizessem um bom trabalho ou levassem a melhor. Foi um elogio, Irene. De verdade. — Mas ele não conseguiu esconder totalmente o sorrisinho.

— Planejar agora poupa trabalho mais tarde — disse Irene com firmeza. — E havia alguém observando dos telhados. Alguém de melhor qualidade do que aqueles homens. Não consegui ver direito o homem... Ou a mulher — acrescentou, pensativa.

— Poderia ser só um ladrão? — sugeriu Kai.

— Poderia — Irene ajeitou o véu. — Mas e se era a pessoa escolhida para pegar a bolsa quando os lobisomens a retirassem de *nós*?

— Ah, faz sentido. Pena que não pudemos interrogar o observador, então.

— Foi embora quando você derrubou os lobisomens — disse Irene. — Parece que aquela mulher e os agentes dela realmente queriam esconder os rastros.

— Mas falharam — disse Kai com satisfação. — Nós temos um nome.

Eles entraram na Oxford Street e Irene levantou a mão para chamar um táxi.

— Todo mundo tem azar às vezes — disse ela. — Por melhor que seja o plano.

Mas ela não conseguia afastar a sensação de que ela e Kai talvez tivessem tido um pouco de sorte *demais* naquela noite.

CAPÍTULO 2

Na manhã seguinte, Irene passou um bom tempo agradecendo àquela civilização por ter inventado o chuveiro. Embora ela fosse, em muitos aspectos, similar ao período conhecido como "vitoriano" em diversos mundos alternativos (com poluição, neblina, carruagens puxadas a cavalo, carruagens movidas a "éter" e sem dispositivos de comunicação instantânea), em outros havia alcançado feitos importantes. Possuía condições sanitárias decentes, apesar da poluição, água adequadamente limpa e bastante chá e café. Assim, ela tinha que lidar com zepelins, lobisomens e vampiros e com a falta de telefones (os usuários eram repetidamente possuídos por demônios). Podia ser pior. A poluição matava a maioria dos mosquitos.

Mas enquanto estava no chuveiro, ela pensava. Precisava levar o livro de Stoker para a Biblioteca – e quanto mais cedo melhor, antes que houvesse outra tentativa de roubo. Porém ela e Kai também precisavam investigar a mulher. Vale seria muito útil nisso. Um pardal não podia levar uma facada nas costas sem o detetive saber. E, claro, ela ou Kai podiam dar uma xeretada na embaixada de Liechtenstein (Liechtenstein era um refúgio para feéricos naquele mundo), mas talvez acabassem mostrando para a presa que sabiam onde encontrá-la.

Kai estava trabalhando na mesa do escritório compartilhado, riscando com uma caneta tinteiro uma lista de vendedores de livros. Ele a cumprimentou educadamente, mas sua atenção estava em outra coisa. Um abajur de mesa de luz intensa acentuava seu perfil, dando brilho adicional ao cabelo preto.

Foi uma ideia sensata terem ido morar juntos, Irene lembrou a si mesma. Assim, ela podia ficar de olho em Kai. Depois da confusão com o traidor Alberich e com os feéricos de Londres, graças a Silver, ela não queria correr riscos. E ser amiga de Vale podia ser arriscado por si só, principalmente porque eles ajudavam nos casos um do outro. Kai e ela eram adultos. Podiam compartilhar um alojamento sem precisar se "envolver".

Mas dragões, quando em forma humana, aparentemente assumiam traços implausivelmente atraentes (possivelmente, até mesmo lindos). Kai tinha cabelo preto macio com toques azulados, pele clara como mármore, olhos escuros e profundos e maçãs do rosto que *imploravam* para ser tocadas. Movia-se como um dançarino, com físico à altura. O tipo dramático que podia fazê-la rodopiar pela pista de dança antes de se inclinar, segurando-a pela cintura, trazendo-a mais para perto e então...

Irene lembrou a si mesma, com firmeza, que ele também era seu aluno e aprendiz, portanto, sua responsabilidade. A questão não era se ele estaria disposto – embora já tivesse insinuado fortemente que estava e continuasse a fazê-lo – nem se ela estaria disposta. A questão era se ela tinha o direito de tirar vantagem da oferta dele. No momento, ficava satisfeita de tê-lo como amigo e como colega, e estava agradecida por isso.

Ser responsável tem muitas consequências, ela pensou com ressentimento.

— Está pronto? — perguntou.

— Eu só estava... — Kai mexeu na caneta. — Tinha uma mensagem — disse ele por fim.

— De quem? — Ficou claro que a situação levaria alguns minutos para ser resolvida. Irene se sentou em frente a ele, apoiando os cotovelos na mesa. As cicatrizes em suas mãos, ferimentos de meses antes, se destacavam na pele, formando um desenho de cortes cruzados nas palmas e nos dedos.

Kai retirou um pergaminho de debaixo de uma pilha de papéis. O selo havia sido rompido e a fita, desamarrada. Irene conseguiu identificar o que pareciam ideogramas chineses em tinta preta, e assinatura em vermelho.

— Do meu tio — disse ele. — Meu tio mais velho, o irmão imediatamente depois do meu pai. Ele pede minha presença em uma cerimônia da família que ocorrerá em alguns meses.

— Bem, é claro que você deve ir — disse Irene imediatamente. — Posso ficar sem você por alguns dias. Ou semanas. Quanto tempo dura uma comemoração? — Ela sabia pouca coisa sobre dragões, apesar de dividir sua moradia com um, e era possível que eles achassem que uma boa comemoração familiar durasse vários anos.

— Provavelmente umas duas semanas — disse Kai sem entusiasmo.

Irene tentou imaginar qual era o problema.

— Você está envergonhado da sua ocupação atual? — perguntou ela.

— Não! — A resposta de Kai foi gratificante e rápida. — Não... E eu não teria feito isso sem a permissão do meu tio, de qualquer modo.

— Então ele sabe?

— Não, esse é um tio diferente — disse Kai. — Meu pai tem três irmãos. O mais novo era meu guardião quando comecei a trabalhar para a Biblioteca. Esse é um irmão mais velho, o segundo mais velho da família. Por isso, naturalmente, eu devo a ele minha lealdade e tenho que ir.

Irene ponderou que, se aquela conversa se alongasse, ela teria que pedir nomes e desenhar uma árvore genealógica.

— Não vejo qual é o problema, então — disse ela.

Kai se mexeu um pouco na cadeira.

— Eu só não esperava que eles conseguissem fazer contato comigo aqui. Quaisquer convites deveriam ter sido endereçados ao meu antigo guardião, e é claro que eu falo com ele com intervalos de poucos anos. Mas chegar assim...

— Como chegou? — interrompeu Irene, antes que ele pudesse desviar-se mais do assunto.

— Por mensageiro particular — disse Kai.

Irene pensou no assunto. Por um lado, queria dizer que algum dragão sabia o endereço postal de Kai e, por conseguinte, o dela. Por outro lado, isso era necessariamente ruim?

— Ainda não entendi por que você está fazendo conjecturas — disse ela. — Se tivesse esperado até a próxima vez que falasse com ele, teria perdido esse evento familiar.

— Você não entende! — Ah, talvez eles estivessem chegando ao problema agora. Era o grito de um príncipe adolescente, ou pelo menos do príncipe universitário longe da família e desfrutando de uma sensação de liberdade anteriormente desconhecida. Talvez, para dragões juniores, tirar alguns anos para explorar mundos alternativos fosse o mesmo que um fim de semana de folga para estudantes em um país estrangeiro, embora possivelmente envolvendo menos bebedeira. — Eles sabem onde eu estou. Podem me visitar a qualquer momento. Podem até desaprovar o que ando fazendo.

— Espere. Você acabou de dizer que não tem vergonha do seu trabalho. Agora está dizendo que eles podem reprová-lo. É por causa das nossas atividades recentes? — Como ir a leilões criminais, infiltrar-se em Claustros da Inquisição nos subterrâneos de Winchester, ou a vez em que eles tiveram que enganar um déspota cazaque com um diário de viagem da Rota da Seda...

— É possível que meus tios não entendam a total complexidade de trabalhar com a Biblioteca — admitiu Kai com relutância. — Acredito que eles achem que é só um trabalho de pesquisa e compra de livros.

Irene queria falar um palavrão por causa da perda de tempo. Eles precisavam sair para falar com Vale sobre a mulher e ir até a Biblioteca se livrar do Stoker. Ter que persuadir Kai a falar de seus problemas familiares era como tirar leite de pedra em frente a um trem se aproximando. Embora, sem dúvida, com menos gritaria.

— Quando foi recrutado para a Biblioteca, você não andava com criminosos e bandidos de rua? Seu tio não sabia?

As costas de Kai ficaram rígidas e um rubor intenso subiu pelas bochechas.

— Irene, se você não fosse minha superior, arrependeria-se de ter dito isso!

— Mas você *andava* com criminosos e bandidos de rua — disse Irene, confusa, mas admirando a gramática perfeita dele, mesmo no momento de estresse. Era o tipo de coisa que você aprende quando ainda é jovem e impressionável.

— Isso até pode ser verdade — disse Kai, contrariado. — Mas foi sem o conhecimento do meu guardião. Ele está acima dessas coisas.

Irene esfregou a testa com exasperação.

— Mas você estava hospedado na residência dele...

— Ele me encorajou a experimentar a literatura e a arte local — disse Kai, com um pouco menos de raiva. — O fato de eu ter me envolvido com os criminosos locais não tem nada a ver.

Irene aumentou mentalmente, em vários milhares de pontos, sua capacidade dragoniana de lidar com a hipocrisia e respirou fundo.

— Estamos nos afastando da questão. Kai, você *vai* à reunião de família. Seria uma grosseria não ir, e podem desconfiar de que ensinei maus modos a você e realocá-lo. — Ela viu o rosto dele tremer. Ele não tinha pensado nisso.

Kai suspirou.

— Você fala como se fosse mais velha do que eu.

— Eu devo ser mesmo — disse Irene. Ela tinha vivido mais de vinte e cinco anos fora da Biblioteca, em mundos alternativos, onde envelhecera normalmente. Mas pelo menos mais uns doze foram passados dentro da Biblioteca, a intervalos regulares, e as pessoas não envelheciam dentro daquelas paredes. — Mesmo você sendo um dragão.

— Mas como você acha que me encontraram aqui? — perguntou Kai, voltando para o ponto em questão como um gato que retorna ao brinquedo favorito.

— É só um palpite, mas minha supervisora Coppelia pode ter falado com sua família, para que não se preocupassem com você. — Irene se levantou e começou a procurar o casaco. Não se animara com a possibilidade de a família de Kai aparecer à porta, mas conseguia entender a necessidade política de saberem onde ele estava. — Você não vai ter problemas para chegar ao seu tio quando for visitá-los, vai?

Kai mexeu os ombros de uma forma deliberadamente casual.

— Irene, eu *sou* um dragão. Não preciso da Biblioteca para viajar entre mundos. Posso fazer isso sozinho facilmente.

Ela tinha que aceitar esse toque de arrogância nele. Era justificado. Bibliotecários precisavam de acessórios e protocolos; ela não podia simplesmente andar de um mundo para o outro, como Kai.

— Todos os dragões podem fazer isso? — perguntou ela, tentando não parecer muito invejosa.

— Todos os dragões reais — disse Kai. — Dragões inferiores podem fazer viagens menores; não dá para traduzir em termos físicos — acrescentou rapidamente quando ela levantou a mão para perguntar o que ele queria dizer com "viagens menores". — Ou eles podem ir atrás de um dragão real se ele estiver abrindo caminho.

— Entendi. — Ela encontrou o casaco e começou a abotoá-lo. — Temos que ir. São quase dez horas.

— Irene... — Kai hesitou. — Você não quer se livrar de mim, quer?

Ela só ficou olhando para ele por um momento, boquiaberta.

— O quê?

— Você está me dispensando para que eu vá visitar minha família. Está me tratando como um aprendiz qualquer. Não parece se importar com o fato de poderem exigir que eu a deixe. Você não... — Ele olhou para ela, o rosto cheio de anseio e incerteza. — Se você quiser que eu vá, eu vou, mas...

Não era chantagem emocional. Era sincero e honesto, e fez seu coração se apertar no peito. Ela suspirou, contornou a mesa – não tão graciosa como ele, tampouco tão elegante, só uma humana mortal – e segurou suas mãos. Eram finas e estavam quentes quando as pegou, os longos dedos se curvando em torno dos dela.

— Kai, você não entende que estou dizendo tudo isso porque não quero perdê-lo? Você é meu amigo. É a pessoa em quem eu confio para me dar apoio, para lutar com lobisomens por mim. Para me pendurar para fora de zepelins. Para ficar ao meu lado com um martelo quando estou enfiando estacas em vampiros. Não sei o que poderia fazer sua família levá-lo daqui. Não quero dar a eles uma *desculpa*.

— Você está falando sério? — Ele se levantou e olhou para o rosto dela, as mãos apertando as dela. — Você jura que está falando sério?

Seria tão fácil só dizer *sim* e deixar o bom-senso de lado, subir as mãos pelos ombros dele e abraçá-lo. Ela tinha passado meses tentando evitar esse tipo de pensamento, esse tipo de situação.

— Eu dou minha palavra de que não quero perder você — disse ela. — Você é meu aprendiz. É meu aliado. É meu *amigo*. Não pode acreditar em mim?

Sim. E pare de pedir mais, antes que eu faça uma coisa da qual possa me arrepender.

— Eu quero. — A voz dele estava rouca. — É só que... Irene, estou com medo.

— Por causa do roubo? Se você não se sente seguro...

— Não disso! — Ele quase fez uma cara de nojo pela ideia, e isso resfriou um pouco o calor entre os dois, como um toque repentino de ar fresco. — Não do perigo. Não por mim. É... Por tudo. — A eloquência e a graça no discurso o tinham abandonado. — Você. Vale. A Biblioteca. Tudo. Eu nunca desobedeci meu honrado pai, nunca desafiei a autoridade dos meus superiores. O que vou fazer se eles me mandarem deixá-la?

Irene gostaria de lhe oferecer algum tipo de conforto, mas não possuía respostas simples. Tampouco respostas complicadas. Tudo que ela podia fazer era apertar as mãos dele.

— Nós vamos encontrar uma solução — disse ela com firmeza. — Tem que haver um jeito. Mesmo que eu tenha que roubar exemplos de poesia de mil mundos para convencê-los de que você está em um curso válido de pós-graduação. *Vai haver um jeito.*

Ela não ia perdê-lo.

Houve um estalo no aposento ao lado, como pedrinhas batendo em um vidro. No mesmo instante, Irene sentiu um ataque contra as proteções que instalara na residência, um trovão em sua audição metafísica. Não fora significativo o bastante para derrubar as proteções, mas um golpe firme e cuidadosamente dado, não uma explosão ignorante de poder. E tinha a marca do Caos. Alguém estava batendo, e queria entrar.

O barulho veio do quarto de Kai. Uma dezena de possibilidades desagradáveis passaram pela cabeça de Irene, a maioria conectada ao ataque da noite anterior.

— O quê? — Kai a soltou, correu até a porta e a abriu de repente. — Quem ousa?

O quarto dele estava surpreendentemente arrumado: um guarda-roupa bojudo, o piso sem tapetes, uma pequena mesa e um templo igualmente pequeno com uma vareta de incenso. A grande janela com sacada na outra extremidade do quarto estava intacta, mas havia uma figura dramática do outro lado, a bengala erguida para bater no vidro. A capa e o paletó tremiam ao vento, que certamente não havia soprado mais cedo, e o cabelo prateado do homem cascateava sobre os ombros. Um brilho inteligente cintilava em seus olhos.

— Kai — disse Irene pacientemente —, por que Lorde Silver está de pé no parapeito da sua janela?

CAPÍTULO 3

— Deixem-me entrar! — Silver bateu no vidro com a bengala, que quicou de volta com o mesmo ruído que eles ouviram antes, deixando o vidro intocado. Felizmente, o desejo de Irene e Kai de recolher uma quantidade gigantesca de livros queria dizer que o apartamento podia contar com uma proteção digna da Biblioteca. E esse tipo de coisa era uma barreira para os feéricos. Embora exigisse de Irene esforços consideráveis de manutenção, em momentos assim mais do que valia a pena.

— Certamente, não! — Irene entrou na frente de Kai. — Lorde Silver, como ousa se comportar assim?

Silver se agarrou ao arco da janela com uma das mãos e apontou a parte superior da bengala para Irene. Estava usando um fraque matinal impecável, com casaco e capa, além de uma cartola, que de alguma forma permanecia em sua cabeça apesar da posição inclinada e da brisa matutina.

— Você vai me dizer que não sabe de nada?

Irene reavaliou sua consciência. Estava relativamente limpa. Pelo menos, não apontava para nenhum crime em particular que dissesse respeito a Silver.

— Nada sobre o quê? — perguntou ela. — E por que você está de pé no parapeito e gritando pelo vidro?

— Porque você não abre a janela, ora — disse Silver, em um tom que sugeria que era óbvio demais para valer a pena mencionar. — Eu vim aqui para uma consulta particular perfeitamente simples e encontrei sua moradia bloqueada para mim. É culpa minha eu escolher me aproximar discretamente em vez de pela porta da frente?

Irene achava que a janela dos fundos do primeiro andar era mais discreta do que a porta da frente. Mas não muito.

— E o que você quer discutir conosco?

— Ah! Então, vocês não vão me convidar para entrar?

— Não — disse Irene, cutucando Kai antes que ele pudesse dizer alguma coisa mais enfática, mesmo que igualmente negativa. O relógio ainda estava se movendo. Ela não tinha tempo para todo esse drama feérico. Mas se Silver pudesse responder a algumas perguntas sobre os eventos da noite anterior, seria burrice não perguntar aqui e agora. — Que tal território neutro, Lorde Silver? Há um café no fim da rua. Vamos nos encontrar lá com você em cinco minutos.

Silver deu de ombros casualmente.

— Ouso dizer que serve. O nome do lugar, ratinha?

— *Coram's* — disse Irene, ignorando a alfinetada de Silver. Passara-se o tempo em que ele ainda conseguia irritá-la com suas provocações. Se ele achava que a atingiria, estava perdendo seu tempo. — Perto do orfanato. Vamos encontrá-lo lá.

Silver fez um sinal de concordância e pulou do parapeito da janela, caindo com elegância no chão um andar abaixo. Um acompanhante que o aguardava se adiantou para pegar a bengala.

— Só para verificar — disse Irene. — Você não anda fazendo nada que eu devesse saber, Kai? — Ela não *achava* que ele tivesse feito alguma coisa, mas era uma boa ideia verificar primeiro, antes que eles começassem a culpar um ao outro.

— Infelizmente, não. — Kai pegou o casaco e o jogou nos ombros. — Você acha que tem alguma coisa a ver com a noite de ontem?

— Parece provável, considerando o momento — disse Irene. — Vamos descobrir.

Sempre havia problemas quando se tratava de lidar com os feéricos. Apesar da aparência humana, eles eram entidades destruidoras de almas oriundas de espaço e tempo longínquos, que introduziam o Caos em mundos alternativos. Um método que usavam consistia em subverter as vidas e as narrativas habituais das pessoas, atraindo-as para padrões infinitos de histórias. Isso enfraquecia a realidade e a ordem natural das coisas, até a população nativa não saber mais o que era verdade e o que era ficção. Nesse ponto, o mundo se afogava em um mar de Caos. E, de modo mais prático, eles sempre tentavam bancar os heróis ou vilões da sua narrativa pessoal, insistiam que você tinha que ser personagem dessa história e se recusavam a lidar contigo de qualquer outra maneira.

O café era um antro de esnobes e não estava entre os favoritos de Irene. Isso o tornava perfeito para um possível confronto que poderia resultar em expulsão permanente e ordem para ela nunca mais aparecer naquela porta.

Um táxi com o brasão de Liechtenstein estava parado do lado de fora, o motor girando e soltando chamas esporádicas causadas pelo éter. O motorista estava sentado no seu lugar, ainda em postura perfeita, apesar do calor e da poluição, mas Irene percebeu que seus olhos acompanharam Kai e ela quando do se aproximaram do café.

— Podia ser pior — disse Irene. — Silver podia ter chegado em um zepelim particular.

Kai assentiu.

— Vale me disse que eles agora têm um modelo novo. É ainda menor do que os modelos de uma pessoa só que os museus usam.

— "Eles"? Você quer dizer Liechtenstein?

Kai assentiu.

— Ele disse que todo mundo estava de olho neles e que os níveis de espionagem dessa nova tecnologia foram às alturas.

— Tão alto quanto os zepelins? — Irene suspirou quando a piada não arrancou nem uma risadinha dele. — Agora, lembre-se — murmurou ela. — Educado. Evasivo. Não dê a ele nenhuma desculpa para drama.

— Claro — disse Kai. Ele se empertigou o quanto pôde, postou-se atrás do ombro de Irene e deixou que ela fosse na frente.

Todas as damas haviam se reunido em um canto e seguravam as xícaras de café sob o nariz, sussurrando em um cochicho meio de pânico, meio de fascínio. A atenção delas recaía indubitavelmente sobre Silver, relaxado em uma mesa vazia do outro lado do salão. Não era de surpreender, a se considerar sua reputação: Silver era tido como um dos maiores libertinos de Londres. Um criado magro de rosto pálido e roupa cinza estava parado atrás dele, segurando sua bengala.

O próprio Silver parecia casualmente elegante, com a gravata amarrada no pescoço, o cabelo prateado solto e a pele bronzeada parecendo dourada em contraste com os punhos e a gola da camisa.

— Ah — disse ele ao reparar na entrada de Irene. — Por favor, acompanhem-me. — Outra explosão de sussurros das mulheres do outro lado do café foi ouvida.

Eles se sentaram, enquanto Kai e Silver trocavam olhares cautelosos.

— Café? — sugeriu Silver. — Eu recomendaria uma xícara do *blend* de Bourbon.

Kai parecia pronto para recusar na mesma hora, por princípio, até olhar para o cardápio.

— Claro — disse ele com um leve sorriso.

Irene examinou o cardápio discretamente. Era a variedade de café mais cara da lista.

— Por minha conta, claro — disse Silver.

— Por favor, Lorde Silver — respondeu Irene, antes que Kai pudesse reagir sem diplomacia nenhuma. — Nós não gostaríamos de ficar em dívida com você. — Esse tipo de coisa tinha peso com os feéricos.

Silver deu de ombros.

— Você não pode me culpar por tentar — disse ele —, mas dou minha palavra de que não haverá dívida nenhuma acompanhando seu café. Mesmo assim, acho que este encontro vai servir.

— Servir? — disse Kai. — Você nem disse ainda qual é o assunto.

— E nem posso. — Silver se inclinou para a frente, e sua atitude casualmente melodramática pareceu mudar e distanciar-se. Ele agora estava bem sério. — Se alguém perguntar, pode dizer que foi por causa de alguma coisa relacionada a Vale. Não me oponho a você ligar o nome dele ao meu. Mas estou aqui para discutir seu futuro bem-estar.

— Ameaças? — rosnou Kai.

— Ah, deixe isso para lá — suspirou Silver. — Eu tinha que atrair sua atenção. Eu não estava mesmo tentando invadir sua casa.

Irene franziu a testa.

— Lorde Silver, se isso não é uma ameaça, então o que é? Você veio nos avisar sobre alguma coisa?

Silver olhou por cima do ombro.

— John, pegue os cafés. — Ele se virou para Irene. — Não, não, claro que não, nós só estamos tendo uma conversinha agradável. Porque, se eu tivesse vindo avisá-los de alguma coisa, estaria rompendo um juramento que fiz de *não* os avisar sobre coisa alguma. Estamos perfeitamente claros quanto a isso?

Irene e Kai trocaram olhares.

— Claro — disse Irene com tranquilidade. — Nós só estamos tomando café juntos. — Ela tinha ouvido falar que os feéricos eram obrigados a cumprir seus juramentos, mas nunca estivera em posição de ver isso posto à prova. Se Silver estivesse realmente sendo honesto aqui, eles tinham mais com que se preocupar do que pensavam.

— Precisamente. — Silver pareceu aliviado. — E, por favor, não pense que esse encontro para tomar café tenha a ver com qualquer afeição verdadeira que eu nutra por você, ratinha. Você entrou de penetra no meu baile alguns meses atrás, tirou um livro dos meus dedos e não chegou a mencionar que era uma representante da sua Biblioteca. Qualquer bom guia de etiqueta a desaprovaria nos três quesitos.

Irene levantou as sobrancelhas.

— Pelo que me lembro, você me convidou para o baile, e o livro era uma propriedade disputada, de qualquer modo.

— Achado não é roubado, acredito que seja a expressão legal — disse Kai com arrogância.

Silver olhou para ele de lado, a luz batendo nos olhos lilases e os fazendo brilhar.

— Alguém como você deveria tomar mais cuidado — disse ele. — Essa esfera não é muito hospitaleira com sua espécie.

Irene levantou a mão antes que Kai pudesse responder.

— Achei que não nos permitiríamos incorrer em ameaças — disse ela friamente.

49

Silver a observou enquanto seu criado colocava as xícaras de café na mesa.

— É extremamente difícil sugerir que vocês possam estar em extremo perigo sem chegar ao ponto de "avisá-los" sobre isso — disse ele por fim. — Só estou tomando uma xícara de café e sugerindo que vocês dois talvez queiram tomar muito cuidado. Por que não tirar umas férias naquela Biblioteca de vocês?

Uma retirada para a Biblioteca era uma reação sensata ao perigo evidente. Claro, isso dependia de Silver ser confiável, o que estava longe de ser certo.

— Lorde Silver — disse Irene, pegando sua xícara. — Você é o embaixador de Liechtenstein, e até onde vai minha compreensão isso o torna um dos mais poderosos da sua espécie em Londres. Possivelmente, em toda a Inglaterra. — Não era totalmente verdade. Ela tinha ouvido histórias sobre outras criaturas nas selvas das Ilhas Britânicas (a Caçada Selvagem, Grupos Feéricos, esse tipo de coisa), mas pareceu um bom momento para ser lisonjeira. — Mas no passado estivemos em lados opostos. Nós nos tornamos aliados repentinos e eu não percebi?

— Ser minha aliada pode ter suas vantagens. — Silver mostrou os dentes em um sorriso brilhante. Eram perfeitamente brancos, com uma leve sugestão de serem afiados. Irene se viu pensando em qual seria a sensação caso estivessem cravados em seu pulso, nas costas da sua mão, na lateral do seu pescoço... Ele seria delicado, claro; ela conseguia ver nos seus olhos e no seu sorriso que ele seria delicado, mas ao mesmo tempo dominador, com a graça sutil do controle e da habilidade e...

E ele estava tentando lançar um glamour sobre ela. O glamour era uma das ferramentas mais convenientes dos feéricos, uma mistura de ilusão e desejo que de alguma forma ultrapassava todas as defesas conscientes, como o melhor tipo de insanidade. Ela sentiu uma queimação nos ombros quando a marca da Biblioteca na pele ardeu em reação à tentativa e se empertigou na cadeira com uma fungada leve. Esperava que não o estivesse encarando como uma idiota.

— Que pele linda você tem, ratinha — disse Silver, o sorriso se alargando.

Irene lançou sobre ele seu olhar mais gelado, invocando lembranças de professores particularmente frios e rígidos da época da escola.

— Eu repito minha pergunta. Se isso for verdade, por que você quer nos ajudar?

Silver balançou a mão para um lado e para o outro.

— Vamos supor que talvez eu não esteja exatamente ajudando vocês, mas sim atrapalhando outra pessoa.

Irene olhou de lado para Kai. Ele assentiu levemente, uma concordância cautelosa. Ela olhou para Silver.

— E você não pode nos contar sobre isso, claro.

— Precisamente — disse Silver. Ele tomou um gole do café.

Tinha que haver um jeito de Irene explorar essa situação. Mas os feéricos não eram de confiança. Isso estava praticamente escrito no seu contrato social implícito. Eles enfraqueciam qualquer mundo onde se reunissem, aumentando sua tendência ao Caos, e ela concordava integralmente com Kai que eles deviam ser detidos sempre que possível.

— Sua pele também é muito bonita, senhor — disse ela da forma mais vazia que conseguiu. A pele dele era perfeita, na verdade. Exibia aquele tipo de bronzeado idealizado e dourado, acompanhado por um brilho interior e uma sensação de calor que convidava qualquer um a se inclinar e a tocá-lo... Droga, ele estava usando o glamour nela de novo. Ela decidiu atacar. — Me diga uma coisa, o nome Vlad Petrov significa alguma coisa para você?

— Vlad Petrov? — Silver pareceu perplexo. Ele se inclinou para trás e murmurou com o criado.

Kai tirou vantagem da distração para sussurrar no ouvido de Irene:

— Não era o motorista de táxi que mencionaram ontem à noite?

Irene assentiu em resposta quando Silver se inclinou para a frente novamente.

— Bom — disse ele preguiçosamente. — Eu não tenho ideia de por que deveria me lembrar de todos os motoristas da minha embaixada. Não sei por que você espera que eu saiba que ele foi designado motorista de Lady Guantes enquanto ela estiver hospedada aqui, e que ela está monopolizando a rede de informantes da embaixada. Quem sabe o que ela anda fazendo com eles... Hóspedes são tão inconvenientes, e é difícil dizer-lhes não. Sinceramente, se isso é um exemplo das suas preocupações insignificantes, vou morrer de tédio aqui. — Mas havia um brilho nos olhos dele que sugeria que ela estava na pista certa.

Lady Guantes. E a mulher que contratou aqueles bandidos era uma Lady... Mas isso não basta para seguir em frente. Uma outra coisa latejou no fundo da mente de Irene. *Guantes. Luvas. A mulher usava um broche com um par de mãos... Ou um par de luvas?* Se pudesse confiar em Silver, Irene tinha agora um nome para investigar. *Se.* Podia ser um chamariz complicado para uma armadilha ainda maior. A frustração corroeu suas entranhas. O que ela precisava era de mais informação sobre essa Lady Guantes.

— Agora, voltando ao nosso assunto anterior — disse Silver. — O que você pretende fazer?

— Mais perguntas — disse Irene na mesma hora. — E isso quer dizer que precisamos ir. Vou deixá-lo com seu café, Lorde Silver. Como você não nos avisou sobre nada, não temos nada pelo que agradecer.

Silver assentiu.

— Nesse ínterim, considere isto um convite aberto para minha embaixada. — Ele enfiou a mão no casaco e tirou um cartão, jogando-o por cima da mesa para Irene. O cartão deslizou pela superfície encerada da mesa, rodopiou e parou exatamente na frente dela.

Era um cartão cor de creme, pesado, com um brilho misterioso em cada letra impressa. De um lado, uma lista completa dos títulos de Silver, em fonte pequena para caber tudo. O outro lado estava vazio, exceto pelo rabisco: *A ser admitida à minha presença imediatamente – S.*

— Você acha que vamos precisar disso? — perguntou Kai, lendo por cima do ombro de Irene.

— Eu me planejo para o pior — disse Silver. — Assim, pelo menos estou vestido de acordo com a ocasião. — Ele se levantou com um giro da capa. — Johnson! Não devemos deixar Lorde Guantes esperando. A conta!

— Já está paga, senhor — murmurou Johnson.

Silver fez uma reverência para Kai e depois para Irene. Quase conseguiu pegar o pulso dela e beijar sua mão, mas ela deu um passo para trás enquanto enfiava o cartão de visita na bolsa.

— O que você achou disso? — perguntou Kai quando Silver saiu.

— Acho que ele deixou a gorjeta do garçom por nossa conta — disse Irene. — Típico.

— Não, não. Fora isso. Ele vai falar com Lorde Guantes?

— Nós não sabemos o suficiente — disse Irene, franzindo a testa. — E estamos atrasados, de qualquer modo. Vamos torcer para que esse não fosse o objetivo dele. Kai, vou levar o livro de Stoker para a Biblioteca e pesquisar sobre Lady Guantes. Ou Lorde Guantes. Se eles forem uma ameaça conhecida pelos Bibliotecários, alguma coisa a respeito deles pode ter sido registrada. Eu quero que *você* atualize Vale sobre tudo isso, faça perguntas e aconselhe-se com ele. Encontro você na casa dele. Não devo demorar. — E, àquela altura, ela já deveria saber que recuar para a Biblioteca ou tirar férias em outro continente seriam a melhor opção.

— Irene... — Kai esticou a mão para tocar no pulso dela.

— Tome cuidado.

Ela conseguiu dar um sorriso irônico.

— Sim, claro. E você também. Mesmo se não estivermos vestidos para a ocasião.

CAPÍTULO 4

Kai ainda estava especulando sobre a possível traição de Silver quando Irene o empurrou para dentro de um táxi. Ele desenhou uma imagem verbal dos dois sendo levados à paranoia e transformados em assassinos em série, antes de cortar tragicamente a garganta de um ente querido. Irene tomou uma nota mental: descobrir onde Kai estava conseguindo os enredos de *Sweeney Todd* e tirá-los dele.

Era verdade que os feéricos gostavam de construir narrativas complicadas e melodramáticas, e estimavam atrair todos por perto para desempenhar papéis na história. Irene fora avisada disso e evitou mais do que uma situação desse tipo no passado. E era verdade que, devido à presença de feéricos, aquele mundo possuía um nível maior de Caos do que seria confortável, ou até mesmo seguro, considerando-se o potencial de distorção da realidade. Os feéricos infestavam (como Kai diria) o lugar, como vermes em um túmulo antigo.

Mas o ataque na noite anterior fora real. E o aviso de Silver também pareceu real. Era reconfortante saber que Kai estaria com Vale enquanto ela estivesse na Biblioteca. Ela confiava em Kai; só não tinha certeza se confiava que ele não faria nada estúpido, ainda que corajoso.

Sem poder pular entre mundos como um dragão, ela tinha que usar a passagem designada pela Biblioteca para entrar em seus salões. E a atual Travessia principal daquele alternativo ficava no Museu Britânico, exatamente no escritório do Bibliotecário em Residência anterior. Depois de uma série de eventos infelizes, era agora um depósito, e isso queria dizer que ela tinha que fazer uma viagem especial para acessá-la. E viagens especiais podiam ser rastreadas, então era hora de um meio de transporte um pouco mais arriscado.

Tudo de que um Bibliotecário realmente precisava para chegar à Biblioteca era uma coleção suficientemente grande de livros ou de mídias similares. Para o propósito de Irene, ela também precisava de um lugar onde pudesse permanecer por meia hora ou mais sem ser perturbada. A Biblioteca da Casa do Senado, na Malet Street, ficava a uma distância próxima da casa dela e serviria perfeitamente. Irene estava cadastrada lá como estudante, então toda a sua identificação estaria em ordem.

Ela pegou o livro de Stoker e foi até lá. A biblioteca estava moderadamente cheia, mas Irene não teve dificuldade para encontrar um corredor lateral, usando a Linguagem para abrir a tranca de uma "seção restrita" com um rápido sussurro de **"abrir porta"** e trancando de novo ao passar. As paredes estavam carregadas de livros com capas de couro, os títulos quase indiscerníveis na luz fraca de uma lâmpada de éter pendurada. A poeira nas prateleiras e no chão indicava que a área não era usada com frequência. Ela tinha verificado algumas semanas antes.

Ela andou até a primeira porta do depósito, colocou a mala no chão e pegou um vidrinho de tinta e uma caneta tinteiro. Era uma nova habilidade, só passada para ela quando se tornou Bibliotecária em Residência (ela ainda se ressentia um pouco disso. Teria sido extremamente útil. E quantas *outras* coisas ainda estavam escondidas dela?).

Normalmente, quando criava um portal temporário para a Biblioteca, um Bibliotecário proferia algumas palavras específicas na Linguagem enquanto usava um ponto de acesso forte (como uma coleção grande de livros) para fazer uma conexão. Durava o bastante para o agente passar. Ele tinha então que deixar a conexão se fechar atrás de si, quando os dois lugares saíam de sincronia. Mais recentemente, mostraram a Irene que, com a forma escrita da Linguagem, era possível fazer a conexão durar um pouco mais. Tempo suficiente para ir até a Biblioteca, fazer alguma coisa e voltar para o mesmo local no mundo alternativo, pela mesma porta.

Com cuidado, ela se apoiou em um joelho e desenhou as letras de "**ESTA PORTA LEVA À BIBLIOTECA**" acima da maçaneta. Funcionaria também se ela escrevesse as palavras no meio da porta, mas ela gostava de ser discreta.

Quando terminou o último caractere, sentiu a mudança repentina na realidade e seus níveis de energia despencaram para alimentar a conexão. Ficou de joelhos, concentrando-se na respiração até que ela se regularizasse, e guardou a caneta e a tinta. Os caracteres da Linguagem estavam visivelmente secando na madeira e já começavam a sumir. Durariam talvez meia hora. Ela não tinha muito tempo.

— **Abra** — disse ela, dando à palavra sua inflexão completa na Linguagem, com o sufixo especial indicando que a porta devia se abrir na própria Biblioteca.

E assim foi.

Irene entrou em uma sala mais quente e de pé direito alto, as paredes cobertas com tapeçarias vermelhas e brancas. Múltiplas luzes incandescentes ardiam esbranquiçadas no teto, mas o algodão macio das mantas diminuía o efeito, deixando a sala bem mais tolerável.

Com curiosidade, ela puxou uma das tapeçarias da parede. Atrás havia prateleiras de livros, as lombadas em uma mistura de inglês, sueco e alemão, com títulos como *Uma casa de turfa na campina*, *Histórias de justiceiros de New Gothenburg* e *Runas da América do Norte*. Não havia explicação para as mantas que os cobriam. Por outro lado, era comum que não houvesse motivo para a arquitetura ou o tipo de mobília da Biblioteca.

Fora da sala, a placa de metal na porta dizia: *B-133 – LITERATURA NORTE-AMERICANA – SÉCULO XX – SEÇÃO CINCO*. Não era uma sala que ela reconhecesse. E ela se viu em um corredor com piso e paredes de mármore azul e branco, com janelas fechadas que eram altas demais para que ela olhasse lá fora se estivessem abertas. À direita havia um lance de escadas para baixo. À esquerda, uma curva simples no corredor.

Esse era o problema (bem, um dos problemas) de entrar por uma Travessia aleatória. Não havia como ter certeza de onde você sairia. O que ela precisava, e o mais rápido possível, era de uma sala com computadores onde pudesse pesquisar Lady (e possivelmente Lorde) Guantes. Também precisava de um mapa da biblioteca local, para poder encontrar uma abertura de parede e depositar o livro de Stoker, cumprindo o pedido — a versão da Biblioteca de correio interno. Ela correu pelo corredor, reparando na decoração para o caso de passar ali de novo. As marcas azuis ficavam dentro do mármore branco, como manchas azul-marinho de tinta, e ela precisou resistir à tentação de esfregar uma delas para ver se mancharia.

Ainda me distraio fácil demais.

Duas esquinas depois, ela encontrou duas portas com um buraco de depósito entre elas. Com um suspiro de alívio, abriu a mala e largou o envelope com o livro dentro. Um trabalho feito. Agora, podia se dedicar a uma pesquisa séria.

A porta à esquerda tinha a placa: *B-134 – QUADRINHOS BELGAS – SÉCULO XX – SEÇÃO UM*. Ela a abriu para olhar e ficou aliviada ao encontrar um computador em uma mesa. Um gato laranja gordo estava encolhido na cadeira, fingindo dormir. Sem nem olhar direito para as paredes com estantes carregadas (e as páginas de rosto coloridas ali expostas, com um foguete em direção à lua ou uma série de anões mumificados), ela empurrou o gato da cadeira murmurando um pedido de desculpas, sentou e se conectou.

Ela passou os olhos pela lista de e-mails pessoais, classificou todos ele como não essenciais e os ignorou. Não havia nada da sua mentora Coppelia, nada dos pais. Todo o resto podia esperar.

Abriu a função *Enciclopédia*. Era para ser um compêndio geral de informações dos Bibliotecários em campo nos mundos alternativos. Na prática, embora melhor do que nada, as informações eram irregulares; feéricos e dragões, inconvenientemente, costumavam usar nomes falsos.

Guantes, digitou.

Um registro apareceu, de vinte anos antes. Irene resistiu à vontade de dar um soco no ar e clicou no *link*.

Feérico de poder moderado. Masculino, normalmente alega ser membro da aristocracia e se intitula lorde. Capaz de viajar entre mundos. Seus aspectos arquetípicos incluem: poder, manipulação, controle, liderança. O leitor deve ter observado que o nome dele é a palavra em espanhol para "luvas", e pode considerar se tratar de um indicativo de tendência à sutileza e à manipulação.

Irene olhou para o nome do autor da entrada. *Rhadamanthys*. Seu status estava marcado como *falecido*. Droga, não havia como lhe fazer perguntas agora.

Originalmente encontrado em G-122 [era um mundo tipo Gama, o que queria dizer que tinha ao mesmo tempo magia e tecnologia.] *O mundo era neutro na época, com forças do Caos e da Ordem presentes. Guantes estava fomentando uma rebelião aristocrática contra o Sagrado Imperador Romano. Este era apoiado por outro poderoso feérico chamado Argent. Durante a luta de poder entre os dois, o império caiu e uma teocracia bizantina apoiada por uma princesa dragão ascendeu ao poder...*

— Argent? — Irene conseguiu sentir sua testa franzir. Era só uma questão de linguagem, afinal: silver, prata, argent...

... e nesse momento os dois feéricos deixaram aquele mundo, e acredito que foram punidos por membros de ranking mais alto da raça deles. Eu não voltei a encontrar tal cavalheiro pessoalmente...

Irene passou os olhos pelo resto do texto. Nada de útil, só algumas observações sobre Guantes aparentemente ser do tipo manipulador, mas com tendência à distração pela própria inteligência. Era daquela sorte de conspirador que elaborava novos esquemas no meio de outros ainda em andamento, perdendo a noção do objetivo maior.

Um pensamento lhe ocorreu, e ela verificou as circunstâncias da morte de Rhadamanthys. Morreu em um acidente com um sino de mergulho no rio Dnieper. Aconteceu durante a revolução russa, enquanto ele tentava recuperar alguns livros de poesia épica. Provavelmente não tinha nada a ver com Guantes. Provavelmente.

Ela tentou pesquisar algumas traduções óbvias de "luvas" e "prata". Com o idioma russo, deu sorte, e encontrou o registro de um feérico conhecido como príncipe Serebro, de cem anos antes. Ele mantivera uma rixa contínua com um certo Lorde Perchatka (Serebro venceu). Ao mesmo tempo, o Bibliotecário que registrou o acontecimento saqueava trabalhos proibidos nos subterrâneos da Catedral da Virgem Negra. Não havia nada muito definitivo sobre a dupla, mas era bastante sugestivo.

Ela estava consciente do tempo passando. Rapidamente, redigiu um e-mail para sua mentora, Coppelia, incluindo os fatos importantes e perguntando se a Bibliotecária mais velha sabia de alguma coisa relevante. Irene não era de fazer relatórios diários, mas se houvesse a chance de Coppelia saber de alguma coisa, seria burrice não perguntar.

Certo. Foi tudo que ela conseguiu encontrar no momento. A tensão incomodava sua nuca. Ela tinha a sensação horrível de ter esquecido alguma coisa ou deixado de notar algo importante. Precisava conversar com Vale o mais rápido possível. Bibliotecários enfrentavam ameaças de morte de tempos em tempos, e, embora fossem ossos do ofício, não era algo que constasse em sua lista de Cem Experiências Favoritas. No entanto, ela não sabia a magnitude da ameaça do momento. E uma simples aquisição de livro e uma tentativa de ataque pareciam estar despejando sobre ela todos os tipos de novas conexões. Não havia como saber o quanto tudo aquilo podia dar errado.

Ela desligou o computador e seguiu para a saída; já haviam se passado vinte e cinco minutos. Voltaria mais tarde ou no dia seguinte para verificar se havia resposta de Coppelia.

Com uma pontada na marca em suas costas, Irene saiu da Biblioteca e voltou para o tempo e espaço reais (ou, de acordo com algumas argumentações, tempo e espaço irreais, já que a Biblioteca era a única "realidade". Mas isso era tema para discussões filosóficas). A porta se fechou com firmeza atrás dela e, quando se virou para verificar, os restos das letras escritas haviam sumido da porta. Não sobrou nada, nem o mais leve traço de tinta ou uma sombra na madeira.

Ela conseguiu ir e voltar com sucesso, sem que ninguém soubesse. E não podia deixar de sentir um pouco de euforia por ter mais uma vez... Qual era a melhor expressão para isso? Por ter se safado. *Um viva por ser uma agente secreta de uma Biblioteca interdimensional!*
   O brilho de autossatisfação durou até o táxi entrar na Baker Street. Quando chegou na altura da casa de Vale, ela notou que não havia luzes acesas nas janelas de cima, o que sugeria que ele tinha saído. Apesar de ser apenas o final da manhã, a neblina fazia com que as luzes da rua e das casas tivessem que ser acesas. Ela pagou o motorista do táxi e correu para a porta.
   A governanta atendeu. Era uma mulher de meia-idade com disposição inalterável, o cabelo grisalho preso em um coque apertado.
   — Posso ajudar, senhora? Ah, é você, srta. Winters. O sr. Vale disse: você gostaria de esperar, caso apareça quando ele ainda estiver fora?
   O estômago de Irene se revirou. Alguma coisa tinha dado errado. Ela não sabia ainda o quê, mas já tivera aquela sensação antes.
   — Você sabe onde ele está? — perguntou, entrando e fechando a porta.
   — Ele saiu cedo, por causa de uma chamada da Scotland Yard, srta. Winters — disse a governanta, pegando o chapéu de Irene e a ajudando a tirar o casaco. — Seu amigo, sr. Strongrock, passou aqui uma hora atrás...
   Então Kai devia ter ido direto para lá depois da discussão com Silver, calculou Irene.
   — ... e alguém se encontrou com ele na porta. Eu captei algumas palavras, e era uma mensagem do sr. Vale para encontrá-lo no East End. E ele foi embora. Depois, quando o sr. Vale voltou, eu contei isso tudo para ele, e ele saiu para o East End,

rápido como nunca vi. Ele me disse em segredo que, se você aparecesse, srta. Winters, eu deveria pedir que você o esperasse voltar. Ou, e ele falou com muita severidade, ele não responderia pelas consequências.

A mulher falava e Irene assentia o tempo todo, mas a garganta tinha ficado seca. Kai fora atraído para longe. Vale foi atrás dele. Ela queria sair dali naquele minuto e chamar um táxi para levá-la ao East End também.

Só que o bom senso dizia que o East End era um lugar grande. E Vale pediu especificamente que ela o esperasse. Suas mãos se apertaram, os punhos cerrados, mas ela compôs o rosto em uma feição calma.

— Claro que vou esperar o sr. Vale voltar. Ele disse para que lugar do East End estava indo?

A governanta balançou a cabeça.

— Você sabe como ele é, senhorita. Posso trazer uma xícara de chá enquanto espera?

A porta se abriu de repente.

— Isso não vai ser necessário — disse Vale atrás dela.

Irene se virou e viu Vale de pé, olhando para ela do alto de seu um metro e oitenta. As roupas eram, como sempre, austeras, mas apropriadas para um cavalheiro, e feitas dos tecidos mais caros (não era surpresa ele se dar tão bem com Kai. Os dois se recusavam a usar qualquer coisa que não fosse o melhor). O cabelo escuro estava penteado para trás, e o perfil parecia mais do que nunca com o de um falcão.

— Por onde você andou, srta. Winters? — perguntou ele.

— Fui a uma biblioteca, senhor — disse Irene. Ela não permitiu que seu tom chegasse a soar desaforado, mas passou perto. — Mandei Kai atrás de você. Onde ele está agora?

— Sequestrado, srta. Winters. Enquanto você estava na sua biblioteca. — Vale conseguia reunir uma quantidade

63

impressionante de raiva acusatória nas palavras. — E eu gostaria de saber o que pretende fazer sobre isso.

O verme da culpa em suas entranhas (*eu o deixo sozinho por cinco minutos e ele consegue ser sequestrado*) colidiu com um ardor repentino de irritação pelas palavras de Vale.

— Ora, trazê-lo de volta, claro! Como você ousa...

A governanta tossiu alto, e tanto Irene quanto o sr. Vale se viraram para olhar para ela.

— Vou levar o chá para o senhor no andar de cima, sr. Vale — disse ela com firmeza. — E para a senhorita também. Vejo que os dois têm questões a discutir.

— Ah, muito bem — disse Vale, sem graciosidade nenhuma, e saiu batendo o pé pela escada até os aposentos de cima, com Irene logo atrás.

Eu me enganei, pensou ela. *Não era uma ameaça a nós. Não era uma ameaça a mim. Era uma ameaça a Kai; eu o deixei sozinho e o pegaram.*

CAPÍTULO 5

Vale andou até a sacada e olhou para a rua lá embaixo. Os aposentos estavam cheios de coisas, como sempre, embora uma zona livre de poeira demonstrasse onde a governanta estava trabalhando antes de Irene chegar. Ele não olhou para Irene quando falou:

— Tenho que pedir desculpas por aquilo, Winters. Minhas palavras foram injustas. — Ele felizmente voltara à forma usual de se dirigir a ela, em vez do mais formal *srta. Winters*.

Irene acendeu a luz, fechou a porta e cruzou os braços.

— Eu aceito seu pedido de desculpas — disse ela. — Agora, talvez devêssemos discutir como resgatá-lo.

— Você mostra poucas emoções do tipo mais delicado — disse Vale. Ele se virou e olhou para ela pensativo, de modo mais desconcertante do que o olhar de raiva de antes.

— Como isso ajudaria na atual situação? — perguntou Irene. A raiva e a culpa se manifestavam como um nó girando lentamente em seu estômago. Mas ela usaria isso a seu favor, não deixaria que a controlasse. — Que tal não perdermos tempo? Kai pode estar em grande perigo.

— Provavelmente — concordou Vale. A raiva dele parecia ter diminuído, mas a dela aumentava. Ele indicou uma cadeira. — Mas agir com emoção, sem informações, seria tão imprudente quanto eu fui alguns momentos atrás. Por favor, Winters, sente-se e me conte o que você sabe. É óbvio que você sabe de *alguma coisa*.

Irene se sentou e cruzou as mãos no colo.

— O nome Guantes significa alguma coisa para você? — perguntou ela. — Provavelmente, tem alguma conexão com os feéricos, possivelmente com Silver.

— Hummm... — Vale se dirigiu bruscamente até um dos seus álbuns de recortes, carregados de artigos de jornal e notas de campo, e o folheou. — Grant: rebelião de Covent Garden e inundação. Guernier: a assassina perfumada. Guantes... Guantes... Não, não há nada aqui. O nome é familiar, acabaram de chegar a Londres vindos de Liechtenstein, ele e a esposa, mas não tenho nada sobre eles ainda. — Ele fechou o álbum e o colocou na cadeira em frente a Irene, inclinando o longo corpo à frente para se concentrar nela.

— Conte mais, Winters.

Irene repassou os eventos dos dias anteriores: o leilão, a briga, o observador avistado de relance, o aviso de Silver e sua própria investigação. Ela mal reparou na governanta e no chá que a mulher trouxera. Estava concentrada em oferecer a Vale todos os dados, tudo que ele pudesse usar. Embora tivesse seus próprios planos de procurar em outros lugares — se necessário, fora daquele mundo —, Vale era o especialista local, e ela contava com sua expertise.

Ele ouviu o relato dela e só interrompeu com umas poucas perguntas. Ao final, assentiu. Suas mãos estavam curvadas ao redor da xícara de chá, mas ele não bebeu nada.

— Sua vez — disse Irene. A raiva tinha diminuído um pouco e agora estava direcionada a um planejamento de prazo mais longo. — Suponho que você acabou de voltar de uma busca por

Kai. Por favor, me conte tudo que sabe. — Ela sabia que Vale, como principal detetive particular de Londres, era quem fazia esse tipo de pedido aos clientes. Ele também sabia, e sua boca deu um tremor seco que foi quase um sorriso.

— Você está correta, Winters. — Vale colocou a xícara intocada na mesa. — Tive que me ausentar esta manhã, bem cedo, por conta de um caso que infelizmente não tenho liberdade de discutir. No entanto, ficou claro que minha presença não seria necessária. O inspetor havia me convocado porque... — Ele franziu a testa.

— Uma tentativa deliberada de distraí-lo, você acha? — sugeriu Irene.

Vale assentiu.

— Considerando os eventos subsequentes... De qualquer modo, voltei e descobri que Strongrock tinha passado por aqui. Ele foi abordado na porta por um moleque de rua, que o direcionou a um endereço no East End. Felizmente, um dos vendedores de jornal estava perto o bastante para ouvir os detalhes. Eu fui atrás. — Ele olhou para as mãos. — Cheguei tarde demais.

— O que *aconteceu*? — perguntou Irene.

— Você precisa entender que só juntei os fatos depois do evento. — O tom na voz de Vale continuava corrosivo, mas desta vez era uma amargura direcionada a si mesmo. Ele estava se culpando tanto quanto ela, percebeu Irene, embora tivesse menos motivos para isso. — Não foi difícil seguir a pista dele. Quando chegou ao endereço onde achava que me encontraria, outro homem, disfarçado de policial da Scotland Yard, o redirecionou para um endereço a oitocentos metros. Um antigo armazém, onde eu estaria investigando um assassinato. No caminho, um aparente ataque a alguém em apuros o atraiu para um beco escuro. Ele foi golpeado e ficou inconsciente em decorrência de uma combinação de adversários em número superior, magia feérica e drogas. De lá, foi levado... para outro lugar.

— Que esquema complicado — disse Irene, pensativa. — Por que não o conduzir diretamente para o local do sequestro? Ou simplesmente tentar dominá-lo dentro de um táxi, onde ele não teria espaço para se mover?

— Acho que o objetivo *era* deixar um rastro complicado, Winters. — Vale olhou pensativo para longe. — Em qualquer um desses momentos, uma pessoa tentando rastreá-lo poderia ter perdido a pista. — *Menos eu*, ele não precisava dizer. — Mas, no fim das contas, obtive as descrições de duas pessoas na cena que podem ser esses Guantes. Um homem de meia-idade, um pouco mais baixo do que eu, com cabelo e barba grisalhos. Veste-se bem e o tom de voz é de autoridade. A mulher tinha cabelo preto e era magra. Usava um manto por cima de roupas "estrangeiras", embora meu informante não conseguisse dizer precisamente em que sentido.

— E os dois estavam de luvas? — perguntou Irene.

— Sim — disse Vale lentamente. — Os dois. Muito embora, para ser justo, a maioria dos homens e mulheres abastados use luvas.

Irene assentiu. Era verdade. Mas de algum modo isso lhe parecia importante.

— Para onde eles levaram o Kai? — perguntou ela.

— Esse é o problema, Winters. — Vale parecia irritado. — A mulher foi acompanhada até um táxi que estava esperando ali perto. Tenho o endereço que ela forneceu e pretendo investigar. Já quanto ao homem... Aparentemente saiu de Londres por alguma rota feérica. E levou Kai junto com ele.

Irene apertou as mãos no colo e amassou as dobras da saia.

— Você devia ter dito isso antes — disse ela. Sua mente correu em círculos. Como descobrir para onde ele tinha ido? Como segui-lo e resgatá-lo?

Vale suspirou.

— Winters, deixemos a culpa para outra ocasião. O que preciso saber é com que rapidez você consegue encontrá-lo e trazê-lo de volta. Não podemos deixá-lo nas mãos deles por mais tempo do que o necessário.

Para Vale, tudo isso envolvia uma emoção intensa, e a urgência em sua voz indicava que qualquer outro homem estaria de pé e andando em círculos pelo aposento. Irene sabia que Kai se considerava amigo de Vale. Ela não tinha se dado conta do quanto Vale considerava Kai *seu* amigo.

Por outro lado, ela seria a última pessoa a julgar os outros por manterem os sentimentos sob controle.

— Nós temos três caminhos de investigação principais, a meu ver — disse ela depois de parar para pensar. — Um, rastrear os Guantes dentro de Londres, aqui mesmo. Ainda que Lorde Guantes tenha levado Kai para outro lugar, podemos descobrir alguma coisa com a mulher. O segundo caminho é buscar mais informações dentro da Biblioteca... E, se tudo falhar, posso procurar a família de Kai.

— Como? — perguntou Vale.

— Posso descobrir onde mora o tio dele, que era seu guardião no mundo em que Kai foi originalmente recrutado. E, então, ir até lá para pedir informações. — Irene não gostava da ideia. Ninguém gostava de receber más notícias, e ela desconfiava que dragões gostavam menos ainda. Mas se alguém era capaz de encontrar um dragão perdido, esse alguém talvez fosse outro dragão.

Vale assentiu, aceitando a palavra dela.

— Imagino que sua outra ideia seja perguntar para Silver.

— Não é uma ideia da qual eu goste — disse Irene, em tom lastimoso. — A não ser que você consiga pensar em alguma forma de o pressionarmos.

— É uma questão que merece ser considerada. — Vale se levantou da cadeira e começou a andar inquieto pela sala. — O fato de mais cedo ele ter sido tão vago em seus avisos pode indicar que já esteja sob pressão, oriunda de outra direção. Mais uma questão que vale investigar. Mas...

Houve uma batida na porta.

— Sr. Vale? — Era a voz da governanta. — Chegou uma carta para o senhor.

Vale suspirou.

— Provavelmente um pedido idiota de ajuda. Com licença por um momento, por favor.

Irene franziu a testa, considerando as opções enquanto os passos de Vale ressoavam na escada. Ser Bibliotecária não lhe conferia a capacidade inerente de rastrear pessoas por mundos alternativos. Ela podia viajar de um mundo a outro passando pela Biblioteca, mas precisaria saber para onde Kai fora levado.

Houve uma exclamação no andar de baixo.

— Winters! Aqui, agora! — gritou Vale.

Irene segurou a saia e desceu a escada correndo. Ele estava de pé na porta, um envelope e uma folha de papel presos com cuidado entre os dedos. Um mensageiro de cabelo claro e uniforme de hotel estava encolhido na frente dele, sem dúvida desejando ter ido embora mais rápido.

— Este sujeito tem notícias.

— Que notícias? — perguntou Irene.

— Diga onde conseguiu este bilhete. — As mãos de Vale estavam rijas de tensão, as linhas dos nós dos dedos e dos tendões aparecendo... Mas ele segurava o papel com delicadeza, as pontas dos dedos mal roçando na beirada.

O garoto mensageiro molhou os lábios com nervosismo.

— Eu trabalho no Savoy, senhor. Um cavalheiro hospedado lá queria que fosse entregue ao senhor.

Vale assentiu.

— Nome e aparência dele?

— Ele não me disse o nome dele, senhor — respondeu o garoto. Vale segurou um suspiro. — Mas era um cavalheiro. Tinha barba.

Vale suspirou.

— Muito bem. Aqui. — Ele tirou meia coroa do bolso e a jogou para o garoto. — Pelo seu tempo e pelo seu esforço. Pode ir.

— Vamos deixar que ele vá? — perguntou Irene baixinho, enquanto o mensageiro saía correndo.

— Consigo encontrá-lo se precisar — disse Vale com confiança. — Você viu como o uniforme servia perfeitamente? Era dele mesmo, não um disfarce roubado. E os cinco botões na manga? Ele é um dos mensageiros mais antigos do Savoy, com uma possível promoção a camareiro em um futuro próximo. As luvas foram limpas hoje de manhã e os sapatos estavam engraxados. Mas ele não pôde nos dar nenhuma descrição além do fato de o sujeito ter barba e agir como um cavalheiro, e deve ser por isso que ele ainda está no nível de mensageiro. De um empregado de posição mais elevada se espera que repare em mais do que isso, mesmo que não precise falar a respeito.

Irene assentiu.

— O que tem na carta? — perguntou ela.

Vale ergueu-a para que ela pudesse ver.

— Não toque nela — aconselhou ele. — Ainda estou examinando.

O papel era caro. A caligrafia inclinada, como se em itálico, fora feita com tinta preta.

Kai voltou para a família. Não tentem vê-lo de novo. Este é o único aviso que lhes será dado.

Vale ergueu a carta contra a luz.

— Não tem marca d'água — disse ele. — É o mesmo papel do envelope. Preciso de uma luz melhor para examinar isto. — Ele já estava subindo as escadas novamente, para a sala de cima. Irene foi atrás.

— É uma falsificação de algum tipo — disse ela. — Não pode ser da família dele.

— Tem certeza disso?

— Sem dúvida. Vi uma correspondência da família dele mais cedo. Veio em um pergaminho, e estava toda em chinês. Não se parecia em nada com isso. E se alguém da família viesse buscá-lo, não seria por meio de sequestro. — Ela conseguia imaginar Kai discutindo, mas não conseguia imaginá-lo levando uma surra até cair e ser carregado à força. — Além do mais, você já disse que teve provas do uso de magia feérica no sequestro dele. Nenhum dragão com respeito próprio cooperaria com os feéricos. E, mais do que tudo...

— Sim? — murmurou Vale. Ele tinha se sentado em frente à mesa do laboratório e estava examinando a carta e o envelope com uma lupa.

Irene estava andando pela sala agora, pensando.

— Se tivesse sido mesmo ação de um dragão, talvez de algum que achasse que Kai estava se diminuindo ao se associar com seres humanos, conosco... — Mais do que isso. Sendo nosso amigo. — Qualquer dragão que tivesse esse tipo de opinião não se daria ao trabalho de enviar mensagens. Nem para você, nem para mim. — Ela se perguntou se haveria uma carta similar em sua casa também. Não teria tempo de ir verificar. — Nós não seríamos nem notados.

Vale não tirou o olhar do envelope.

— Todos eles têm essa opinião, então? — O tom foi acadêmico, mas havia alguma coisa na forma como ele inclinou a cabeça que sugeria que Vale nutria orgulho e altivez similares.

Claro, ele é conde. E inglês. E, acima de tudo, o maior detetive de Londres. Como um mero dragão poderia se comparar a tudo isso?

— Já conheci um que tinha. Mas ele foi cortês. Houve um grau de, como dizer... — Ela procurou as palavras certas enquanto se sentava. — De superioridade, uma *noblesse oblige*. Não se impõe aflição desnecessária a seres inferiores.

— Que sorte a nossa. — Vale girou a cadeira. — Não tem marca d'água. — Ele repetiu o comentário anterior. — Papel de altíssima qualidade, mas impossível de identificar sem uma investigação mais profunda. A caligrafia não é de alguém que eu reconheça. Devo dizer que não sou o tipo de pessoa que lê personalidades pela caligrafia, mas o estilo é um pouco espremido e suave. Eu diria que a pessoa que escreveu estava tentando disfarçar a letra. O envelope não veio selado, então não há pista para obtermos aí. Sua opinião?

— Minha opinião é mais sobre o conteúdo do que sobre o contexto. — Irene esticou a mão para pegar a carta e Vale a entregou para ela. — E sobre o resultado. Mesmo que não estivéssemos cientes de que Kai fora sequestrado, perceberíamos que havia alguma coisa estranha quando recebêssemos isto. Acho que é um sinal de alerta disfarçado.

— Sinal de alerta? — perguntou Vale.

— Uma tentativa de nos avisar de que há alguma coisa errada, mas sem que a pessoa em questão admita que está nos avisando.

— Ah. — Vale assentiu. — Lorde Silver, sim. Com o envio um tanto óbvio da carta pelo homem barbado, para nos guiar na direção certa.

Irene também assentiu. Os ombros estavam contraídos de tensão. Ela revisou mentalmente as possíveis pistas. Eles tinham explorado tudo até o momento. Isso queria dizer que ela finalmente podia agir.

— Temos que sair — disse ela. — Eu preciso perguntar na Biblioteca e ver se consigo fazer contato com o tio do Kai, ver se eles têm um jeito de localizá-lo. E você...

— Vou atrás dos Guantes, claro. — Vale se levantou e ofereceu a mão para ajudá-la a se levantar. — E de Lorde Silver, já que vou entrar em ação. Se o sujeito estiver tramando alguma coisa, vou ficar sabendo. Onde nos encontramos?

— Devem estar vigiando a minha casa — disse Irene com pesar. — E devem estar vigiando a sua também. — Ela franziu a testa quando os pensamentos se juntaram. — Se Kai foi interceptado na sua porta, estão vigiando sua casa, e podem estar cientes de que estamos os dois aqui, agora, comparando observações.

— Ah, sem dúvida — concordou Vale. — No entanto, seguirmos em direções diferentes pode ajudar. Você acha que consegue chegar a uma biblioteca próxima?

— Espero que sim — disse Irene com firmeza. Sentiu um toque de satisfação por ele não ter suposto que teria que acompanhá-la para enfrentar qualquer problema. E por não ter se oferecido a fazer isso. Ter conquistado o respeito dele era uma coisa que ela realmente valorizava. — Não sei quanto tempo vou demorar. Sei que é urgente. Mas se for difícil fazer contato com o tio de Kai... Devo procurar por você na Scotland Yard?

Por um momento, Vale franziu a testa e assentiu.

— Procure o Singh. Ele se lembra de você. — Irene também se lembrava dele. Inspetor Singh, provavelmente o aliado mais próximo de Vale na polícia de Londres. — Se eu tiver algum recado, vou deixar com ele, e você pode fazer o mesmo.

74

Ele ainda estava segurando a mão dela. Na verdade, pareceu ter esquecido que estava fazendo isso.

— Tome cuidado, Winters — disse ele. — Nossos inimigos parecem bem preparados. Se fosse possível acompanhá-la, eu o faria...

— Mas o que você pode descobrir é mais importante — interrompeu Irene. Ela teria preferido levá-lo junto, e que se danassem as regras sobre trazer estranhos para a Biblioteca. Mas o que ela disse era verdade. Eles precisavam saber o que Guantes andava tramando. — E não temos tempo a perder. Estou contando com você.

O sorriso dele foi fraco, mas estava lá.

— Então é melhor não deixarmos Strongrock esperando.

CAPÍTULO 6

Irene ficou um pouco surpresa e um tanto decepcionada porque ninguém tentou sequestrá-la no caminho até a Biblioteca Britânica. Se alguém *tivesse* tentado sequestrá-la, pelo menos teria uma ideia melhor do que estava acontecendo. Mas não havia nenhum táxi misterioso esperando para levá-la à força para algum local desconhecido, nenhum bandido mascarado a arrastando para becos escuros, nada remotamente útil. Isso a deixou mal-humorada, enquanto andava pelos aposentos até o portal da Biblioteca.

A Travessia para a Biblioteca se abria a partir de um depósito pequeno, que antigamente fora um escritório, e por sorte não havia visitantes por perto para vê-la entrando. Foi um trabalho de instantes trancar a entrada atrás dela usando a Linguagem, e então correr até a porta da Travessia. Parecia a porta de um armário de depósito, e para qualquer outra pessoa *seria* um armário. Mas estava permanentemente ligada a uma entrada específica na Biblioteca e Irene tinha a chave linguística.

— **Abra-se para a Biblioteca** — disse ela, e sentiu a conexão se formar enquanto suas palavras rolavam pelo ar. Ela abriu a porta e passou rapidamente.

A porta pesada com tranca de ferro do lado da Biblioteca estalou e se fechou às suas costas. Do outro lado havia pôsteres pendurados em seu entorno, proclamando: *ALTA INFESTAÇÃO DE CAOS, ENTRADA SÓ COM PERMISSÃO* e *MANTENHA A CALMA E FIQUE LONGE*. Irene franziu a testa para o *ALTA* no primeiro pôster. Na última vez que passara por ali, alguns meses antes, só havia uma infestação média de Caos.

Será que isso tinha a ver com o desaparecimento de Kai? Ela esperava que não.

Alguém estava usando o aposento para separar outros livros e, além das prateleiras lotadas, havia pilhas com lombadas amareladas por todo o chão. Irene teve de erguer a barra da saia para evitar tropeçar nelas conforme caminhava até a saída.

A sala de computadores mais próxima ficava duas portas à esquerda. Estava vazia no momento, então ela correu para uma cadeira, registrou-se e escreveu um e-mail rápido para Coppelia. *Kai desapareceu. Circunstâncias misteriosas. Peço reunião imediata. Irene.*

A resposta chegou em cinco minutos. Ela tinha acabado de pesquisar por *Dragões, negociando com eles*, mas ainda não progredira muito. A mensagem dizia: ***Rápido deslocamento de transferência autorizado. Primeira entrada à esquerda, três andares acima, a palavra de transferência é Coerente. Coppelia.***

Irene saiu do sistema, ergueu a saia até o joelho e saiu correndo. Deslocamentos rápidos demandavam um alto consumo de energia e não ficavam abertos por muito tempo. O fato de Coppelia ter considerado adequado autorizar um era perturbador por si só.

Três lances de escada depois, as paredes estavam cobertas de papel de parede *art déco*, o que tornava o armário de deslocamento de transferência óbvio, tal a discrepância de estilo.

A porta era de carvalho pesado e parecia deslocada entre duas estatuetas de gesso de mulheres de toga. Seu tamanho era adequado para acomodar apenas uma pessoa e uma pilha de livros.

Ela entrou e fechou a porta. Não havia luz. Não havia som. Só havia o cheiro de poeira. Ela esticou a mão para os dois lados para se segurar nas paredes.

— **Coerente** — disse ela na Linguagem.

O armário tremeu ao redor dela, como a bandeja de um elevador de comida puxado em alta velocidade em várias direções. Irene fechou os olhos e se concentrou em não vomitar.

Com um baque, o armário chegou. Irene levou um momento para recuperar o fôlego antes de abrir a porta e sair na sala iluminada.

Era o escritório particular de Coppelia, tão familiar após tantas horas passadas ali como sua aluna e assistente pessoal. O foco da sala era a mesa grande de mogno, que fazia uma ampla curva em U, permitindo que uma boa quantidade de documentos fosse espalhada na superfície. As paredes eram cheias de estantes, naturalmente, mas havia vários ícones eslavos de ouro maciço e madeira pendurados aqui e ali, interrompendo as coleções. Irene reparou que era noite, e as luzes do escritório ardiam passando pela janela curva, iluminando a paisagem de neve lá fora. As cadeiras de sempre foram tiradas da sala, o que queria dizer que Coppelia estava sentada na única que havia, atrás da mesa.

De pé na frente dela, Irene se perguntou se a intenção era que se sentisse como uma estudante procurando pela professora, ou possivelmente uma penitente se apresentando a uma inquisidora. Fosse o que fosse, ela desconfiava que a intenção era fazê-la se sentir nervosa.

Coppelia parecia tão controlada quanto sempre. Um turbante bordô protegia sua cabeça, e só as beiradas do cabelo branco estavam visíveis na testa. Hoje ela estava com uma túnica despojada de veludo liso marrom-escuro, sem mangas, o que deixava o braço esquerdo de madeira entalhada todo visível. Era do mesmo tom de carvalho claro do braço direito, o natural, mas de uma textura completamente diferente, com todas aquelas juntas e mecanismos.

— Um relatório fraco — disse ela com um leve chiado.
— A não ser que você realmente não saiba mais do que me contou.
— Eu deliberadamente só esbocei o básico — disse Irene com determinação. — Considerando a importância da situação, supus que você ia querer ouvir o resto em pessoa.
— Ao invés de mandar um e-mail detalhado que qualquer um pudesse ler, é isso? — perguntou Coppelia.
— Você está fazendo essa suposição — respondeu Irene.
— Eu, não. — Na última vez em que se viram, Coppelia decidira deixar a controversa hereditariedade de dragão de Kai sem discussão. Mas Irene não tinha certeza se isso já era de conhecimento geral no nível apropriado ou se ainda era genuinamente confidencial.

Coppelia levantou a mão de carne e osso para massagear a testa.
— Conte-me o que sabe, então.

Irene repassou os detalhes rapidamente. Teve que mencionar o envolvimento de Vale, claro. Mas Coppelia já sabia sobre Vale, e que ele tinha conhecimento de uma quantidade desconfortavelmente grande de coisas sobre a Biblioteca. Coppelia assentiu de leve em alguns momentos: o convite da família de Kai, o aviso de Lorde Silver, os Guantes e os comentários de Vale sobre a carta (também supostamente da família de Kai). Mas, fora isso, ficou em silêncio enquanto ouvia. Finalmente, ela comentou:

— Circunstâncias misteriosas. Não posso discordar dessa definição. Suas conclusões?

— A carta é falsa — disse Irene com sinceridade. — Não é só o formato. Eu esperaria mais *estilo* se fosse da família de Kai. Pelo que ele me falou, são da realeza. A realeza não envia bilhetes chinfrins com avisos do tipo "não tente vê-lo de novo". Eles não se preocupariam conosco, plebeus, ou apenas passariam para nos informar graciosamente que a partir de agora seríamos privados da presença dele. Não é nem uma enganação boa.

— E ainda assim você está aqui — comentou Coppelia.

— E está perguntando sobre a família dele. Se você tem tanta certeza de que é mentira, por que se dar a esse trabalho?

— Porque nós precisamos encontrá-lo — disse Irene. Ela cruzou as mãos nas costas e escondeu os punhos fechados.

— Se Vale conseguir encontrar os Guantes, ou seja lá quem eles forem, tudo bem. Porém, se não conseguir, como vamos rastreá-lo? Ele é minha responsabilidade. — As palavras pairaram no ar como uma promessa. — E foi sequestrado sob a minha proteção, por isso, a família dele pode nos responsabilizar.

Coppelia esticou os dedos entrelaçados, pele e madeira.

— De fato a Biblioteca não tem a menor vontade de entrar em uma briga com os parentes de Kai — concordou ela. — E a vingança de um dragão é coisa séria. Furacões, tempestades, tsunamis, terremotos... Testemunhei um mundo sendo destruído desse jeito e mal consegui escapar. O que você quer de mim?

Irene botou de lado algumas imagens mentais bem desagradáveis. Isso já estava demorando muito.

— Preciso de qualquer coisa que tenhamos sobre Lorde Guantes que não conste nos registros públicos. E suponho que a Biblioteca saiba mais sobre a família de Kai do que eu. Há alguma chance de o sequestro *ser* coisa deles? — Um pensamento lhe ocorreu. — Ou de alguém ligado a eles? Uma facção rival? Um criado entusiasmado demais?

— Hummm... Uma pergunta pertinente. Nove em dez. — Coppelia refletiu, sem tirar os olhos dela. Irene não ousou afastar o olhar. — É improvável que sua família mais próxima o raptasse ou deixasse um bilhete dizendo que ele tinha ido embora. Seria baixo demais para eles. No entanto, qualquer família real tem subordinados e, em geral, pessoas que poderiam encarar com entusiasmo excessivo declarações do tipo "Será que alguém pode se livrar dessa pessoa incômoda?". Um deles poderia... E há facções entre dragões. Nem todos apoiam a realeza.

Irene suspirou. Outra incerteza.

— Então, não posso ter certeza do envolvimento deles.

— Não — disse Coppelia. — Não pode. Ou melhor, não podemos. E não, nós não temos canais secretos que possamos usar para perguntar, nem em nome da Biblioteca.

Irene inclinou a cabeça de leve.

— *Em nome da Biblioteca* talvez não, mas e de uma perspectiva particular? Não tem alguém por aí que conhece alguém que conhece alguém que poderia perguntar...? — Ela deixou a frase no ar, esperançosa.

Coppelia balançou a cabeça, um não definitivo, mas também pareceu cautelosa. Obviamente, havia alguém por aí que conhecia alguém que conhecia alguém, mesmo que não pudesse resolver essa questão em particular.

— Claro que não tem — concordou Irene com amargura. Ela conseguia perceber para onde isso estava indo. — Mesmo que alguém tivesse acesso a dragões, estaria em posição alta demais na Biblioteca para agir sozinho. E a Biblioteca não pode ser metida nisso.

Coppelia abriu as mãos.

— Precisamente. Só há uma pessoa nessa situação que pode perguntar...

— Tudo bem. Tudo *bem*. — Irene viu Coppelia apertar os olhos por causa do tom e tentou se acalmar. — Tudo bem. Tem que ser eu. — *Quem colocará a cabeça na boca do dragão e levará a culpa se der errado.* — Mas eu gostaria de fazer uma pergunta primeiro. Uma pergunta geral, antes de entrar nos detalhes.

— Você pode perguntar — disse Coppelia com cuidado.

— Se eu não responder, não é porque quero lhe causar mais dificuldades.

Irene assentiu.

— Nos termos mais amplos, então: por que trazer Kai para a Biblioteca? Falando sério. Você *sabia* o que ele era. Por que aceitá-lo como estagiário? E por que designá-lo a *mim*?

Era uma conversa que deveria ocorrer atrás de janelas fechadas ou pesadas cortinas de veludo. Parecia errado estarem falando assim tão abertamente. Errado e exposto demais.

Coppelia olhou para a mesa.

— Já houve outros jovens dragões antes de Kai — disse ela lentamente. — Nenhum tão bem-nascido, mas... Bem, já aconteceu, e é educadamente ignorado quando acontece. Mesmo que as pessoas responsáveis pela colocação tenham achado que sua enganação permaneceu escondida. Há protocolos secretos. Há entendimentos. Nenhum dragão até agora decidiu ficar e fazer o voto de Bibliotecário. Para ser sincera, duvido que Kai fique. Não é da natureza dele.

Irene assentiu, aceitando as palavras.

— Mas por que eu?

Coppelia hesitou e assentiu para si mesma.

— **Porque** — disse ela na Linguagem, necessariamente falando a verdade — **nós achamos que seria o melhor para vocês dois.** — Ela voltou para a linguagem normal, olhando para Irene novamente. — E isso é tudo que vou dizer a você agora.

— Para nosso próprio bem? — disse ela secamente. Não havia *tempo* para esses malditos mistérios. Ela era filha de dois Bibliotecários, uma combinação incomum. Isso a tornava mais adequada para lidar com dragões? Ela não conseguia ver como.

Coppelia deu de ombros.

— Nós tomamos as melhores decisões que podemos. Você tem alguma objeção a ele?

— Objeção em que sentido? — retrucou Irene. Ela sabia que estava fugindo da pergunta, mas não sabia direito o que Coppelia queria dizer.

— Ele cometeu alguma ofensa contra você? — Coppelia atirou a pergunta contra ela como uma bala.

— Ele é a cortesia em pessoa — disse Irene. — Como você sabe.

— Causou algum mal a você?

Irene pensou nos olhos de Kai, na sua hesitação, na sinceridade. Ele queria protegê-*la*, mesmo que fosse responsabilidade dela protegê-*lo*.

— Não, e você sabe. É realmente necessário falar sobre isso aqui e agora?

— Estou tentando descobrir se *você*, pessoalmente, tem algum motivo para querer se livrar dele.

— Misericórdia! — explodiu Irene. — Se você não confia em mim, não há nada mais a ser dito. Além do mais, dê um pouco mais de crédito à minha inteligência. Se eu estivesse tentando sequestrá-lo, eu não estaria aqui contando para você agora.

— Eu tenho que ter certeza — disse Coppelia. Ela se mexeu na cadeira. — Você já pensou em como isso pode se desenrolar?

— Ah, sim — disse Irene. Ela ainda estava furiosa por Coppelia ter insinuado que ela poderia estar envolvida no desaparecimento de Kai, mas conseguiu manter o controle. Se Kai estava em perigo, cada segundo importava. — Possivelmente, mal. E, como você observou, os dragões podem estar aborrecidos... E podem querer descontar em mim.

— E pode ser que a Biblioteca tenha que permitir — observou Coppelia. — Se for decidido que você era responsável por ele e os dragões se ofenderem, talvez tenhamos que despojá-la de suas credenciais.

Um arrepio desceu pela coluna de Irene.

— Vocês não fariam isso — disse ela. Mas a fala carregava a verdade dos pesadelos, dos piores cenários possíveis. — E a marca da Biblioteca não pode ser removida.

Os olhos de Coppelia pareciam lamentosos, mas o rosto permanecia pétreo.

— Minha querida Irene, nós não podemos correr o risco de entrar em guerra por causa de um dragão. Ou de uma Bibliotecária. Você está fazendo um trabalho excelente como Bibliotecária em Residência, mas quando chegar a hora, *alguém* vai ter que levar a culpa.

— Estou avisada — disse Irene secamente, ignorando o gelo no estômago. — Vamos ao trabalho. Como faço contato com a família dele?

— O jeito mais fácil seria por meio do mundo em que nós o recrutamos — disse Coppelia. — Ele mencionou a designação a você?

— Só disse que era um dos Gamas — respondeu Irene.

— Com alta tecnologia e magia mediana. Vou encontrar o tio dele lá?

— Se tiver sorte... Ou a casa do tio, pelo menos. Eu soube que ele mantém um estabelecimento lá. O nome dele é Ryu Gouen. — Ela esperou o aceno de compreensão de Irene. — Nossa Travessia para esse mundo (mundo G-51, para sua informação) se abre dentro das ruínas da Biblioteca Palatina em Heidelberg. Segundo o último relatório, de algumas semanas atrás, Ryu Gouen estava na Europa, então, por sorte, você não vai precisar viajar para muito longe. Eu soube que a rede ferroviária de alta velocidade naquele alternativo é muito boa.

— Quem é nosso Bibliotecário lá? — perguntou Irene. — Suponho que haja um Bibliotecário em Residência.

Coppelia assentiu.

— O nome dela é Murasaki. No entanto, eu prefiro que você evite o contato com ela. Quanto menos tivermos que explicar sobre Kai, melhor.

— Se eu sair da Travessia e ela estiver lá, pode ser constrangedor — disse Irene. Ela entendia o que Coppelia queria dizer, mas, ao mesmo tempo, sua vida ficaria bem mais fácil se pudesse contar com ajuda imediata na hora de atravessar uma Europa nova e estranha. E com roupas. E com dinheiro.

— Se acontecer, invente alguma desculpa — disse Coppelia. — Diga que está em uma missão de compras passada por mim, se não conseguir pensar em nada melhor. E então? Mais alguma pergunta?

— Sim. Os Guantes. Você sabe de alguma coisa sobre ele ou eles?

— Infelizmente, não. — Ter que admitir ignorância irritava Coppelia. — Vou fazer algumas perguntas, mas pode demorar. Também vou verificar se alguém sabe alguma coisa sobre as lutas de poder contínuas entre os feéricos. Alguma coisa relevante, claro.

Havia mais uma coisa que Irene queria perguntar.

— Alberich pode me achar lá? Em G-51?
Talvez este não fosse o momento para seus medos particulares, mas ela tinha que saber. Alberich era uma figura de pesadelo, o traidor mais poderoso da Biblioteca, além de assassino e uma abominação. Alguns meses antes, ela o enfrentara e vencera. Ele foi banido do mundo de Vale como resultado, e não tinha acesso à Biblioteca, mas a ideia de ir para algum lugar onde ele poderia encontrá-la gelava Irene até os ossos. As cicatrizes nas mãos dela doeram em resposta. Era ruim ele matar pessoas, mas o que fazia com elas primeiro era pior.

Coppelia a observou, pensativa, e Irene se perguntou se ouviria uma mentira reconfortante para mantê-la focada na missão. Finalmente, Coppelia disse:

— Seria fisicamente possível ele entrar naquele mundo. Mas ele não tem como rastreá-la, nenhum motivo para supor que você esteja lá...

— A não ser que ele esteja por trás do sequestro de Kai — sugeriu Irene.

— Se *estivesse* — Coppelia enfatizou a palavra —, ele provavelmente teria sequestrado você também. Oito em dez por levantar a hipótese, mas quatro em dez por falhar na Navalha de Occam e multiplicar demais as possibilidades. Agora, como eu estava dizendo, Alberich não tem nenhum motivo para supor que você esteja lá. Também é um mundo com leis fortes e pouco Caos, portanto, uma barreira para gente como Alberich, ligado aos feéricos. Mas deve ser por isso que os dragões, amantes da Ordem, o frequentam. Nenhum lugar além da Biblioteca é totalmente seguro, mas deve ser mais seguro do que a maioria.

Irene assentiu, mas uma sombra de medo permaneceu.

— Faz sentido — disse ela. — Obrigada.

Mas Irene sabia que Alberich assombraria seus sonhos por muito tempo ainda.

— No momento, acho que é um problema que você pode desconsiderar — disse Coppelia bruscamente. Um relógio tocou a hora em uma prateleira escondida, e ela e Irene olharam na direção dele. O tempo estava passando. Coppelia se virou para Irene. — O que você pretende fazer depois de contatar a família de Kai?

— O que a situação exigir — disse Irene com firmeza. Ela respirou fundo. — Entro em contato com você se parecer apropriado.

— E seu desejo de tomar suas próprias decisões? Não seria relevante aqui? — Coppelia sorriu friamente. A expressão entregou a sua idade. O rosto normalmente sereno, um exemplo de envelhecimento gracioso, tornou-se por um momento uma caveira debochada e crítica.

— A segurança de Kai vem primeiro. E isso, minha vontade de fazer as coisas "do meu jeito" nunca vai atrapalhar — disse Irene. Ela deu um passo à frente. — Você o colocou aos meus cuidados, então sou responsável por ele. Deixe-me ir e fazer o meu trabalho.

O escritório pareceu muito silencioso depois do desabafo. Coppelia se sentou na cadeira, ainda sorrindo.

— Então você vai buscá-lo porque este é o seu dever — disse ela. — E não por qualquer outro motivo.

— Isso é mesmo *necessário*? — cortou Irene. — Preciso chegar a G-51.

— O que você diria se eu a mandasse responder na Linguagem? — perguntou Coppelia. Uma escuridão se formou em torno delas quando as luzes piscaram e o céu da noite lá fora se cobriu de nuvens.

— **Diria que, neste momento e neste local, não faz diferença por que vou buscá-lo ou deixá-lo com sua família** — disse Irene, porque não fazia mesmo. — **Agora, o** que você diria se eu perguntasse por que está tão determinada a me testar?

A pergunta pairou no ar entre elas, sem ser respondida. Coppelia se inclinou para a frente de novo e digitou uma ordem rápida no monitor.

— Use o armário de deslocamento de transferência de novo — disse ela. — Vai conduzi-la à porta de Travessia do G-51. A palavra é *Responsabilidade*. E uma última coisa.

— Sim?

— Você me lembrou de que é responsável por Kai e por tudo que isso implica. Devo também lembrá-la de que sou responsável por você. Nós duas sabemos que você está se colocando em perigo. Por favor, tome cuidado.

PRIMEIRO INTERLÚDIO: KAI APRISIONADO

Kai recuperou a consciência lenta e dolorosamente, o corpo todo doendo, de um jeito que não parecia natural. Não era a dor de músculos e juntas exauridos, nem o latejar de um ferimento. Parecia que o próprio ar era venenoso para ele, e essa era a reação do seu corpo.

Sua posição não ajudava em nada. Ele estava deitado de barriga para baixo na garupa de um cavalo, as mãos ainda algemadas nas costas, sentindo o suor do animal a cada inspiração nauseante. A coleira que tinha ao redor do pescoço controlava seu poder, restringindo-o à forma humana. Também não fazia ideia de onde estava, nem do que estava acontecendo. Mas conseguiu perceber que se encontrava em um mundo de Caos elevado, bem mais repulsivo à sua espécie do que qualquer outro que ele já tivesse visitado.

Sua cabeça girava em vertigens, e ele lutou contra a vontade de fechar os olhos. Perguntou-se como Irene lidaria com a situação se *ela* fosse a prisioneira. Fingiria inconsciência, avaliou ele, até descobrir tudo que pudesse, e depois fugiria.

Havia água ali perto, por todos os lados, e apesar de poluída pelo Caos e de ele não poder tocá-la, conseguia sentir sua presença. Certo. Primeiro fato coletado. Havia pessoas passando. Estavam usando roupas de cores vibrantes. Outra observação. Ele ouvia gente falando em italiano. Italiano e água: isso devia significar alguma coisa, mas no momento ele não conseguiu concluir o quê. Levantou a cabeça, o suficiente para ver o que estava acontecendo à frente. Havia outro cavalo, montado por um cavaleiro, o homem que o sequestrou. A raiva cresceu em suas entranhas. Ele não toleraria isso. Ele iria... Ele iria...

O mundo começou a girar de novo e ele baixou a cabeça, tentando respirar com firmeza. Os cavalos pararam, e vozes vieram da frente.

— Meu lorde Guantes, o senhor chegou mais cedo do que o esperado. Podemos perguntar se houve algum problema?

— Nada de importante. — Era a voz do seu sequestrador. Kai repuxou os lábios em um rosnado. — Tivemos que adiantar um pouco o plano. Minha esposa chega em seguida, pelo Trem. A Prisão está preparada?

— Meu lorde, está. Ficaremos felizes por receber seu prisioneiro.

— Acho que não. — Havia uma arrogância firme na voz do sequestrador. — O dragão permanece comigo até que esteja na cela, e eu fico com a chave da coleira.

— O senhor duvida dos Dez, meu lorde?

Kai mordeu a língua com força para tentar se concentrar. Tinha que haver alguma coisa ali que pudesse usar. Ele conseguiu levantar a cabeça de novo e dar outra olhada no sequestrador. O feérico parecia afetado pela viagem, a manta cinza de pele estava suja de poeira e chuva, mas ele ainda se portava com a altivez de um aristocrata e um líder.

— Eu duvido de todos — disse Lorde Guantes. — Só existe uma pessoa em todos os mundos em quem confio, e ela não está aqui. Claro que tenho o maior respeito pelos seus Dez. Mas, nos círculos que habitamos, é apenas natural que grandes homens desconfiem uns dos outros. — Sua voz ficou mais grave, e Kai percebeu que outras pessoas paravam para ouvir, atraídas pela presença e pelas palavras do feérico. — Meu amigo, nós seguimos para um novo e grande futuro, em que vamos marchar lado a lado enquanto mais mundos sucumbem ao nosso domínio. Não falo de uma visão mística distante. Estou oferecendo a vocês, oferecendo a todos os Dez que governam este reino, uma terra firme e concreta de oportunidade. — Ele fez um gesto amplo, apontando para um horizonte distante metafórico. — Nós *vamos* seguir em frente. Nós *vamos* declarar guerra abertamente aos dragões. As esferas vão cair aos pés dos feéricos e dos nossos aliados como o trigo diante da foice. Nosso plano atual é o primeiro de muitas vitórias. Os que me obedecerem serão exaltados, serão deuses!

Ele soava convincente. Mesmo amarrado como estava, limitado, indefeso e prisioneiro, Kai conseguia sentir a vontade de assentir e aceitar o que o homem estava dizendo... Seria capaz até de se oferecer como voluntário. Não era o glamour sedutor que Lorde Silver aplicava. Era uma coisa que atingia direto a raiz do tronco cerebral responsável pelos comandos de controlar/obedecer. Kai entendia o conceito de obediência aos mais velhos e superiores, e esse discurso tentava se aproveitar dos mesmos sentimentos. Um dragão conseguia resistir. Os humanos seriam bem menos capazes de lutar contra ele.

O coro de murmúrios de admiração que vinha crescendo ao fundo explodiu na mesma hora que um terremoto embaixo deles, alimentado por uma onda de poder caótico. Kai foi lançado novamente na inconsciência quando os cavalos relincharam, jogaram as cabeças para os lados e bateram os pés. As águas tremeram em resposta, batendo nas margens.

— Eu peço desculpas — disse Lorde Guantes, sem que parecesse lamentar coisa alguma. — Às vezes, me empolgo um pouco. Espero que seus mestres apreciem meu entusiasmo.

— Claro, meu lorde — disse o outro homem. — Mas acho que prefeririam que o senhor guardasse sua eloquência para os alvos adequados em vez de gastá-la com os cidadãos comuns.

— Claro, claro — disse Lorde Guantes de forma tranquilizadora, o tom de controle novamente na voz.

Kai não conseguia respirar direito. O ar se tornara espesso por conta do Caos, entupindo seus pulmões, e ele estava preso naquele corpo humano fraco. Ele lutou contra tudo, contra a voz de Guantes, contra o Caos que permeava aquele mundo e o queimava como se fosse radiação. Mas não havia nenhum lugar firme o bastante para ele se apoiar e se levantar, nada que pudesse fazer.

Ele afundou na escuridão de novo. *Pai. Tio.* Ele formou os pensamentos como uma oração enquanto tentava se manter consciente. *Onde vocês estão?*

Vale.

Irene.

Ajudem-me...

CAPÍTULO 7

Não era surpresa Kai ter se acostumado rapidamente ao alternativo de Vale, concluiu Irene com pesar. Era tão poluído quanto este. A diferença principal era que, aqui, as pessoas não andavam com lenços cobrindo o rosto. Ou eram ricas e passavam a vida dentro de carros, helicópteros, casas e prédios particulares com ar-condicionado, ou eram pobres e simplesmente respiravam o ar — e, presumivelmente, desenvolviam problemas pulmonares. Propagandas holográficas iluminadas ofereciam transplantes de pulmões, desenvolvidos a partir da própria carga genética de quem os receberia. Nenhuma das propagandas mencionava magia, o que Irene achou interessante. Possivelmente, não havia como combinar magia com tecnologia ali, ou magia era ilegal. Ela queria saber um pouco mais sobre aquele mundo. Até dois minutinhos com um panfleto de informações públicas teriam sido educativos, embora ela já tivesse passado por mundos similares antes. Ela teria de supor que lidaria com os problemas usuais relacionados a esse nível de tecnologia: vigilância pública exagerada e tudo feito eletronicamente.

Não havia ninguém do outro lado da Travessia, o que facilitava as coisas. A biblioteca era velha e cheia de pó, com móveis antigos, piso azulejado e arcos de madeira. Não era mais o deleite glorioso de um bibliófilo que já deveria ter sido um dia. Mas esse era um dos senões das Travessias antigas, que podiam ter sido, no começo, uma biblioteca ou coleção de livros relevante, mas depois foram perdendo a importância, com a Travessia ainda alocada no lugar. E, conforme realeza e aristocratas ascendiam e caíam, o que talvez tivesse sido o orgulho de um governante podia se tornar uma biblioteca pública ou um museu abandonado. Como neste caso. Havia cordas vermelhas de veludo e placas deixando claro que o prédio estava aberto ao público. Mas não havia sinal da Bibliotecária em Residência, e Irene ficou agradecida por isso. Não teria que perder tempo se explicando.

Ela seguiu um conveniente grupo de turistas para fora do local, a saia incongruente e longa demais para aquele mundo balançando nos tornozelos. Ela sentia que chamava a atenção, mas tentou parecer como se estivesse apenas fora de moda. Então tentaram assaltá-la, assim que ela entrou em um beco próximo. Isso determinou de vez seu humor, e ela olhou para o jovem com ares de membro de gangue que a enfrentava. Ele apontava um dispositivo elétrico pequeno diretamente para ela, e o aparelho parecia informar: *ei, cuidado, pois sou como um Taser perigoso.*

— Faça a gentileza de guardar essa coisa — disse ela em alemão gelado. — Ou vai se arrepender seriamente. Estou com pressa e não tenho tempo para isso.

— Que nada, você tem muito tempo para isso — respondeu o homem. Ele a olhou de cima a baixo. — Vamos começar com sua identidade e seus créditos, se é que consegue encontrá-los embaixo desse vestido.

Irene respirou fundo. Ela podia explodir a arma eletrônica, mas não sabia o seu nome exato na Linguagem. E talvez houvesse outros dispositivos eletrônicos por perto, que ficariam perigosamente afetados se ela usasse substantivos genéricos... E havia a *possibilidade* de uma reação exacerbada. Uma luta mano a mano também seria rápida e eficiente, mas sempre havia a chance de ela perder.

Quanto à terceira opção... Usar a Linguagem dessa forma era extremamente perigoso e durava pouco, mas cinco minutos poderiam ser suficientes.

— **Meu jovem** — disse ela na Linguagem, lamentando não poder chamá-lo de nada mais específico —, **perceba agora que sou alguém que você acha incrivelmente perigoso.**

Irene sentiu o universo se repuxar ao redor dela, à medida que tentava se ajeitar, dentro do microcosmo da cabeça do garoto, à forma como ela tinha mudado a realidade. A marca da Biblioteca em suas costas parecia uma queimadura de sol dolorosa e uma dor de cabeça surgiu nas têmporas. Sangue escorreu da narina direita, e ela levantou a mão para limpar.

Por um breve momento de autorremissão, ficou satisfeita de ver os olhos do homem se arregalarem de pavor. Ela também viu uma mancha escura crescendo na virilha apertada da calça jeans.

— Largue sua arma, sua identidade e seus créditos — ordenou Irene, voltando ao alemão. — E saia correndo.

Ele largou a arma como se estivesse queimando seus dedos, tirou uma carteira da jaqueta com a mão trêmula e se abaixou para colocar no chão. Em seguida, recuou vários passos, aparentemente sem querer tirar os olhos dela, antes de se virar e sair correndo pelo beco com a velocidade do puro pavor.

Era muito fácil manipular coisas físicas usando a Linguagem. Mas mentes conscientes reagiam e sempre acabavam voltando para a percepção anterior, compreendendo que tinham sido modificadas. Assim que o garoto percebesse que fora enganado, iria atrás dela para se vingar. Irene chutou a arma para o lado. Em seguida, pegou a carteira e a abriu, enquanto saía do beco. Ignorou os olhares de passantes e desejou novamente ter roupas locais. Não era parte do plano, mas seria útil.

Depois disso, o trabalho seria simples, facilitado pelo fato de que não precisaria manter uma identidade de longo termo ali. Fazia anos que não trabalhava em um mundo de alta tecnologia, mas ela se lembrava dos princípios básicos. Usar a Linguagem para driblar a vigilância digital e bancária, conforme necessário... E manter-se sempre em movimento, antes que os *backups* dos computadores reiniciassem e alguém reparasse que havia algo errado ou faltando.

Algumas palavras na Linguagem em um mecanismo de caixa eletrônico esvaziou a conta do ladrão e também criou uma para ela. Ela saiu apressada antes que alguém investigasse as câmeras quebradas e os mecanismos de segurança. Uma loja barata forneceu uma calça jeans e uma jaqueta. *Isso* a levou a uma loja cara, onde ela pôde comprar um terninho elegante que lhe pareceu suficiente para visitar um milionário discreto. O ladrão não apareceu, embora houvesse uma agitação repentina de helicópteros da polícia com sirenes tocando. Ela se perguntou, com uma certa culpa, se tinha disparado alguma espécie de alerta de recompensa ao convencê-lo de que era uma pessoa incrivelmente perigosa. Ah, bem, não era problema dela.

Mas o tempo todo, constantemente, ela experimentava uma sensação de urgência terrível. Já devia estar com o tio de Kai para perguntar...

Perguntar o quê?, questionou-se Irene, diante do espelho. Sua aparência não refletia de maneira nenhuma sua agitação interior. Ela tinha que incorporar o papel, senão sua chance de obter acesso a ele diminuiria significativamente. Ryu Gouen, o tio de Kai, era um dragão. Pelo que Kai e Coppelia disseram, um dragão bem posicionado, estabelecido naquele mundo como colecionador particular influente e empresário bem-sucedido. É certo que houvera casos de camponesas que conseguiram ganhar gradualmente a atenção de reis-dragão, por meio de sua humildade natural e doçura de caráter, mas ela não tinha anos para desperdiçar.

Ela verificou a si mesma. O cabelo estava arrumado, o terninho era clássico e o pequeno *tablet* cabia perfeitamente na bolsa nova. Ela poderia posar como modelo de uma ilustração estereotipada em uma cartilha infantil: *letra "E", de Empresária que fecha negócios*. O sangramento no nariz já tinha quase parado.

Ela quase sentia o gosto do próprio desespero. E estava pronta para ir.

Ryu Gouen devia estar em Marselha, de acordo com os canais de notícias do *tablet*. Fazia tempo que ela não usava esse nível de tecnologia, mas, depois de se enrolar um pouco, lembrou-se de como mexer no aparelho. Verificou as opções de transporte. Alugar um helicóptero seria caro, mas era a opção mais rápida para ir da Alemanha a Marselha. E o dinheiro não era dela, afinal de contas. Dinheiro era a menor das suas preocupações no momento.

Enxames de pessoas caminhavam ao seu redor enquanto ela seguia para o aeroporto. E, lá, pouco mudou. Tudo era claro demais, barulhento demais, intenso demais, e havia luzes e hologramas por todo lado. Ela tinha passado meses se acostumando aos padrões do mundo de Vale e agora aquele lugar parecia todo errado. Ela seguiu pela multidão, um sorriso vago estampado no rosto, e manteve o olhar no *tablet* quando chegou ao helicóptero. Tentou se imaginar um tubarão confiante cortando um oceano de gente, mas a imagem cismava em transformar-se de tubarão para arenque em sua mente. Um arenque prestes a virar conserva.

Uma hora depois, ainda com dor de cabeça, Irene desembarcou de um táxi automático em frente a um arranha-céu isolado nos arredores de Marselha. Era um dos edifícios mais elegantes da área: alto, mas não imponente; moderno, mas não de forma agressiva. Conseguia transmitir uma aura de permanência e idade, apesar de os registros online mostrarem que tinha sido construído menos de cinquenta anos antes. Era propriedade de um consórcio de firmas, que por acaso incluía uma empresa particular de exportação de arte, a Northern Ocean Associates, da qual Ryu Gouen era diretor não executivo. Tudo muito bem organizado para se adequar a um dragão que desejava se manter distante dos olhares do público, mas que não conseguia resistir a um pequeno toque de grandeza. As ruas ao redor estavam limpas e praticamente vazias.

— Meu nome é Irene Winters e preciso ver o sr. Ryu urgentemente — disse ela para o secretário na recepção. Usou o francês por não querer chamar atenção. Como acontecia com a maioria dos Bibliotecários, as línguas foram parte fundamental dos seus estudos, tanto para operações secretas quanto para ler e entender a literatura que ela coletava.

O homem atrás da bancada era tão liso que podia ser feito de plástico. O cabelo era um capacete preto brilhante, que caía sobre a cabeça como se grudado, e o rosto não se movia. Pequenas inserções cibernéticas brilhavam nas unhas, cintilando quando ele passava os dedos na tela à frente.

— Desculpe — disse ele, a voz tão sem vida quanto os olhos, o francês perfeito. — O sr. Ryu está ocupado no momento. Se quiser nos enviar seus detalhes...

— É um assunto urgente — disse Irene —, senão eu não estaria aqui.

— O sr. Ryu está muito ocupado no momento — repetiu o secretário. Seu olhar avaliou o traje de Irene, os níveis de riqueza e moda, e rapidamente a classificou como alguém não importante. — Embora se saiba que ele patrocina oportunidades de investimento, isso só acontece com base em recomendações particulares. Infelizmente, tenho que pedir que vá embora, senhora.

O saguão, um espaço ecoante com piso de mármore preto e pilares cinzentos e frios, estava vazio. Irene e o secretário eram as duas pessoas ali. Algumas cadeiras frágeis perto da porta não ajudavam a quebrar o efeito imponente do local. Se fora projetado para intimidar, deu certo.

Irene levantou o queixo.

— Sou uma representante da Biblioteca — disse ela, mantendo a voz tão calma e sem emoção quanto a do secretário. — Acredito que o sr. Ryu já tenha tido contato com nosso grupo antes. — *E, mesmo que não tenha, isso deve chamar a atenção dele.*

O secretário a encarou por um longo momento, baixou os olhos e passou os dedos pela tela de novo.

Uma pausa.

A tela piscou.

— Infelizmente, o sr. Ryu não está disponível no momento — disse o secretário. — Obrigado pelo seu interesse em nossa empresa. Se quiser deixar uma mensagem, ficarei feliz em fazer contato em uma data futura.

Certo. Era hora de optar pela força bruta, torcendo para que o tio de Kai a recebesse e não a jogasse pela janela. Irene se inclinou mais para perto.

— **Você acredita que acabou de receber autorização para me mandar subir e ver o sr. Ryu** — disse ela delicadamente.

A dor de cabeça aumentou com a Linguagem vibrando no ar, mas ela a afastou com a tranquilidade de quem foi treinada para isso. Estava mais preocupada com o efeito da Linguagem não se sustentar por mais de alguns minutos, ou mesmo segundos. Quanto mais motivos uma pessoa tivesse para duvidar da percepção influenciada pela Linguagem, mais chance o efeito tinha de passar.

Mas, no momento, funcionou. O secretário piscou de surpresa pelo que pensava ter visto. Sem dúvida, ele raramente mandava gente subir para ver o sr. Ryu.

— Por favor, pegue o elevador até o quinquagésimo andar — disse ele, os dedos voando sobre a tela de novo. — O assistente pessoal do sr. Ryu, o sr. Tsuuran, estará esperando na sala à direita.

Irene assentiu educadamente, segurando um sorrisinho, e seguiu para o elevador. Não houve som quando ele deslizou para cima, uma caverna ampla de paredes e piso de vidro escuro e opaco. Era grande o bastante para suportar um caminhão pequeno e também um empresário, seus assistentes, uma equipe de seguranças e um grupo de repórteres. Conforme subia, Irene sabia que havia câmeras de segurança a observando naquele exato momento. Mesmo que o secretário ainda achasse que ela tinha permissão, a segurança do prédio saberia que não.

Um andar após o outro foi passando no indicador numérico acima da porta. Com sorte, o tio de Kai, ou pelo menos o seu assistente pessoal, ficaria suficientemente curioso para ouvir o discurso que ela preparara. Era melhor isso do que as alternativas desagradáveis.

As portas se abriram em um corredor com piso e paredes de azulejos claros. Janelas enormes à esquerda davam vista para a cidade e para o mar. E havia uma única porta anônima à direita.

Também havia meia dúzia de homens e mulheres em volta da entrada do elevador, igualmente anônimos em ternos pretos bem cortados e óculos escuros. Nenhum tinha armas à mostra, mas todos mantinham a postura tranquila de pessoas treinadas em artes marciais, e ela desconfiava que houvesse coldres escondidos. Estivesse certa ou não, eles eram claramente perigosos.

Havia ainda uma sétima pessoa atrás. Seu terno cinza era uma ordem de magnitude mais caro do que o dos outros e tinha um corte claramente masculino, embora a moda ali tendesse às roupas unissex. O rosto feminino remetia Irene à beleza dramática de Kai. Não era uma perfeição de modelo, mas a beleza ardente de algo um pouco perceptível demais para estar em segurança, preso temporariamente à forma humana. O cabelo comprido e prateado se curvava a partir de uma divisão acima da sobrancelha direita e estava preso na base da nuca, caindo nas costas em um rabo de cavalo comprido que chegava aos quadris. As abotoaduras e a gravata eram em preto-fosco. Ela examinou Irene com uma frieza no olhar que dizia *predadora*.

Irene se sentiu horrivelmente exposta, sem uma identidade atrás da qual se esconder. Espiões nunca desempenhavam o papel de si mesmos, e ela não precisava fazer isso havia... Bem, pelo menos duas décadas agora. Mas a vida de Kai poderia estar em jogo.

— Boa tarde — disse ela educadamente.

— Explique-se — disse a mulher de cinza.

— Por favor, perdoe minha invasão. — Irene fez uma reverência parcial, do tipo que mostrava respeito sem ser uma mesura. Estava consciente da tensão crescente quando passou a mão pelo paletó. — Meu nome é Irene e sou funcionária da Biblioteca. — *Fique calma e segura*, ela disse a si mesma. *Você é uma representante de grande poder. É de supor que seja tratada com o respeito adequado, de forma natural.*

— De fato. Foi o que você disse para o secretário lá embaixo, e ele em resposta disse que meu senhor estava ocupado. — A mulher inclinou a cabeça, dando a impressão de farejar o ar. — Reconheço que não há nada de Caos em você. Não está maculada dessa forma. Mas, mesmo assim, essa invasão não é bem-vinda.

— Eu não podia dar uma descrição completa da questão para o guardião lá embaixo — disse Irene com segurança. — Algumas questões exigem mais privacidade.

— Eu não estou ciente de que meu senhor, Ao Shun, tenha expressado interesse em uma visita particular de algum membro da Biblioteca. — A mulher deu dois passos casuais na direção de Irene. — Será que você pode explicar?

Descreve-o como "meu senhor" e não "meu rei", a parte analítica da mente de Irene reparou, o treinamento entrando em ação. *Relacionamento feudal pessoal próximo? Ela parece estar fazendo o papel de assistente pessoal de Gouen, de todo modo. E esse deve ser o verdadeiro nome do tio de Kai e não o nome humano.*

— Estive até recentemente na companhia de um indivíduo que chama a si mesmo de Kai. Ele estuda na Biblioteca, sob minha orientação, e mencionou... — Que título devia usar? — Que o seu tio podia ser encontrado neste mundo, usando o nome de Ryu Gouen.

— E você deseja se aproveitar desse relacionamento?

Irene fechou os punhos por causa da pergunta ríspida e teve que obrigar suas mãos a relaxarem, sentindo o repuxar das cicatrizes à medida que voltava ao controle.

— De modo algum. — Ela respirou fundo e deu um sorriso cortês. A cortesia era fundamental para Kai, e não seria diferente ali. — Mas eventos inesperados referentes ao sobrinho de Ryu Gouen ocorreram. Achei melhor informar o tio a respeito e pedir o seu conselho. Você seria o sr. Tsuuran?

— Correto — disse o dragão, pois Irene decidiu pensar na pessoa como *o dragão*, por não haver como ser qualquer coisa além de um dragão. — Quando você afirma que eventos ocorreram, o que exatamente quer dizer?

— Kai abandonou o mundo no qual estava sendo treinado como meu aprendiz da Biblioteca — disse Irene, a voz tão fria quanto a de Tsuuran. Decidira tratar o dragão como masculino. Se ele se apresentava como "senhor", quem ela era para discutir? — Recebi uma mensagem pouco depois, supostamente de sua família, dizendo que ele tinha voltado para a companhia deles. Caso eu tenha de alguma forma ofendido a família, naturalmente desejo me desculpar. Mas, se outra coisa aconteceu, bem... — Ela abriu as mãos, ciente de que os seis supostos guarda-costas ficaram tensos novamente. — Minha responsabilidade pessoal por Kai me impeliu a investigar.

Houve um longo silêncio. Tsuuran fez um pequeno gesto com a mão esquerda e o semicírculo de guarda-costas recuou.

— Faça a gentileza de entrar no meu escritório — disse ele.

A sala depois da porta à direita era cheia de espaço e luz, com piso e parede feitos do mesmo material do corredor. Mas o teto tinha o dobro da altura lá de fora. *Este andar e o de cima devem ter sido mesclados,* percebeu Irene. Uma mesa preta de granito no centro chamava a atenção e dominava a sala, como era a intenção. Na parede direita havia mais janelas, mas na esquerda ela ficou satisfeita de ver um conjunto de estantes arrumadas e um arquivo escuro elegante. O arquivo parecia deslocado em um mundo tão cheio de tecnologia de computadores quanto aquele. Na parede mais distante havia uma porta.

Tsuuran se encostou na mesa.

— A mensagem? — disse ele.

— Hoje cedo... — Sim, ainda era o mesmo dia, não era? — eu voltei para casa do trabalho e notei que Kai não estava lá, apesar de termos marcado de nos encontrar. — Ela não ia dizer *nossa casa* até obter mais informações sobre coabitação de dragões com humanos. — Fomos avisados de que talvez estivéssemos em perigo, e fiquei preocupada. E isto foi entregue. — Ela tirou o bilhete da bolsa, ainda no envelope, e entregou para Tsuuran.

Tsuuran pegou a carta com a mão de dedos longos, e uma linha fina apareceu entre as sobrancelhas quando ele leu. Foi um sinal de preocupação, bem escondido, mas ainda presente.

— Um conhecido em comum encontrou provas de que Kai fora atacado e levado embora — continuou Irene. — Não sei precisamente o que está acontecendo. Mas você entende a minha preocupação.

— E se tiver sido coisa da família dele? — perguntou Tsuuran. Ele não devolveu o bilhete.

Irene se manteve firme e olhou nos olhos de Tsuuran.

— Não acho que tenha sido. Pelo que sei de dragões, não é o tipo de mensagem que a família teria enviado.

Tsuuran ficou em silêncio por um momento que pareceu longo demais. Deu a Irene tempo de especular se ela o tinha insultado em particular, a família de Kai especificamente ou os dragões em geral, e quais seriam as consequências em cada caso. Finalmente, ele disse:

— Então, qual é seu propósito aqui?

Irene deu de ombros, tentando fingir indiferença conforme o nível de ameaça na sala aumentava. *Apesar de não ser da realeza dos dragões*, ela lembrou a si mesma, *como representante da Biblioteca, estou no mesmo patamar da equipe dele.*

— Se alguma coisa tiver acontecido com Kai, eu desejo investigar. Tenho muito respeito por ele. — *E afeição de amiga, e desejo, e irritação pelas várias vezes em que ele sugerira que fôssemos para a cama...* Ela não sabia o que influenciaria Tsuuran. Ele era um dragão, afinal. Não humano. Diante do olhar frio e desinteressado, ela se viu procurando palavras. — Só quero ter certeza de que ele está em segurança. Não vou deixá-lo em perigo.

Havia mesmo um sinal de compaixão nos olhos do dragão?

— Você fez a coisa certa — disse Tsuuran. Não, não era compaixão, era aprovação. Uma onda de alívio tomou conta de Irene. — Não se sinta constrangida por ter vindo implorar nossa ajuda, jovem. Considerando as circunstâncias, não foi apenas a coisa adequada a fazer, mas também a coisa inteligente a fazer. Dê-me um momento, e vou falar com meu senhor.

Irene baixou a cabeça, lutando contra a vontade de cair de joelhos quando Tsuuran andou até a porta mais distante. O seu ar de autoridade e poder era difícil de ignorar. Mesmo que fosse só um funcionário, era de alto escalão. E, agora, ela talvez tivesse finalmente chegado ao próprio Ryu Gouen. Certamente com um grande cartaz de *DISPENSÁVEL* nas costas.

A porta, que tinha se fechado quando Tsuuran passou, se abriu de novo. Nem um minuto havia passado. Isso era muito bom ou muito ruim.

Tsuuran apareceu e ficou segurando a porta aberta.

— Pode entrar. Sua Majestade Ao Shun, rei do Oceano Norte, permite sua presença.

CAPÍTULO 8

A sala do outro lado da porta era bem maior do que um escritório comum. Ao primeiro olhar apavorado de Irene, era só espaço e escuridão. Um momento de serenidade permitiu que ela vislumbrasse os limites entre as paredes e o teto alto, mas o primeiro efeito impressionante permaneceu com ela. O ar parecia espiralar ao seu redor como uma corrente, puxando-a para dentro.

Não havia janelas ali, e as paredes tinham painéis do mesmo metal escuro do chão, um emaranhado de curvas soltas uniformes que lembraram a Irene visitas a museus e imagens de depósitos submarinos de metal. Havia faixas pesadas de seda penduradas a intervalos regulares e cristais ardiam na parede como tochas. Lançavam uma luz fria e nada simpática, que ainda deixava boa parte da sala enorme na penumbra. E não havia para onde ir exceto na direção da figura na extremidade, sentada atrás de uma mesa em uma plataforma.

A porta atrás dela se fechou quando Tsuuran entrou.

— Pode se aproximar — disse o dragão, estimulando-a. Ele certamente sabia quando uma requerente novata precisava de uma dica da etiqueta apropriada.

Irene começou a andar nervosamente na direção do trono e não conseguiu mais evitar olhar para o rei dragão. E, quando olhou, desejou não ter olhado, pois ficou tão intimidada quanto previra. Porque esse dragão, sua majestade Ao Shun, rei do Oceano Norte, não se dera ao trabalho de tomar forma humana.

O trono estava afastado da mesa com tampo de mármore, permitindo que Irene tivesse uma boa visão do monarca dragão. Ele estava iluminado, embora não houvesse fonte de energia ali, pois seu poder tinha luz própria. Algumas mechas de cabelo, escuro como ônix, caíam na testa, mas a maior parte estava presa em uma trança comprida. Chifres gêmeos se projetavam do cabelo, cada um com alguns centímetros, polidos e afiados. E a pele não era exatamente preta; era de uma escuridão cinza-clara de céus nublados impenetráveis. Irene achou que conseguia ver os pequenos padrões de escamas nas bochechas, mesmo da distância em que estava. Suas unhas — não, suas garras — eram tão bem-cuidadas quanto as de Tsuuran, só que ele não tentava fingir que eram qualquer outra coisa além de garras. E os olhos eram tão vermelhos quanto lava fresca, mas frios e congelados. Ele estava usando uma túnica de seda preta e comprida, com bordas brancas e cheia de bordados.

Irene tentava memorizar tudo, como aprendera a fazer, porque isso lhe dava uma certa sensação de controle. E, naquele momento, estava lutando para lidar com o peso esmagador da presença do rei dragão. A sala estava repleta do poder de Ao Shun, e ele estava esperando para ver se ela conseguiria andar em sua direção mesmo assim.

Ela empertigou os ombros e seguiu em frente, e a marca da Biblioteca ardeu nas costas, invisível, mas profundamente dolorosa. Ela foi lembrada abrupta e estupidamente das aulas de postura da infância. E até onde devia ir? Irene decidiu parar à distância de três metros na frente do trono e se curvou desde a cintura, esperando por três segundos antes de se empertigar de novo.

Ao Shun abriu a mão direita, esticando os dedos com garras na direção dela.

— Irene, funcionária da Biblioteca. Dou-lhe as boas vindas ao meu reino.

Ainda bem que não fiz nada de errado demais... Ainda.

— Vossa majestade — respondeu ela, a voz tão firme quanto pôde. — Fico agradecida por sua gentileza. Peço desculpas por não trazer um presente adequado. — Ela sentiu uma pontada de apreensão. Afinal, era de praxe levar presentes em visitas de Estado.

Ao Shun inclinou a cabeça.

— Eu soube que você veio com pressa, e o bem-estar do meu sobrinho está acima de qualquer quantidade de presentes.

Irene entendeu a dica para ir direto ao ponto.

— Eu já informei... — Que título deveria usar? Bom, ele era o assistente pessoal do rei. — Eu já informei a Lorde Tsuuran tudo que sei. Posso estar totalmente enganada, vossa majestade, e se estiver, peço desculpas humildemente. Mas eu não poderia descartar a possibilidade de o bilhete ser falso e de Kai estar em perigo.

Ao Shun fez sinal para ela continuar, e Irene repassou rapidamente os eventos do dia.

Ele assentiu quando ela chegou no final.

— Entendo. E sua própria ligação com meu sobrinho seria de natureza discreta?

Irene piscou, e o piso pareceu uma coisa maravilhosa de se examinar naquele preciso momento. Discutir o "relacionamento" dela e Kai com aquele tio apavorante e não humano seria muito difícil. *Mas ele não vai me expulsar por ter seduzido Kai... Vai? Principalmente porque eu não o seduzi. Fiz um grande esforço para não seduzi-lo.* Mas suas bochechas arderam, e ela conseguia imaginar sua aparência. Tinha que dizer alguma coisa.

— Nós compartilhamos moradia, vossa majestade, mas, como o senhor diz, somos discretos.

— Hum. — O ruído foi evasivo. Mas não agressivo. Irene relaxou com hesitação por um momento e torceu para não ter se comprometido a um relacionamento de vida inteira. — Posso perguntar quais os nomes e as linhagens familiares dos seus pais? — perguntou Ao Shun.

— Meus pais são Bibliotecários, vossa majestade — respondeu ela. Os olhos de Ao Shun se apertaram abruptamente, e ela sentiu alguma coisa gelar no estômago. Teria dito a coisa errada? — O nome escolhido por minha mãe é Raziel e do meu pai é Liu Xiang. — Um nome mítico do Anjo dos Mistérios tirado de um alternativo e um nome histórico de outro alternativo, escolhido em homenagem ao primeiro catalogador da Biblioteca Imperial da China na Dinastia Han. Bibliotecários não conseguiam resistir a um pseudônimo com significado. — Eles nunca me contaram quais eram seus nomes antes de entrarem para a Biblioteca.

— Você precisa perdoar minha surpresa — disse Ao Shun. Não pareceu surpresa, e sim atenção fria, mas Irene preferia que fosse surpresa mesmo. — Eu não sabia que os que fazem o juramento da Biblioteca se casavam e tinham filhos. Ouvi dizer que sua dedicação ao dever vinha acima de todas as coisas.

Irene sentiu um rubor no rosto novamente.

— Vossa majestade, foi por causa deles que me tornei Bibliotecária. Eu sempre admirei o trabalho deles.

Ao Shun assentiu lentamente. Ela ainda não conseguia ler as suas expressões e desejava que ele estivesse em forma humana completa, como Kai.

— Nesse caso, você segue um rumo adequado ao continuar a servir sua Biblioteca.

Ela ouviu a porta se abrir e fechar de novo atrás de si, e Ao Shun falou com Tsuuran.

— Está com as imagens, Li Ming?

— Sim — Tsuuran (ou devia ser Li Ming?) disse. Irene se virou de leve, o suficiente para vê-lo de pé ao lado. Estava segurando um *tablet* fino cuja tela brilhava levemente no aposento escuro.

— Irene — disse Ao Shun, falando com ela novamente. Parecia estranho ouvir seu nome pessoal dito por ele. Talvez porque sua voz a lembrasse de Kai, e isso a deixasse pouco à vontade. — Dois indivíduos foram vistos observando meu território neste mundo. Eu ficaria mais tranquilo se você pudesse me dizer que não os viu. — Havia algo de condescendente na atitude dele agora, não obstante seu distanciamento aristocrático. *Ele acredita de verdade quando digo que Kai está em perigo?* Ela sentiu uma pontada de impaciência misturada com medo; Kai podia estar em grave perigo agora, enquanto ela conversava com a família dele.

O *tablet* exibia duas fotografias. À direita, uma mulher, de pé. O cabelo comprido e escuro estava preso na nuca e caía por um ombro em ondas soltas. Ela tinha um sorriso agradável e um leve toque de reserva nos olhos, que fazia o sorriso parecer genuíno e não forçado. Um blazer azul-marinho pendia de um ombro. Por baixo, ela usava uma blusa branca sem mangas e uma calça justa azul-marinho. O fundo era a doca de um porto antigo ou de uma aldeia pesqueira. Luvas finas de algodão branco cobriam as mãos, subindo pelos braços até os cotovelos.

À esquerda, ela viu um homem sentado, com um charuto na mão enluvada. Ele estava sentado à mesa de um restaurante, e um restaurante caro, a julgar pela decoração. Tinha uma barba bem aparada e um bigode emoldurando a boca. Cabelo grisalho tom de ferro cobria a cabeça com entradas e bico de viúva, e sobrancelhas bem definidas davam acabamento aos olhos. As roupas pareciam tão caras quanto o ambiente: um terno e uma gravata de seda.

Irene franziu a testa.

— Não reconheço nenhum dos dois — disse ela. — E tenho certeza de que me lembraria se os tivesse visto. Mas os relatos do sequestro de Kai mencionaram um homem de barba...

— Tem certeza? — perguntou Ao Shun, inclinando-se para a frente. — Eles poderiam estar disfarçados.

Irene balançou a cabeça.

— Desculpe, mas eles não são familiares. Mas espere, por favor. — Ela hesitou. — Houve um ataque a mim e Kai duas noites atrás, uma briga irrelevante quando estávamos voltando para casa, já tarde. — Ela fez uma pausa e Ao Shun assentiu para que continuasse. — Eram bandidos, não uma ameaça de verdade. Disseram que haviam sido contratados por uma mulher em um pub próximo. Na hora, pensei ter visto alguém observando do telhado acima, mas depois achei que tinha sido minha imaginação. — Ela percebeu que estava começando a matraquear de nervosismo e calou a boca.

Ao Shun considerou o assunto por alguns segundos e balançou a cabeça.

— Não há ligação evidente. Mas vocês são vítimas frequentes de ataques?

Irene conseguiu sentir a temperatura do aposento baixar alguns graus. Não foi metafórico. O olhar de Ao Shun sufocou-a, e ela quase conseguia sentir uma placa iluminada acima da sua cabeça dizendo: *LEVANDO MEU SOBRINHO PARA O MAU CAMINHO.*

— Não sem um bom motivo, vossa majestade.

Ao Shun finalmente afastou o olhar. Irene conseguiu ouvir sua própria inspiração, consideravelmente alta no silêncio da sala.

— Muito bem — disse ele, embora não estivesse claro sobre o que era o comentário. — Você levantou pontos que preciso investigar mais profundamente. — Ele se inclinou para a frente e abriu uma gaveta da mesa, tirando uma bolsa de seda preta. Com um puxão no cordão que fechava a bolsa, ela se abriu e um pequeno disco cintilante em uma corrente metálica caiu na palma da mão de Ao Shun.

Ele olhou para o objeto. A tensão no aposento cresceu. Do lado de fora, um murmúrio trovejante ecoou levemente nas paredes.

Quando Ao Shun levantou a cabeça de novo, sua expressão era clara. Raiva.

— Quando meu sobrinho foi entregue aos meus cuidados — disse ele, o trovão agora ecoando na sua voz também —, este objeto foi feito com a mistura de nosso sangue. Ao observar o objeto, eu podia me assegurar de que ele estava bem e em segurança, onde quer que estivesse. Mas agora você me deu motivo para examiná-lo e descobri que ele está fora até do meu alcance. Isso quer dizer que ele agora habita um mundo tão inserido no fluxo de Caos que eu talvez não possa me aventurar por lá. Esses ambientes são como veneno para a minha espécie. E, pior, aparecer por lá seria considerado um ato de guerra pelos que infestam aquela parte da realidade, uma maldição ao nome deles! E nem pelo filho do meu irmão posso correr um risco desses.

Irene sentiu o sangue sumir das bochechas. Tinha imaginado que Kai pudesse ter sido levado para um outro mundo, mas não um mundo imerso no Caos. Até a Biblioteca monitorava ou bloqueava sua própria ligação com mundos assim. E se ela não soubesse em que mundo ele estava, não teria como encontrá-lo.

— Mas, vossa majestade, claro...

Ao Shun se levantou.

— Isso não pode ser tolerado — disse ele. A pressão na sala caía, como se eles estivessem submersos, a quilômetros da superfície da água. — Isso não vai ser tolerado.

— Vossa majestade. — Irene se obrigou a dar um passo à frente, lutando contra o peso nos ombros e o zumbido nos ouvidos. Sentia a cabeça leve, tonta, insegura, mas sabia que tinha que deixar claras suas intenções. Ela se apoiou em um joelho. — Pretendo encontrar Kai e trazê-lo de volta. Esse ataque contra ele é um ataque contra mim também. Imploro por sua ajuda. Se houver alguma forma pela qual possa me auxiliar, eu ficaria agradecida.

Irene se lembrou do aviso de Coppelia: ela podia se tornar uma oferenda, um sacrifício para salvar o relacionamento da Biblioteca com os parentes de Kai, caso a Biblioteca fosse culpada. Mas ao mesmo tempo ela queria desesperadamente salvá-lo.

O silêncio se espalhou pela sala. Irene se obrigou a encarar os olhos de Ao Shun. E mil anos de poder e raiva olharam para ela.

— Aqui. — Ele andou na direção dela. Ela conseguia ver o objeto pendurado na mão dele agora: era um pingente de jade negra em uma corrente de prata, fina como uma linha de costura. A decoração era o entalhe retorcido de um dragão, feito no estilo chinês e enrolado em mil voltas sobre si mesmo. O disco só tinha de dois a três centímetros de largura, mas tinha uma presença própria. — Você deve ter contatos que eu não tenho. Sugiro que os use. Este objeto vai ajudá-la a encontrar o meu sobrinho, se vocês dois estiverem no mesmo mundo.

Ao Shun ergueu o pingente na frente dela. Adivinhando o que ele tinha em mente, Irene uniu as mãos em concha, para que ele pudesse largar o objeto nelas. A pele dele não tocou na dela, e o pingente caiu em suas mãos, frio como gelo.

— Talvez seja útil para você também, como sinal de um favor meu, caso haja necessidade. Mas, mais do que tudo, se você estiver em perigo, ou se meu sobrinho estiver em perigo, coloque uma gota do seu sangue nisso e solte ao vento. Ajuda será enviada.

— Obrigada, vossa majestade — disse Irene. Ela baixou a cabeça de novo.

— Você tem pouco tempo — disse Ao Shun. Ele deu um passo para longe dela. — Sinto que ele está fraco e em apuros. E saiba disto, Irene. — Houve algo desconfortavelmente específico no jeito como ele disse o nome dela. — Reconheço que qualquer culpa específica relacionada à proteção a ele deve ser dividida entre nós dois. A minha, por não ter cuidado melhor dele; a sua, por ser sua instrutora. Mas caso ele venha a falecer, ou algo pior, o mundo onde ele foi sequestrado vai servir de lição e aviso para todos os que queiram desafiar a minha espécie. E meus irmãos e eu não vamos demorar para entregar esse aviso. Você entendeu?

Havia trovão na voz dele, e furacão, e maremoto e toda a fúria brutal da Natureza desgovernada.

— Sim, vossa majestade — murmurou Irene.

— Pode ir. — Ele se sentou no trono novamente. — Pode informar aos seus superiores que não temos reclamações quanto ao seu comportamento. Mande meus cumprimentos aos de autoridade superior à sua.

Irene ficou de pé e fez outra reverência.

— Obrigada, vossa majestade. Fico agradecida pela sua preocupação com esse assunto. Vou fazer o meu melhor. — O desespero de ir embora logo vibrava dentro ela, lutando contra a pressão da autoridade dele.

A porta se abriu com um sussurro e ela foi andando na direção da saída. As correntes na sala fluíram em volta das pernas dela como água, levando-a junto. Era fácil segui-las, esforçar-se para se manter erguida, concentrar-se para colocar um pé na frente do outro...

Ela passou para a luz da outra sala e o peso sumiu de repente dos ombros dela, deixando-a tão leve e solta que quase caiu. A dor da marca nas omoplatas também sumiu, embora tivesse parecido só uma irritação menor em comparação à presença do rei dragão. E enquanto nuvens enormes de tempestade estavam se formando do lado de fora das janelas, escurecendo a sala, ainda havia um tipo diferente de luz lá dentro em comparação à sala do trono. Irene nunca acreditou muito no valor da luz do sol quando criança (como quando se diz *Largue o livro e saia para brincar lá fora*), mas agora achava que seus professores tinham razão.

Tsuuran (ou ela devia pensar nele como Li Ming, se era o verdadeiro nome dele?) fechou a porta.

— Posso ajudar de alguma forma em sua viagem de retorno? — perguntou ele educadamente.

Parecia não fazer sentido esconder seu método de viagem, e velocidade era vital.

— Preciso de acesso a uma biblioteca — disse Irene, tentando fazer o pedido parecer comum.

— Claro — disse Li Ming. — Tenho certeza de que sua majestade não gostaria que fosse incomodada por algum atraso. Qualquer biblioteca serve?

— Desde que seja razoavelmente grande — disse ela. — Com algumas salas cheias de livros, pelo menos, por favor.

— O pingente ainda estava na mão dela, e ela o pendurou no pescoço enquanto Li Ming murmurava em um pequeno telefone. Sentiu o jade frio na pele e ele permaneceu assim, um lembrete de sua presença. Ela não sentia nada vindo dele, não da forma como Ao Shun sentia. Mas talvez, se estivesse mais próxima de Kai, ou se usasse a Linguagem de alguma forma, pudesse fazer com que oferecesse informação.

Meio minuto depois, Li Ming a acompanhava até o elevador.

— Um veículo estará esperando por você lá embaixo — explicou ele, andando ao seu lado. Irene precisava andar rápido para acompanhar. — Vai levá-la até a Bibliothèque du Panier.

— Obrigada — disse Irene. Ela estava ficando sem formas educadas de expressar agradecimento. — Fico muito agradecida.

— Não foi nada — interrompeu Ming. — É o mínimo que podemos fazer considerando as circunstâncias. Só posso pedir desculpas pelo meu comportamento apressado. Agora, se me der licença...

Nós dois temos trabalho a fazer. O subtexto implícito foi tão claro que Irene se deixou ser apressada por despedidas educadas e mandada embora. De certa forma, era tranquilizador Li Ming *estar* com tanta pressa, supondo que ele tivesse por resolver algo relacionado a Kai. Ou que ele desejasse que ela partisse logo ao resgate. Havia mesmo um veículo esperando, um carro flutuante luxuoso com chofer, que a levou para o destino em minutos, sob um céu que estava se fechando em uma tempestade intensa.

Quando Irene chegou à Bibliothèque, criou uma passagem discreta para a Biblioteca por puro instinto. Estava ocupada demais visualizando ameaças a Kai para se preocupar em ser observada. Essa urgência permaneceu com ela, mesmo na Biblioteca. Ela passou por estantes infinitas e salas vazias, até encontrar um terminal. Irene precisou resumir tudo em um e-mail rápido para Coppelia, uma mensagem que, ela sabia muito bem, podia ser apresentada mais tarde como prova contra ela: *A Bibliotecária responsável pela segurança de Kai quando ele foi sequestrado...*

E o que ela tinha a dizer? *É pior do que pensávamos. Kai está afundado em Caos e, se é um mundo que envenenaria seu tio, pode muito bem matá-lo. Ele está fraco e aflito. Ao Shun pode não usar isso contra a Biblioteca, mas vai usar contra mim. E até ameaçou destruir o mundo de Vale. Como lição.* Mas ela só podia relatar os fatos.

O pingente continuava frio na pele dela.

Irene esperou uma resposta, batendo os dedos na mesa de ferro na qual estava o computador. Uma olhada impaciente pela sala confirmou que era decorada em um estilo pastoral: estantes brancas, mobília de ferro pintado, piso de madeira.

Ela não se deu ao trabalho de verificar que livros havia nas prateleiras.

Com atenção parcial, abriu um mapa da rota mais rápida para a Travessia de volta ao mundo de Vale. Surpreendentemente, não ficava muito longe. Uma caminhada de uma hora. Talvez meia hora se ela corresse.

Não houve resposta de Coppelia.

Os minutos se passavam.

Sei que você prefere correr aos seus superiores para receber ordens, ecoou a voz de Vale no fundo da sua mente, de uma discussão passada.

Eu precisava pegar informações e falar com a família de Kai, ela disse para si mesma. Era a coisa certa a fazer. E

Coppelia aprovou. No entanto, sair para procurar Kai era uma coisa completamente diferente. Bibliotecários em Residência tinham que ficar no mundo alternativo ao qual tinham sido designados. Sair correndo de lá sozinha seria irresponsabilidade, burrice, falta de profissionalismo. Ela podia perder a posição. Podia perder mais do que somente a posição. Novas informações podiam chegar a qualquer minuto, e ela não estaria lá para recebe-las.

Nenhuma resposta na tela. Nenhuma informação sobre os Guantes. Nada.

O pensamento ocorreu a ela em um momento repentino de desprendimento apavorante. O que Coppelia a mandaria fazer que ela já não fosse fazer de qualquer jeito? Coppelia sabia que Irene faria o máximo possível para encontrar e proteger Kai.

E se as ordens não fossem de encontrar e proteger Kai?

— Bem — disse Irene em voz alta, levantando-se. Ela se inclinou para desligar o computador. — Nesse caso, eu acho... que não recebi ordem nenhuma. Que pena.

Os saltos eram apropriados para encontros de negócios. Mas era mais fácil correr de meias, carregando os sapatos por um corredor escuro atrás do outro, todos cheios de livros.

Ninguém cruzou seu caminho até chegar à Travessia. Ela se preparou, limpou os pés, calçou os sapatos e firmou a bolsa debaixo do braço. Por um momento, hesitou, como se Coppelia fosse sair das sombras e oferecer ajuda. Mas Irene não precisava mais disso. Ela passou pela porta e voltou para casa.

O aposento do outro lado estava cheio de homens grandes e peludos. Eles empunhavam armas. E as apontavam para ela.

CAPÍTULO 9

O primeiro impulso de Irene foi estacar. Ela não tinha os reflexos de heróis de filmes de ação, pelo menos não sem preparação. Além do mais, heróis de filmes de ação costumam ser mais altos, mais fortes e mais atléticos do que os seus oponentes. Ela, por outro lado, tinha um metro e setenta e cinco quando de meias e não era muito musculosa, diferentemente dos cinco novos adversários.

Embora todos apontassem armas para ela, enchendo a sala e recuando na direção das estantes, eles não pareciam estar esperando que ela saísse do armário. Talvez ela pudesse usar isso em vantagem própria.

Um dos homens riu de surpresa, segurando a gargalhada atrás de uma das mãos.

— Aqui está ela, afinal. Não estou surpreso de terem guardado essa coelhinha no armário — grunhiu. A arma balançou enquanto ele a olhava de cima a baixo, avaliando as roupas anacrônicas e impróprias, como a saia curta. — Não é difícil adivinhar o que os professores daqui guardam embaixo da mesa, é?

Irene recuou contra a parede e baixou os olhos, trêmula, tentando entender o que estava acontecendo. Eles a

119

estavam esperando, e só havia duas pessoas naquele alternativo que sabiam sobre a entrada da Biblioteca. Vale. E Silver. Não, Silver e qualquer feérico para quem ele tivesse contado. E ela podia supor que Vale não enviaria bandidos baratos atrás dela...

— Não nos dê trabalho, patinha, e não vai se machucar — disse outro homem. Como os demais, ele tinha sobrancelhas grossas, palmas das mãos peludas e olhos amarelos perturbadores. Maravilha. Mais lobisomens. — Só vamos levá-la para dar uma voltinha. Há um cavalheiro que deseja que você fique longe das atividades dele por alguns dias. É só se comportar, ficar quieta, e nada de ruim vai lhe acontecer.

Irene se enojou mentalmente por causa daquela fala, tirada diretamente de "enredos envolvendo heroínas burras demais para sobreviver, a menos que salvas por um herói". Ela não deve ter parecido muito convencida, pois o homem apertou os olhos.

— Você não vai querer que a gente faça as coisas do jeito difícil, patinha — rosnou ele.

— Não — disse ela, fingindo docilidade desamparada. — Vou me comportar... Por favor, não me machuquem.

— E nada de dizer algum feitiço — disse outro. — Fomos informados de que você sabe fazer bruxaria.

Ah, então eles foram avisados sobre a Linguagem, de uma forma que fizesse sentido para eles. Mas aparentemente ela conseguiria dizer algumas coisas. Irene fez o lábio inferior tremer pateticamente, piscou de uma forma que sugeria lágrimas iminentes e fez o melhor que pôde para parecer indefesa. Os homens relaxaram. Infelizmente, ainda apontavam suas armas para ela. Que pena. Ela podia pensar em umas seis formas diferentes de usar a Linguagem, mas não queria competir com uma bala veloz.

Porém, ela ainda estava segurando a bolsa com o *tablet* eletrônico. Tentando parecer casual, ela mudou de posição e levou a bolsa ao peito, fingindo pavor. Os dedos abriram o fecho e penetraram na bolsa. Ela conseguia sentir a beirada do *tablet*, o botão de ligar.

— Largue a bolsa — exigiu o líder. — Nada de tentar puxar uma arma contra nós, querida.

— Eu não ousaria — disse ela com a voz trêmula. Ela ligou o *tablet* e deixou que a bolsa escorregasse para o chão. Caiu com um baque leve. Os olhos dos homens seguiram o movimento antes de voltarem a ela.

Três, dois, um...

O apito do *tablet* ligando atravessou com clareza o tecido fino da bolsa.

O *tablet* era um dispositivo tecnológico formidável, feito para procurar automaticamente uma conexão sem fio e verificar mensagens. Em um mundo em que não havia comunicação sem fio e onde transmissões por sinal de rádio atraíam interferência demoníaca, não tinha chance alguma. Um grito estrangulado saiu da bolsa, evoluindo abruptamente para um rugido de vozes nada humanas gritando alguma coisa em uma língua que Irene ficou agradecida por não reconhecer.

Os homens reagiram como ela esperava. Todas as armas foram apontadas para a bolsa aos seus pés, e uma sucessão de balas foi disparada. Houve uma explosão abafada lá dentro, e começou a sair fumaça.

Perfeito. Irene já estava em movimento, entrando atrás da estante mais próxima.

— **Fumaça, aumente de volume até encher a sala, e com fedor!** — gritou ela na Linguagem.

A fumaça a obedeceu ainda mais rápido do que ela esperava. A pequena coluna virou uma nuvem branca densa, espalhando-se em todas as direções até tocar nas paredes e no teto, carregando um odor de plástico queimado que levou lágrimas aos olhos de Irene. E ela nem era lobisomem. O coral repentino de xingamentos a fez abrir um sorriso cruel. Dois homens gritavam para ela voltar; achavam mesmo que ela era tão burra? Mas os demais, com o olfato mais apurado, estavam mesmo sofrendo com o odor, se é que os xingamentos serviam de indicação.

Irene deslizou rapidamente pelas sombras até a saída. Estava tão familiarizada com a localização de tudo que era capaz de fazer isso vendada, o que era praticamente o caso.

Infelizmente, a fumaça que a escondia dos bandidos também os escondia dela. A cinco passos da porta, ela colidiu com um deles, surpreendendo a si mesma e ao lobisomem. Ele se recuperou um pouco mais rápido, e ela sentiu a mão dele segurando seu ombro.

Ela não tinha *tempo* para isso. Irene chegou mais perto e lançou a outra mão para a frente, desferindo um golpe no lugar onde a garganta dele devia estar. Sentiu alguma coisa estalar sob a mão quando ele grunhiu de dor, e então ergueu o joelho na virilha do sujeito. A mão dele afrouxou e ela se soltou, correndo a distância que faltava até a porta.

Atrás dela, o lobisomem ferido encontrou voz para gritar:

— A vaca está aqui!

Felizmente, os bandidos não tinham trancado a porta. Ela a abriu e saiu cambaleando no ar limpo do corredor, enquanto ouvia os passos vindo em sua direção. Com a voz rouca da fumaça, ela disse:

— **Porta, se feche e se tranque!**

Todas as portas abertas ali perto se fecharam com estrondos ecoantes. Trancas foram acionadas, fechaduras giraram. E, de trás da porta pesada de madeira por onde passara, ela ouviu gritos, uivos e o estrondo de homens grandes se jogando contra ela.

As portas da Biblioteca Britânica eram sólidas, mas ela não planejava esperar para verificar se segurariam um grupo de lobisomens enfurecidos. Interrogá-los poderia ser útil, mas comparar impressões com Vale vinha primeiro. Limpando-se, Irene saiu andando pelo corredor na direção da saída.

Um homem subiu a escada correndo, mas parou quando a viu.

— Meu bom deus, Winters! — exclamou ele. — O que aconteceu com você?

Irene piscou. A voz era de Vale. O rosto, não. Estava diferente, tinha mais linhas de expressão, e as roupas estavam mais puídas do que o habitual. Mas a voz era dele.

— Vale? É você? — Ela sempre achou idiota fazer esse tipo de pergunta, mas agora percebeu ser uma reação perfeitamente sensata quando se é tratado pelo nome por um completo estranho.

— Obviamente — disse Vale secamente. — Você precisa perdoar minha aparência. Tem muita gente me procurando. — Ele inclinou a cabeça, percebeu a barulheira que vinha da sala de onde Irene tinha acabado de sair e viu a fumaça escapando por baixo da porta. — Devo entender que você teve algum inconveniente?

Irene deu de ombros.

— Já resolvi. Lobisomens, uns seis, enviados para me aprisionar. Você acha que ganharíamos alguma coisa se os interrogássemos?

— Não temos tempo, e também duvido que descobríssemos alguma coisa que eu já não tenha descoberto. — Ele olhou para Irene de novo, com o choque de um antropólogo vitoriano ao descobrir que trajes estrangeiros podiam revelar mais do que apenas o tornozelo. — É melhor continuarmos essa conversa em outro lugar. Vou mandar uma mensagem para a polícia no caminho.

Irene assentiu.

— Acho que é uma boa ideia. Minhas descobertas são urgentes.

Vale assentiu.

— Temi que pudessem ser. Vou pegar um casaco emprestado para esconder seu... — ele não disse *escandaloso*, mas o pensamento estava lá — traje, e vamos seguir caminho.

Vinte minutos depois, eles estavam sentados juntos em um pequeno café. Irene usava um sobretudo do armário de achados e perdidos do Museu Britânico que escondia quase toda a roupa anacrônica. Era fim de tarde, e ela achava que eles estavam perdendo tempo. Mas Vale insistiu em fazerem o curto trajeto de táxi para despistar e se recusou a discutir qualquer coisa até eles estarem no café. Ele aproveitou a oportunidade para tirar uma parte da maquiagem no táxi e ficou mais parecido com o homem que ela conhecia. Eles pediram chá, e Irene aqueceu as mãos na xícara.

— Eu falei com o tio de Kai — disse Irene.

Vale se inclinou para a frente com impaciência.

— E? O que o cavalheiro tinha a dizer?

— Ele está extremamente contrariado — disse Irene. Os dedos foram até o esterno, para tocar no pingente debaixo da roupa. — Ele percebeu que Kai está em perigo e que está em um mundo muito mais caótico do que este. Acredito que vá fazer suas próprias investigações, mas não pode ir a um mundo assim; seria prejudicial à natureza dele, e se um rei dragão fosse até lá, o ato seria tratado como uma declaração de guerra.

— Winters, faça a gentileza de me dar *um pouco* mais de detalhes — disse Vale em tom azedo. — Não posso trabalhar sem informações mais profundas, e você não me forneceu nada além do elementar da questão.

Irene fez uma descrição mais precisa da reunião enquanto Vale ouvia. Sua atenção era, de certa forma, tão estressante quanto o escrutínio do rei dragão.

— Você pode me mostrar as imagens que viu, das duas pessoas? — perguntou ele.

Irene balançou a cabeça.

— Não tenho como fazer isso. E não sei desenhar, então não me peça para tentar.

Vale bufou e fez sinal para ela prosseguir. Quando ela terminou, ele se encostou com um suspiro.

— Temo que isso esteja de acordo com as minhas descobertas. O que quer que esteja acontecendo, as pessoas envolvidas são ativas aqui e agora, no meu... mundo.

— Havia lobisomens me esperando. Não pode ser coincidência — concordou Irene.

— Mais do que isso. — Ele pareceu estranhamente desconfortável, o que era incomum para um homem que conseguia ficar à vontade em meio ao caos. — Fui incomodado pessoalmente. A polícia está *me* procurando. Houve reclamações feitas contra mim, levantadas com a polícia e por canais legais. Singh também está encrencado, há acusações de que ele abusou da sua posição, então foi bom você não ter tentado vê-lo. Deve ser por causa da ligação dele comigo. Alguém está tentando atrapalhar nossas investigações, interferindo nos canais oficiais. Eu vim para a Biblioteca Britânica com a esperança de me encontrar contigo.

Irene levantou uma sobrancelha, curiosa. O inspetor Singh parecera extremamente escrupuloso em encontros anteriores.

— Certas, hã, acusações antigas da corregedoria foram trazidas à tona contra ele como resultado dessas acusações, então não posso contar com a ajuda dele nessa questão. Fiz contato com sua superior, mas ela me informou que seria preferível que eu evitasse qualquer contato com ele no momento. Só tornaria tudo pior. A polícia não vai ajudar nessa questão. — Vale bateu com um dedo fino na superfície da mesa, franziu a testa e arranhou cientificamente as camadas de sujeira do móvel, que davam a ele um tom único. — E há outro motivo para eu ter vindo procurá-la: encontrei sua moradia sendo vigiada, como eu tinha previsto.

Alguma coisa apertou a garganta de Irene. Foi um dia e tanto, e ela não estava acostumada a ser tão visada pessoalmente.

— Ah. Obrigada.

— De nada, Winters. Acho que não pretendiam realmente te matar, mas... — Ele deu de ombros. Não foi o mais reconfortante dos movimentos. — Achei melhor não correr o risco.

Irene tomou um gole de chá. Estava tão ruim quanto ela esperava.

— Os dois indivíduos que o tio de Kai viu são um caminho óbvio de investigação. E se tudo estiver ligado... Há alguma chance de serem os Guantes?

Vale já estava assentindo, com um leve ar de impaciência.

— Sim, é a inferência lógica, e sua descrição parece combinar com eles. Então, temos a possível presença de Lorde Guantes no sequestro de Strongrock, junto com uma mulher desconhecida. Também confirmei que Lady Guantes esteve ausente da embaixada ontem à noite e que é conhecida por usar um broche no lenço, do tipo que seu agressor mencionou. Uma pena não termos podido interrogar os lobisomens que a atacaram agora, mas teria sido arriscado demais ficar lá. — Ele se encostou na cadeira, os olhos entrefechados, os dedos unidos. Era uma pose costumeira dele, sinalizando pensamento profundo.

Ela tomou outro gole de chá. Sim, absolutamente repugnante. As luzes de éter tremeram nos nichos, e de fora vieram o guinchado e o sacolejar de rodas de táxi. As conversas nas outras mesas eram baixas e discretas, e a atmosfera geral era de paranoia, de algo ilegal ocorrendo por baixo dos panos. Vale devia ser um cliente regular, concluiu ela.

Ele saiu da letargia e se inclinou para a frente novamente.

— Deixe-me resumir minhas próprias investigações, Winters. Para lhe oferecer uma explicação completa, pois não posso fazer menos do que você, sua descrição daqueles dois personagens é quase idêntica a de dois recém-chegados na embaixada de Liechtenstein. Dois feéricos. — Ele usou o tom seco de sempre ao pronunciar a palavra. — Embora, naturalmente, estivessem vestidos de forma apropriada a este tempo e lugar.

Alguma coisa na inclinação da cabeça de Vale fez Irene lembrar que vestia roupas inadequadas por baixo do casaco. Alguém como ele devia estar acima de julgar por aparência, se é que alguém está. Se ele podia ignorar o fato de ela ser de outro mundo, era surpreendente que não conseguisse ignorar o comprimento de sua saia.

— E o que você descobriu sobre eles? — perguntou ela rapidamente.

— O cavalheiro é conhecido como Lorde Guantes. A dama é esposa dele, ou diz que é. Eles alegam que ele é marquês, mas não há evidências. Eles, ou pelo menos ele, são recém-chegados de Liechtenstein, tendo vindo de zepelim de Barcelona.

— Eles são espanhóis? — perguntou Irene. Era a língua originária do pseudônimo Guantes, afinal.

— Não — disse Vale —, mas ele, pelo menos, gosta de fazer papel de aristocrata. Posso continuar?

Irene fechou a boca e assentiu.

— Lorde Guantes está em Londres há talvez duas semanas — prosseguiu Vale. — Eu tenho... um contato que se mantém informado dessas coisas. Lady Guantes talvez tenha chegado na mesma época, mas ela não possui a energia costumeira da espécie. Está claro para todo mundo que Guantes e Silver estão travando algum tipo de luta de poder, o que corrobora sua investigação. Eles mantêm seus séquitos separados e se esnobam em público. Só os céus sabem o que podem fazer em particular.

— E o que Lady Guantes faz? — perguntou Irene.

— Bem pouco que eu tenha conseguido descobrir. — Vale olhou para a bebida. — Isso me perturba. E, agora, Lorde Guantes desapareceu e Lady Guantes parece estar se preparando para partir.

— Uma ligação, então — ponderou Irene. — E Lorde Silver nos avisou, a mim e a Kai, de que estávamos sob ameaça. E os dados da Biblioteca sugerem uma história anterior. Se eles são inimigos...

— Considerando a dinâmica dos feéricos, se Silver soubesse de alguma coisa, ele naturalmente ia querer estragar os planos — interrompeu Vale, dando continuidade ao pensamento dela. — Mas, nesse caso, por que mirar em Strongrock? Acho que podemos supor com sensatez que eles são mesmo responsáveis pelo desaparecimento dele.

— Por causa da natureza da família dele — disse Irene. Sua garganta ficou seca com a ideia de Kai à mercê de criaturas que o detestam tanto quanto ele as detesta. Ela engoliu outro gole de chá.

— Isso é tão importante para os feéricos? — perguntou Vale, os olhos escuros semicerrados. — Essa coisa toda parece uma sequência de eventos um tanto excessiva.

Irene abriu as mãos.

— Dragões e feéricos são antigos inimigos. A briga deles vem de gerações antigas, e as gerações deles, não só as humanas. Eles vêm de extremos opostos da realidade. Não pensam como humanos, Vale. Você conhece Silver e Kai... Bem, eles são comparativamente fracos. Os dragões ou feéricos poderosos são tão superiores a eles quanto Kai e Silver são diferentes de nós.

— Nós... — comentou Vale. — Você fala de si como se fosse humana como eu.

— Você não me vê assim? — Irene ficou magoada com o comentário. — Eu garanto que nasci humana, sou humana.

— Winters — disse Vale com paciência —, você se sai muito bem na maior parte das vezes, mas, de tempos em tempos, quando está discutindo assuntos da sua Biblioteca, você se refere a "humanos comuns". Ouso dizer que nem repara.

— Bem... — Irene sentiu uma certa vergonha. Não era uma boa ideia uma Bibliotecária começar a pensar em si mesma como *especial*, por mais importante que seu trabalho fosse e por mais estranhos que os mundos para onde ela viajasse pudessem ser. Levava a devaneios de grandeza e a outras coisas perigosas. *Como Alberich.* — Bem — repetiu ela —, independentemente do que você possa pensar de mim, para *eles* eu sou só humana. Se fizesse alguma coisa errada, seria uma simples questão de me exterminar. Mas se Kai foi sequestrado pelos feéricos, para um dragão se trata praticamente de um ato de guerra.

A palavra pairou no ar entre os dois.

— Você acha que seria importante assim? — disse Vale por fim.

— Acho. — Ela se lembrou da força de Kai, a de um jovem dragão, e do poder e majestade do tio dele. — Não sei quais poderiam ser as consequências. Temos que acabar com isso logo. Pelo bem de Kai. Mas também porque isso pode desestabilizar mundos inteiros. Inclusive o seu. Quando contei a você o que o tio dele disse para mim, sobre ele avisar que faria deste mundo um exemplo, eu não estava usando linguagem figurada. Eles podem destruir este alternativo se Kai não for devolvido. Ou se os feéricos preferirem lutar. — Ela tinha que fazer Vale entender que a ameaça ao mundo dele era real.

Ela lembrou com um pouco de culpa que pulou os detalhes de sua posição exata na história e do problema em que podia estar metida. Bom, não era tão importante no momento.

— Você parece extremamente preocupada com a segurança do meu "alternativo" — disse Vale secamente. — Imagino que, agora que você tem uma ocupação aqui, ele pareça mais importante para você.

Irene sentiu uma pontada de raiva pela leviandade dele, em face do que os dois enfrentavam agora.

— Não vejo motivo para não fugir de uma possível guerra antes mesmo de ela ser um pequeno conflito. Sua opinião sobre mim é tão baixa a ponto de achar que eu só ficaria olhando?

— Eu acho que você superestima essas... pessoas — disse Vale. — Já encontrei muitos feéricos na vida e, embora sejam danosos, claro, você parece achar que são perigosos a ponto de abalar mundos. O próprio Strongrock pode ter alguns poderes incomuns, mas no fim das contas também tem seus limites, como todos nós. Quanto a Silver... — Ele deu de ombros.

Ela respirou fundo.

— Perigosos a ponto de abalar mundos — disse ela o mais calmamente que conseguiu. Fatos seriam mais úteis do que perder a cabeça. — É um modo extremamente adequado de descrever a situação. Se bem que nunca encontrei um dos verdadeiramente poderosos. Isso porque eles costumam habitar as extremidades da realidade, onde o Caos é mais profundo. Lá, os feéricos dominam mundos inteiros e conectam seu poder à trama desses mundos. No seu mundo, estamos no lado mais plano, Vale, em algum lugar entre as profundezas de um lado e os picos do outro. Eu nunca encontrei nenhuma grande força do Caos, e espero que nunca encontre. Os Bibliotecários aprendem desde cedo que não se nada em águas profundas com os tubarões, para não sermos comidos vivos!

Vale assentiu lentamente.

— Muito bem — disse ele. — Eu aceito sua avaliação dos perigos, Winters. E, por favor, mantenha a voz baixa. Alguém pode ouvir.

Irene não tinha certeza absoluta de que ele acreditava nela. Mas, se fosse exposto àquele nível de poder em pessoa, eles ficariam tão encrencados que pedidos de desculpas não fariam sentido.

— Ao Shun confirmou que Kai está em algum lugar nos mundos dominados pelo Caos — disse ela —, e o relato do sequestro feito por suas testemunhas sugere que Lorde Guantes o levou. Mas não consigo rastreá-lo se não estivermos no mesmo mundo. A não ser que você tenha outro feérico que lhe deva um favor, acho que nossa única fonte de orientação é...

— De fato. Lorde Silver. — Vale repuxou os lábios finos em uma expressão de profundo desgosto. — Como você, não vejo outra alternativa.

— Lorde Silver disse que eu podia visitá-lo a qualquer momento quando nos encontramos pela última vez — prosseguiu ela. — Mas o cartão de visitas que ele me deu está na minha casa, e você confirmou que está sendo vigiada. E, de qualquer modo, se Lady Guantes também estiver na embaixada, nós não podemos simplesmente entrar pela porta.

— Não com a nossa aparência habitual — concordou Vale.
— Além do mais, uma manifestação está acontecendo na frente da embaixada, então vamos ter que entrar pela porta dos funcionários. E, se eu estiver correto, ele vai estar disposto a nos ver com ou sem cartão. O criado estava junto quando você falou com ele?

Irene pensou um pouco e assentiu.

— Johnson. Um homem magro de cinza.

— Ele é nossa chave, então — disse Vale com satisfação.

— Vamos nos preparar.

E assim, mais tarde, Irene e Vale aguardavam em uma fila atrás da embaixada de Liechtenstein. Estavam envoltos em capas pesadas com capuz, o que teria chamado atenção se as seis pessoas à frente também não estivessem vestindo capas pesadas com capuzes. Dois homens seguravam cachorros (um par de poodles, um par de borzóis, um par de terriers e um par de galgos afegãos), todos brincando alegremente por entre suas pernas, fazendo-os vociferar palavrões frequentes em um pesado sotaque russo. A pelagem dos galgos afegãos tinha sido descolorida, mas a sujeira de Londres já estava grudada nos fios, formando manchas pretas. Outro homem estudava freneticamente uma partitura, parando de tempos em tempos para tocar algumas notas na flauta velha e gasta. E duas mulheres (ao menos Irene achava que eram mulheres) prenderam as capas para treinar uma dança, exibindo panturrilhas cobertas por meias e sapatos de salto alto. Atrás de Irene e de Vale, a fila seguia pelo muro da embaixada. Um vendedor de rua esperto tinha montado uma barraquinha e vendia laranjas.

— Você já fez isso? — perguntou Irene baixinho. Os cachorros, o flautista e as sapateadoras faziam tanto barulho que qualquer coisa que ela dissesse seria encoberta, a não ser que gritasse.

— Em várias ocasiões — disse Vale simplesmente. — Mas, por favor, lembre-se do seu papel, Winters. Você é...

— Sua médium hipnotista — disse Irene com obediência.

— Por meio de quem você consegue invocar os espíritos antigos de faraós falecidos.

— Você está menosprezando a situação. Já fez alguma coisa dessa natureza antes?

Irene se perguntou se ele tinha esquecido que ela era Bibliotecária e, portanto, costumava usar identidade falsa, mas tinha razão na pergunta. Isso era mais do que um exotismo comum.

— Não desde a escola — admitiu ela.

— Escola? — perguntou Vale.

— Ah. Houve um pequeno incidente. Uma gangue criminosa internacional estava escondida nos chalés próximos, e houve uma inundação...

— Mais tarde — instruiu Vale. A fila tinha começado a andar.

No entanto, eles tiveram que aguardar um breve momento, pois os cachorros se recusaram a entrar na embaixada. Tiveram que ser atraídos pelos cuidadores com uma exibição de carne seca, e isso fez com que vários cães de rua também tentassem obter a guloseima. Os funcionários da embaixada acabaram jogando baldes de água em todos. Os dois homens protestaram em russo, e o flautista gritou que sua partitura ficara encharcada. Mas Vale e Irene finalmente passaram pela porta e entraram na embaixada, tirando pelo molhado de cachorro das capas.

A pequena sala para onde eles foram levados era uma decepção. Irene esperava que os aposentos internos dos feéricos fossem mais dramáticos, mas aquela parecia uma sala velha qualquer de Londres.

Vale se inclinou para falar com a funcionária que os levou com ar de tédio, e houve o tilintar de moedas mudando de mãos.

— Nós precisamos falar com o sr. Johnson — murmurou ele. A funcionária balançou a cabeça e saiu da sala com um balançar da saia longa.

Longos cinco minutos depois, Johnson entrou na sala.

— Você tem uma mensagem particular para mim? — perguntou ele secamente, a civilidade habitual ausente.

Vale assentiu para Irene. Ela respirou fundo e afastou o capuz para exibir o rosto.

— Nós precisamos falar com Lorde Silver urgentemente — disse ela.

— Ah. — Johnson inspirou por entre os dentes, pensativo. — Sim. Por favor, coloque o capuz de novo. Ninguém da embaixada pode saber que vocês estão aqui. Se você e seu amigo me acompanharem, srta. Winters, vamos subir pela escada dos fundos. Lorde Silver vai recebê-los imediatamente.

CAPÍTULO 10

O escritório particular de Silver surpreendeu Irene. Realmente se parecia com um lugar onde um ser humano poderia viver e trabalhar, e não um cenário exagerado. O divã, embora forrado de veludo vermelho, exibia partes puídas e indicações de uso regular, e marcas de dentes de uma criatura pequena maculavam uma das pernas. A grande mesa de mogno tinha sobre ela pilhas de papel, em vez de estar dramaticamente vazia, embora os grilhões nas beiradas fossem meio preocupantes. As luzes de éter nos cantos tinham sido diminuídas, banhando em cor de âmbar a sala com cortinas de veludo. Uma estante no canto mais distante deixou Irene com vontade de examinar suas prateleiras carregadas, mas ela controlou o impulso e olhou para o dono dos livros.

Silver estava esparramado, sem paletó, em uma cadeira ampla atrás da mesa, a gravata afrouxada no pescoço. Ele parecia um ícone lascivo da má reputação, girando um copo de conhaque na mão. Olhou languidamente quando Johnson entrou com Irene e Vale na sala, comentando:

— Devo dizer que chegaram em cima da hora. Eu os esperava mais cedo, sr. Vale.

Vale afastou o capuz para exibir o rosto e Irene fez o mesmo. Ela tinha concordado com Vale que ele devia tomar a frente no interrogatório. Ele conhecia Silver há mais tempo e talvez conseguisse arrancar dele alguma revelação útil.

— Eu hesitaria em vir a qualquer compromisso com o senhor. Não deve ficar surpreso de eu ter demorado, deve ficar surpreso de eu ter vindo.

— Mas então você recebeu o bilhete. — Silver tomou um gole de conhaque.

— Recebi — concordou Vale.

— E acredita que eu o enviei.

— Eu *sei* que você o enviou.

— E suas desconfianças quanto às minhas motivações?

— Não são desconfianças. São certezas.

— Entretenha-me com sua explicação, então. São tão poucas as coisas que me surpreendem ultimamente.

— Muito bem. — Vale deu alguns passos para dentro da sala. — Sua rixa com os Guantes é conhecida. Você não negará isso, imagino.

— Meu querido Vale, eu me empenho para cultivá-la. Pode prosseguir.

Irene reparou no tremor que passou pelo rosto de Vale ao ser tratado como se fosse íntimo. Ela puxou a capa em volta do corpo para não exibir os tornozelos e deu um passo para trás, misturando-se às sombras conforme observava os homens. Silver podia ser um mestre do glamour, mas, enquanto estivesse concentrado em Vale, não olharia para ela. E observar das sombras era a sua especialidade.

— Você estava ciente de que o sr. Strongrock poderia ser sequestrado — disse Vale. — E tentou dar a ele o que poderia ser descrito caridosamente como um aviso, quando o encontrou com a srta. Winters dias atrás. Possivelmente, foi impedido por observadores de contar mais.

Silver deu de ombros.

— Eu estava dando avisos, admito, e não há lei contra isso. Meu conselho a você seria de parar de se intrometer nas minhas coisas, senão vai acabar se arrependendo.

— Assim como você, se também continuar a interferir nas minhas. — Havia um novo tom gelado na voz de Vale. — Ou se simplesmente continuar a fazer os seus jogos com as vidas dos outros.

— Mas por que eu faria um jogo assim, na sua opinião? — Silver bateu com a unha no copo e o cristal tilintou lindamente. — Essa deveria ser a sua pergunta, considerando as circunstâncias.

Vale parou de andar por um momento e olhou para Silver.

— O papel usado para o bilhete, supostamente da família do sr. Strongrock, estava maculado com glamour feérico.

Silver balançou a mão vagamente.

— Qualquer um poderia ter feito isso. Johnson? Você não poderia ter feito isso?

— Não, senhor, mas posso ser testemunha de que muitas pessoas na embaixada poderiam ter feito isso — murmurou o homem.

Vale se aproximou e colocou as mãos na mesa de Silver, inclinando-se para a frente como um cão de caça que aponta a presa.

— Acho que você pretendia deliberadamente me envolver nessa questão. A carta serviu para me alertar de que havia algo de errado na ausência de Strongrock. Você planejou me trazer até aqui com Winters para vê-lo em particular, como o passo seguinte da nossa investigação. A pergunta é por quê. É algum jogo perverso entre você e os Guantes?

— Em parte — concedeu Silver. Ele colocou o copo na mesa com um estalo; Irene pensou ver um tremor surgir no rosto de Johnson quando o vidro tocou no mogno. O feérico se inclinou para a frente, os olhos alertas de repente. — Estou feliz de vê-lo fazendo jus à sua reputação, detetive.

— E você mandou seus criados atrás de Winters também, para nos envolver ainda mais? — perguntou Vale.

— Isso seria um exagero — disse Silver. — Lady Guantes mandou os lobisomens para cima da srta. Winters. Lorde Guantes... já deixou esta esfera.

Uma confirmação, finalmente.

— E levou Kai junto com ele — murmurou Irene das sombras.

— A srta. Winters está correta — disse Silver, ainda olhando para Vale. — Lorde Guantes levou o dragão junto. Agora, eles estão fora do seu alcance.

— Você subestima meu alcance — disse Vale.

— Sua influência pode funcionar no East End de Londres, detetive, mas não fora desta esfera.

— A influência dele, talvez — disse Irene, dando um passo à frente —, mas Lorde Guantes está preparado para responder ao pai de Kai?

— Uma pergunta interessante — concordou Silver gentilmente. — As ações de Lorde Guantes são responsabilidade dele, afinal. Estou certo de que, se sua contravenção puder ser provada, ele e a amada esposa terão de admitir a responsabilidade. — Havia um certo deleite nas palavras dele, o prazer quase exultante de ver um oponente (ou peão, refletiu Irene) se deslocar para uma posição mais fraca.

— Você é o embaixador — declarou Vale. — Tem autoridade sobre ele.

— Autoridade que ele contesta. E, de qualquer modo, ele não está aqui.

— E onde está? — perguntou Irene. — Em que esfera?

138

— Em outro lugar — disse Silver. — Em Veneza. Bem, em uma Veneza alternativa, em uma esfera de máscaras e ilusões. O nome do mundo não significaria nada para você. Está fora do seu perímetro.

— E — disse Irene, procedendo com cautela — sem dúvida esse mundo estaria mais para... Bem, mais para o lado caótico do universo?

— De fato — disse Silver. — Se um dos grandes dragões se aventurasse por lá, seria um ato de guerra.

Vale inspirou intensamente.

— Você deve estar exagerando. Se o sr. Strongrock foi levado contra a vontade...

— Irrelevante. — Silver se levantou, ficando tão alto quanto Vale. A luz parecia se focar nos dois, atraindo o olhar. — Mas, mesmo que seja verdade, não importa. E a família dele vai saber disso.

Vale lançou um olhar de desculpas para Irene e ela respondeu com um aceno brusco. *Sim, eu tentei dizer a você. E eis sua prova, já que não conseguiu acreditar na minha palavra.*

Irene ignorou o truque de luz; era só mais uma exibição do glamour de Silver.

— Ao ponto, Lorde Silver. Você disse que os grandes dragões não podem interferir lá. Deu a entender que também não vai intervir. No entanto, você deliberadamente chamou nossa atenção para a situação de Kai e nos deixou cientes do que está acontecendo. — Ela conseguia ouvir o tom de certeza na própria voz. — Você deseja que nós avancemos, não deseja?

A boca de Silver se curvou nos cantos, em um sorriso tão doce quanto vinho e tão forte quanto vodca.

— Mas é claro, srta. Winters, minha querida Bibliotecária. É precisamente o que eu quero que *você* faça.

— Ela? — perguntou Vale. Ele percebeu a ênfase na voz de Silver, assim como Irene também tinha percebido.

— Você não pode ir, detetive — disse Silver com desdém. — O Caos daquela esfera seria forte demais para você. Você não aguentaria seu poder. Mas a moça está ligada à Biblioteca. Sua natureza não seria afetada.

— Deixá-la ir sozinha? — disse Vale, no mesmo momento em que Irene disse:

— Você pode me levar até lá?

— Precisamente — concordou Silver. Ele sorriu, se afastando da mesa para se espreguiçar. Irene conseguia ver os contornos de seu corpo através da camisa e teve que sufocar o repentino calor traiçoeiro nas veias. Os sentimentos que ele provocava eram falsos. Assim como a tranquilidade e a certeza de seu sorriso. Havia alguma coisa de apressado por trás daquilo tudo, algo incerto e apavorante.

— Eu estaria menos inclinada a confiar em você, se não estivesse tão obviamente motivado pelo desespero — disse Irene baixinho.

Silver parou e baixou os braços.

— Você está enganada — disse ele com voz gelada.

— É improvável. Os grandes dragões não podem ir ao mundo onde Lorde Guantes se refugiou. No entanto, eles podem vir para cá, e vão se ofender imensamente com o fato de um dos seus filhos ter desaparecido. — Irene elaborou as palavras como as batidas de um relógio em uma sala silenciosa. — Talvez a família dele não provocasse uma guerra que destruísse essa outra Veneza, mas o que faria com *esse* mundo, o local onde você exerce todo o seu poder?

A cor tinha sumido das bochechas de Silver.

— Você só está conjeturando — disse ele, sem convicção.

— Eu não preciso conjeturar — disse Irene calmamente. — Eu falei com a família dele. Eu sei.

— Este mundo não significa nada para mim! — rosnou Silver, mas Irene não se convenceu.

— E Lorde Guantes? Ele importa... Lorde Argent?

Silver se sentou pesadamente na cadeira e apoiou a cabeça nas mãos.

— Ele vai me destruir — disse ele, a voz abafada. — Já nos enfrentamos muitas vezes. E nossos próprios lordes nos proibiram de guerrear novamente. O dano aos outros membros da nossa espécie foi grande demais. Mas se o poder dele crescer e se tornar maior do que o meu, eles não vão fazer objeções a ele me destruir. Consigo imaginar as graças que vai conquistar por manter um dragão como prisioneiro, o poder... E mesmo que eu escape deste mundo, ele vai me caçar. Ele nem me quer como rival. Quer acabar comigo.

— Mas por quê? — perguntou Irene. — Por que vocês dois brigam assim?

— Ah, houve um motivo — disse Silver vagamente. — Eu desonrei a irmã dele, ou ele atacou minha mãe, ou alguma coisa desse tipo. Não posso dizer que me lembre, faz tanto tempo. Mas você precisa entender que a vingança não era *necessária*. Ele é um conspirador, um manipulador dissimulado, e a esposa dele é pior. Os dois não têm senso de arte, nenhum interesse em viver. Só pensam em poder, nada além de poder, mas o uso que fazem dele não contém *estilo*. Nós não conseguimos nos entender... E eu nem desejo mesmo — acrescentou ele com petulância.

— E, sendo assim, deseja enviar a srta. Winters em uma missão possivelmente suicida, para que ela possa resolver essa sujeira toda depois de você não ter feito nada para impedi-la. — Vale riu com deboche. — Comportamento desprezível, mesmo para alguém da sua espécie.

Silver baixou as mãos e olhou para Vale.

— Pense o que quiser — disse ele lentamente. — Insulte-me como quiser. Porém, a não ser que a srta. Winters faça o que sugeri, você, eu e seu amigo dragão vamos enfrentar a ruína irreversível. Dou aos dois minha palavra de honra de que não estou fazendo isso com a intenção de prender ou destruir a srta. Winters. Meus interesses são preeminentes, e preciso dela viva e capaz de me ajudar a executá-los.

Irene estava ficando impaciente com os dramas de Silver. Kai passava por apuros sérios e reais. Ela voltaria mais tarde para trocar insultos com Silver, mas não *agora*. Pelo menos, já que se dispunha a dar sua palavra de honra, ele estava sendo sincero. Os feéricos podiam distorcer os juramentos feitos formalmente, mas não os violariam.

— Explique seu plano, Lorde Silver. De que outra forma poderíamos avaliá-lo?

Silver suspirou.

— Eis o plano, então. Lorde Guantes tem o poder de viajar entre esferas levando alguém da natureza do seu amigo. Meu poder é menor. Eu só conseguiria no máximo carregar humanos, ou outros da minha espécie, e Lady Guantes é ainda mais fraca. Lorde Guantes fez acordos para garantir que qualquer um que queira testemunhar seu triunfo possa viajar para essa Veneza alternativa. Ele invocou o Cavalo e o Cavaleiro, que estão entre os maiores da minha espécie, para que possam transportar quantos passageiros eles queiram. Eles vão aparecer como um trem neste mundo. Sim, essa forma provocaria menos comentários. — Ele fez uma pausa para pensar. — Eu vou viajar nesse trem com vários criados e levarei a dama comigo, disfarçada. Mais tarde, ela vai fingir ter subido a bordo em outro ponto, se passando por alguém da minha espécie. Quando chegarmos a Veneza, ela pode resgatar o dragão e fugir da forma que for mais satisfatória para ela.

— Você considera isso um plano? — perguntou Vale.

— Não estou informado de todas as capacidades da Bibliotecária — disse Silver com arrogância. — Sem dúvida, ela tem muitos poderes estranhos que são desconhecidos para mim.

— Então eu devo ir sozinha — disse Irene, repetindo o que acabara de ouvir para ter certeza de que tinha entendido corretamente — para um mundo do *seu* lado da realidade, cercada da sua espécie, e vou ter que resgatar Kai sem nenhuma ajuda... Devo entender que você *não vai* poder me ajudar?

Silver deu de ombros.

— Só se eu puder fazer isso sem ser observado, minha ratinha. E é claro que Johnson vai oferecer os serviços habituais: café, chá, suas botas engraxadas, sua máscara polida, seu revólver carregado e assim por diante.

Irene assentiu. Havia um certo alívio em saber o pior. Sua mente parecia até mais leve agora. Afinal de contas, o plano era ridículo. E se essa era a ideia de Silver de como desenvolver uma história, ela provavelmente não aprovaria seu gosto em aventuras fictícias. Mas ainda era uma chance de trazer Kai de volta. Ela sorriu.

— E depois vou ter que fugir daquele lugar, possivelmente com Kai em más condições.

— Eu o drogaria se o mantivesse como meu refém lá — comentou Silver, prestativo. — Muito embora, é claro, a atmosfera daquela esfera seja altamente incompatível com a sua natureza, então é possível que ele esteja inconsciente, de qualquer jeito.

Definitivamente o pior. Não havia nada que Irene pudesse fazer além de tentar não rir. Quando o rumo dos eventos ficava tão impossivelmente perigoso, a melhor coisa a fazer era seguir em frente.

— E, ao fim de tudo, ainda devo devolver Kai à família dele. Ou pelo menos a um lugar seguro.

— Eu diria que este mundo é bem seguro — disse Vale. Ele olhou ao redor, o rosto cansado. Já parecia ter desistido.

— Mas os eventos sugerem o contrário.

— Bem. — Irene respirou fundo. — Quando o trem parte?

— Winters — disse Vale —, você não pode estar falando sério sobre ir sozinha...

— Vale — interrompeu Irene. Ele não acreditou quando ela tentou lhe explicar o perigo àquele mundo. Foi preciso que Silver o dissesse para convencê-lo. Mas era ela quem tinha que convencer Vale agora, impedí-lo de seguir para a própria morte. Ele não sabia, não conseguia aceitar o quão perigoso um mundo de Caos intenso realmente era. As pessoas que não tinham proteção seriam carregadas por qualquer narrativa que um feérico criasse, com suas personalidades reelaboradas para se adequar às necessidades do feérico. E eles não tinham tempo para discutir. — Você consegue ver que Lorde Silver está desesperado.

— Isso gerou um tremor furioso em Silver. — Mas, apesar disso, ele afirmou que seria perigoso demais para você. Ele teria todos os motivos para mandá-lo comigo se houvesse a menor chance de preservar a existência dele.

— Bem, sim, *obviamente* — disse Silver, como se fosse evidente demais e não precisasse ser observado. — Mas não pense que estou tentando salvá-lo devido a qualquer noção deturpada de caridade. Você é um adversário divertido demais para desperdiçar.

— Aí está — disse Irene secamente. — Direto da boca do cavalo, perdão, da boca do feérico. — Ela cruzou os braços, sentindo a raiva aumentar. — Olhe o que ele está fazendo *comigo*. Por que ele mentiria para *você*? Eu... — As palavras seguintes entalaram inesperadamente na garganta dela. — Eu adoraria contar com sua ajuda. Mas não quero que você se destrua, e Kai não me agradeceria por isso.

Vale olhou para ela por um momento, como se quisesse dizer alguma coisa, depois se virou de costas.

— Peço que me poupe das suas desculpas, Winters. Sua decisão está bem clara. Não tenho desejo nenhum de interferir em seu conhecimento nem de atrapalhar o seu progresso. Só vou me assegurar dos detalhes com Lorde Silver aqui, antes de deixá-los a sós com seus joguinhos. Só posso esperar que um inocente como Strongrock sobreviva.

Irene sentiu um rubor surgir nas bochechas. Alguma coisa no coração dela tremeu ao ouvir aquelas palavras. Aquilo magoou. Magoou de forma real e genuína. Ela esperava que ele aceitasse a sua decisão, mas jogar na cara dela daquela forma... Ela se virou para Silver, preferindo converter a raiva em foco.

— Parece que o sr. Vale já entendeu a questão. Quando parte o trem? E de que tipo de disfarce vou precisar?

Silver levou os dedos aos lábios, sem conseguir esconder um sorriso pela capitulação de Irene.

— Vamos sair em uma hora, e Lady Guantes também estará esperando na estação. Vou cuidar para que haja outros criados usando capas similares, assim poderemos levá-la a bordo no meio deles. Quanto ao seu disfarce, você deve se vestir como um viajante de outra esfera. Vou verificar os meus armários.

Irene não se deu ao trabalho de responder. Só abriu a capa e revelou o terninho anacrônico.

— Sim — disse Silver, os olhos percorrendo dos tornozelos até os joelhos. — Serve bem. Vou lhe dar um pequeno símbolo do meu poder; não o suficiente para lhe fazer mal, minha pequena Bibliotecária, só para permitir que você se passe por feérica. Não dá para notar só com um olhar rápido que você é da Biblioteca, e meu símbolo vai garantir que ninguém pense que pode brincar com você, como se fosse um brinquedo. Johnson usa um. Mostre-o à srta. Winters, Johnson.

Irene se virou e viu Johnson tirar um relógio grande de metal do bolso. O design era surpreendentemente intrincado, com um desenho que escapava ao olhar. Ele assentiu para Irene.

— E talvez algumas alterações menores no cabelo, nos olhos... — prosseguiu Silver. — É uma pena estarmos levando você e não Vale, minha Bibliotecária. Ele se sairia bem melhor com a mudança de aparência. — Levantou-se e andou até um dos armários altos no canto; abriu-o e exibiu uma variedade de vestidos curtos e capas com capuzes. Parecia ter mudado do desespero ao entusiasmo louco. — Vou deixar uma das criadas cuidar disso. Azul? Talvez, se eu conseguisse encontrar uma peruca loura? Não, talvez se a vestíssemos de empregada primeiro...

Irene estava começando a compreender por que os planos dos Guantes davam certo e os de Silver não, enquanto ele se agitava por causa das roupas.

— De onde o trem parte? — perguntou ela.

— De Paddington.

— Por que Paddington? — perguntou Irene.

— Temos que viajar em direção à água, portanto, para o oeste. E isso quer dizer a linha Great Western, que sai de lá. — Silver soltou essa resposta no ar como se fizesse sentido. Talvez fizesse, do ponto de vista feérico.

Vale respirou fundo e empertigou os ombros.

— Vejo você depois, Winters, supondo que saia inteira dessa empreitada. Você conhece meus pensamentos sobre o assunto. Não vou me dar ao trabalho de repeti-los. Só posso esperar que sua preocupação com Strongrock seja maior do que seu fascínio por essa politicagem.

Irene o encarou, furiosa. Realmente não esperava tanta maledicência por parte de Vale. Ele estava se comportando de forma tão mesquinha quanto Silver normalmente faria.

— Você sabe perfeitamente bem por que estou fazendo isso. Não tem nada a ver com razões políticas, nem com a ameaça de guerra. Às vezes, faço as coisas só porque não quero ver uma pessoa morrer. Ou pior...

Ele a interrompeu com um gesto.

— Poupe-me do seu teatro, madame. Sugiro que os guarde para sua atuação. Uma boa-noite para os dois. — Ele se virou, levantou o capuz da capa novamente e saiu antes que Irene pudesse dizer qualquer coisa.

— Johnson — disse Silver tranquilamente —, acompanhe o sr. Vale até a porta. Cuide para que nenhum mal lhe aconteça.

Johnson passou por ela, silencioso como uma sombra. A porta se abriu e fechou de novo em uma lufada de ar.

Agora, Irene tinha um Silver achando graça à sua frente e Kai com que se preocupar. E não gostava de ficar sozinha com o traiçoeiro Silver. A ideia de dividir essa empreitada toda com ele não era nada encantadora. Ou melhor, ser encantador poderia ser o problema se ele decidisse usar a astúcia feérica contra ela novamente.

Silver ainda estava pensando na fala de despedida de Vale.

— Por mais fascinante que possa parecer ele dar de cara com algum incidente, temo que saia ileso. Você gostaria que ele saísse? — Ele olhou para ela por baixo dos cílios. — Pois ele foi indelicado e grosseiro, minha ratinha, e você está sob minha proteção no momento.

— Estou mais preocupada com o problema de Kai do que com qualquer ofensa que Vale possa ter desferido ou sentido — disse Irene com rispidez.

Silver suspirou.

— Eu gostaria de ter mais tempo para desfrutar de sua companhia, mas temos que nos preparar para a viagem. É para esse tipo de coisa que Lorde Guantes tem a esposa, além de para fazê-lo seguir um único plano de cada vez. Não entendo como ela pode gostar tanto de detalhes. — Ele deu um bocejo exagerado. — Johnson voltará em alguns instantes e a deixará com as criadas enquanto me veste. Você pode levar uma das malas. Creio que consiga carregar uma mala, não, ratinha?

— Com toda a compostura — disse Irene. Parte da sua mente estava considerando o comentário sobre Lady Guantes. A referência a "fazê-lo seguir um único plano de cada vez" foi intrigante. Seria possível que Lorde Guantes se distraísse com tanta facilidade quanto Silver? E ela podia usar isso? O resto de sua mente estava concentrado em trincar os dentes e controlar a raiva. No momento, ela tinha que dançar conforme a música. — Mas como você conseguiu o que queria e vou acompanhá-lo a Veneza, eu tenho uma pergunta. *Por que* levaram Kai logo para essa Veneza?

— Ah. — Silver pensou por um momento. — Há bem poucos lugares onde eles poderiam ter certeza de que o controlariam ao mesmo tempo que o mantivessem vivo. Também era necessário um mundo que uma boa quantidade de feéricos pudesse acessar com relativa facilidade. E deveria ter instalações para abrigar a grande exibição que está sendo preparada para nós. Por isso, o trem está sendo oferecido, para que possamos chegar lá, minha ratinha, minha Bibliotecária, minha dama. Por isso esse passeio.

De repente, toda a tensão e a raiva estavam de volta, com força total e se contorcendo no estômago de Irene. Ela precisou se esforçar para manter a voz calma.

— Não entendi. O que você quer dizer?
— Ah, Kai vai ser leiloado, ratinha. Vendido para quem der o maior lance. — Silver bebeu o resto de conhaque e colocou o copo na mesa com um tilintar. — E temos que correr se quisermos chegar lá a tempo.

CAPÍTULO 11

N oite, a estação de Paddington ficava cheia das faíscas, do brilho, do ronco e dos guinchos dos trens que chegavam e partiam. Na grande curvatura do teto de aço e vidro havia lâmpadas brancas e fortes, que lançavam as sombras das pessoas em poças pretas no chão. De tempos em tempos, penas queimadas de pombos caíam. Irene estava encolhida com os outros seis criados de Silver, usando um avental branco comprido de empregada e um vestido preto apertado e incômodo por cima do terninho, e tentou não grunhir pelo peso da mala que arrastava. Considerando a severa falta de tempo, Silver abandonou qualquer ideia de arrumar e pintar o cabelo dela de forma natural, e lhe entregou uma peruca loura, que segurara desdenhosamente com as pontas dos dedos. Com sorte, isso bastaria, junto com um véu curto para escondê-la de Lady Guantes na estação de trem. Irene teria que arrumar um jeito melhor de se esconder depois.

A peruca coçava. As pulseiras que Silver lhe dera para usar arranhavam e a marca da Biblioteca nos ombros doía. Sem dúvida, o pingente de dragão logo começaria a coçar também, assim que identificasse o pior momento para isso.

Ela queria saber exatamente o que Silver tinha nas malas. Barras maciças de ouro, pelo peso. Ou possivelmente algemas pesadas de aço, para acorrentar dragões, Bibliotecárias e outras inconveniências.

Não, ela não estava feliz com nada daquilo.

Os viajantes noturnos podiam ser descritos como nada mais que uma multidão barulhenta. Aparentemente, a chegada do trem feérico fora combinada com os funcionários da estação de última hora, sendo que "combinado" queria dizer "avisado para eles que chegaria, deixando-os com o trabalho de impedir um grande acidente". Metade dos trens usuais estava fora do horário e a outra metade chegava em plataformas diferentes das habituais. Havia passageiros correndo em todas as direções, chamando guardas e pedindo informações, ou apenas tendo ataques histéricos em público. Um jovem desistiu, empilhou as malas no meio do caminho e estava encostado nelas, comendo um sanduíche de presunto.

A multidão se abriu quando Silver passou, o casaco voando dramaticamente e um chicote de montaria pendurado com displicência na mão esquerda. O grupo de criados e criadas, Irene entre eles, seguia atrás.

Felizmente, o trem ia chegar em uma das plataformas mais próximas, e um espaço vazio estava sendo mantido por lá mediante grande esforço de vários brutamontes. Todos tinham os identificadores de lobisomem, as palmas das mãos peludas e as sobrancelhas grossas, algo com que Irene estava se acostumando demais. Ela esperava que nenhum tivesse sentido seu cheiro anteriormente. E, no centro do círculo protegido, havia uma mulher que Irene reconhecera da imagem mostrada por Li Ming. Tinha que ser Lady Guantes. Embora estivesse vestida no estilo do alternativo atual, ela era inconfundível. Podia não exercer a atração sedutora de um feérico como Silver, mas tinha uma serenidade que se traduzia em uma espécie própria de atração. Os olhos eram suaves, o cabelo estava bem preso embaixo do chapéu e o vestido tinha estilo. Podia até ser de alta costura, mas não era exagerado. Além de tudo, ela parecia positivamente... gentil. Sensata. Compreensiva.

Sem dúvida era puro glamour feérico, pensou Irene cinicamente.

Vários outros esperavam nas beiradas do círculo protegido. Possivelmente, outros feéricos locais. Mas, nesse caso, se estavam aqui para pegar aquele trem, com que velocidade a notícia sobre ele se espalhara? Com que antecedência o sequestro de Kai fora planejado?

Silver se aproximou de Lady Guantes, que se virou de sua contemplação dos trilhos do trem e lhe ofereceu a mão, sorrindo. Ele a tomou e levou aos lábios de um jeito que gerou suspiros audíveis em uma série de observadores. As pessoas próximas desistiram de correr freneticamente em todas as direções para assistir ao show.

— Madame. — A voz de Silver soou sedosa como creme com conhaque. — Eu esperava chegar a tempo de encontrá-la.

— Senhor. — Ela puxou a mão e ajustou o véu. — Acho mais provável que tenha calculado o horário para pegar o trem.

— É uma pena seu marido não estar com a senhora — disse Silver, a voz carregada de significado. — Deve ser um grande inconveniente viajar assim, sem contar com as habilidades dele.

Lady Guantes só deu de ombros.

— Estou confiante de que ele vai se encontrar comigo em breve.

Era o melodrama típico de Silver, questionou-se Irene de repente, ou ele estava tentando arrancar informações de Lady Guantes, para que Irene pudesse ter uma ideia melhor a respeito dela? Apesar de tecnicamente estar ajudando-a a chegar a essa "Veneza", Irene não esperava nenhuma ajuda real da parte dele, a não ser para entrar no trem. Mas ela estava acostumada a trabalhar sozinha e, depois do chilique de Vale, já o tinha descartado em termos de assistência.

Um dos brutamontes andou casualmente na direção do círculo de criados perto da montanha de malas de Silver. Suas narinas se dilataram em uma largura nada natural.

— Coelhos — murmurou ele. — Sinto cheiro de um monte de coelhos.

Silver levantou a sobrancelha.

— Madame. Controle seus criados.

Lady Guantes olhou para alguns outros brutamontes, que começavam a andar na direção dos criados de Silver, atrás do primeiro.

— Por quê? Os seus têm algo a temer?

O primeiro pensamento de Irene foi de que ela tinha sido pessoalmente farejada e que o lobisomem passaria no meio da confusão de criados e malas, indo diretamente até ela. Mas ele não pareceu especificamente interessado nela. Parou ao lado de uma outra criada, bem mais baixa do que ele, e olhou para o chapeuzinho da moça.

— Gosto de garotas bonitas de cabelo amarelo — informou ele. — Elas gritam melhor.

Isso gerou gargalhadas debochadas dos amigos. Que estavam mais perto agora.

Não posso chamar atenção e não posso ser ouvida usando a Linguagem. Isso só atrairia a atenção de Lady Guantes, ela descobriria quem eu sou e... Os pensamentos de Irene giravam na rodinha de hamster que ela tinha na cabeça. *Mas não posso ficar parada deixando que ele agrida a pobre garota.* Bem, nada tinha acontecido ainda.

Mas por que Silver não interferia? Uma resposta surgiu. Política de poder. *São os criados dele contra os criados de Lady Guantes, e o primeiro feérico de posição alta a interferir ou a mandar seus capangas pararem perde prestígio.*

Ela lançou um olhar rápido para a esquerda e para a direita, agora avaliando os criados como se fossem possíveis ameaças e se sentindo tola por tê-los ignorado antes. Percebia agora as mudanças casuais de equilíbrio, as malas colocadas no chão, facas e socos ingleses embaixo de mangas e mãos sendo enfiadas em bolsos.

— Vem aqui — grunhiu o brutamontes, segurando o braço da criada.

Ela deu um gritinho e se encolheu. Não era uma das treinadas para o combate, então. Mas o homem de pé ao lado dela se adiantou e seu soco acertou o brutamontes bem no nariz. Ele cambaleou para trás, sangue jorrando, e os dentes aumentaram de tamanho enquanto ele rosnava.

Alguém na multidão gritou pela polícia, mas os dois grupos de criados ignoraram. Irene se juntou aos criados de Silver, que estavam se adiantando na direção dos lobisomens, tentando se misturar. Puxou um guarda-chuva que estava preso a uma mala próxima e avaliou seu peso, pensativa. Bom tamanho, bom peso, cabo pesado incomum, construção sólida, e colocava quase um metro de aço entre ela e o lobisomem mais próximo.

Ela não era a única mulher do grupo. Havia outra, e ela tinha erguido a saia até os joelhos, exibindo botas com saltos finos de oito centímetros e esporas afiadas nos tornozelos. Dois homens estavam colocando socos ingleses nos dedos, um terceiro tinha uma navalha e os dois restantes eram tão musculosos quanto os próprios lobisomens.

Em segundos, tudo se transformou em uma briga descontrolada quando os brutamontes partiram para cima deles, e

Irene percebeu que os criados de Silver, além de habilidades de combate, também tinham treinamento para trabalhar em grupo. Os dois homens corpulentos seguraram um lobisomem entre si e um deles, usando soco inglês, desferiu vários golpes fortes na cabeça e na barriga do sujeito, deixando-o gemendo no chão.

Claro que isso forçava Irene e os outros a enfrentarem cinco lobisomens. A criada girou em um rodopio de pernas, chutando a cara de um deles. Ele levantou o braço para se proteger do golpe, e a espora dela deixou uma trilha de sangue na pele dele. O lobisomem se encolheu com um rosnado estrangulado, desproporcional ao tamanho do ferimento. As esporas deviam ser de prata.

Um dos brutamontes foi para cima de Irene, as mãos curvadas em uma transformação parcial, pelos saindo dos punhos da camisa. Como uma esgrimista, ela deu uma estocada, furando o rosto dele com a ponta do guarda-chuva. Ele recuou, desviando para a esquerda. Os outros mantinham seus oponentes ocupados e, embora estivessem em menor número, a postura do time dela de "ir para cima deles em grupo, para tirar da briga um de cada vez" estava funcionando melhor do que a preferência dos brutamontes por lutas individuais.

Não é bem o comportamento de matilha que se esperaria de lobisomens, refletiu Irene enquanto dava outra investida com o guarda-chuva no oponente e recuava para fugir do contragolpe. *Talvez porque não tenha ninguém liderando-os nessa luta.*

Ela estava vibrando de adrenalina e era um alívio ter um inimigo contra o qual lutar, mesmo que isso não fosse de ajuda imediata para Kai. Ela impulsionou o guarda-chuva na direção da barriga do lobisomem, depois virou o objeto no ar enquanto o sujeito se inclinava, segurou-o pela ponta e bateu com o cabo pesado em sua cabeça. Ele caiu com um baque.

Quando ela olhou ao redor, quatro dos lobisomens tinham sido derrubados, mas um dos pesos-pesados e um dos criados com soco inglês do time dela também. O sujeito da navalha e a criada com esporas estavam lutando com o resto dos lobisomens, enquanto os demais criados montavam guarda junto aos oponentes derrubados. A criada estava com um braço perto do peito, mas as duas esporas pingavam de sangue enquanto ela girava e chutava.

Desta vez, porém, ela foi lenta demais. O lobisomem segurou-a pelo pé quando ela se aproximou dele e girou. A criada rodopiou no ar em um balançar fluido de saias e caiu com um estrondo. As esporas guincharam ao arrastarem no piso. Com um grunhido, o lobisomem partiu para cima do sujeito com a navalha.

Não mesmo. Irene se lançou para a frente, o guarda-chuva ainda posicionado nas mãos, e desferiu um golpe verticalmente, de cima para baixo. O cabo acertou o pulso do brutamontes com um estalo audível. Por um momento, Irene não soube se um osso havia se quebrado ou o guarda-chuva, mas o grito chocado do sujeito tornou a resposta clara. Ele se encolheu, segurando o braço contra a barriga, erguendo a outra mão em posição de defesa.

Lady Guantes estalou os dedos, o som alto demais, nada natural. O lobisomem deu um passo para trás, depois outro, baixando a cabeça. Ele e os demais mancaram na direção de Lady Guantes, carregando os que estavam com dificuldade para andar.

Os criados de Silver se retiraram com a mesma rapidez, sem que houvesse qualquer sinal óbvio da parte dele. Irene se aproximou e ofereceu o braço para a outra criada, que aceitou com um aceno de agradecimento, a respiração saindo em sopros curtos, o que sugeria uma costela quebrada.

— Eu estava me perguntando por que sua excelência a havia contratado — sussurrou ela, enquanto Irene a ajudava a voltar para o grupo de criados. — Vamos conversar depois, certo?

Irene assentiu, decidida internamente a evitar tal conversa se possível, e colocou o guarda-chuva de volta na mala. Quase não estava sujo de sangue. *E maldito seja Silver por não me avisar que isso podia acontecer.*

De repente, um estrondo distante sacudiu a estação. As vidraças no teto alto estalaram e tremeram nas molduras, as lâmpadas de éter balançaram, o brilho ficando mais forte e mais fraco novamente. Gritos soaram pela plataforma enquanto as pessoas se afastavam do trilho do trem.

Uma vibração grave permeou a estação. Outro estrondo, mais próximo agora.

Silver e Lady Guantes se viraram para olhar para fora no mesmo momento, sem um segundo de hesitação. Vários dos outros que esperavam ali perto fizeram a mesma coisa uma fração de segundo depois. Sem que quaisquer instruções fossem necessárias, os criados menos feridos se inclinaram para pegar as malas, e Irene os imitou.

Um terceiro estrondo, e então abruptamente uma luz forte invadiu a escuridão, conforme o trem entrava disparado na estação. O facho furioso do canhão de luz era mais intenso do que o branco radioativo das lâmpadas do teto, queimando os olhos. O ruído intenso das rodas sufocou os gritos da multidão que recuava.

O trem desacelerou rápido – rápido demais, mais rápido do que deveria ser fisicamente possível – e parou delicadamente junto à plataforma. Era brilhante e preto, com uma sequência de vagões de janelas escuras que seguia além da plataforma, em direção à noite. Embora na frente do trem houvesse uma locomotiva, não havia fonte óbvia de energia. Deu-se uma pausa, suficiente apenas para deixar os nervos à flor da pele, então uma porta na locomotiva se abriu e uma pessoa saiu.

Irene apertou os olhos até lágrimas surgirem nos cantos. A pessoa era um homem. Ou quase isso. A imagem dele (ou dela) se modificava como os quadros em um rolo de filme, mesclando as imagens tão rapidamente que o olho não conseguia acompanhar. Isso deixou Irene com uma série de impressões, mas nenhuma conclusão definitiva. A maior parte das imagens era masculina. Um cavaleiro com um chapéu tricórnio, de sobretudo e botas altas. Um condutor de trem de uniforme escuro e boné. Um piloto de biplano com capacete de voo e jaqueta de pele de carneiro. Um motociclista em couro preto e capacete.

A imagem finalmente se estabilizou no condutor de trem em um uniforme que cintilava em tons escuros, com trança e botões de ébano. O homem deu um passo à frente, e Silver e Lady Guantes foram cumprimentá-lo.

Silver se curvou, Lady Guantes fez uma reverência e o homem retribuiu com um pequeno gesto com a mão. Lembrava um pouco a aceitação casual de Ao Shun à formalidade de Irene horas antes. Ele se virou para voltar para o trem. As portas dos vagões se abriram e o veículo começou a vibrar suavemente de novo, como se reunindo toda a energia para se deslocar.

— Andem, todos, agora! — sibilou Johnson. Os criados todos se adiantaram rapidamente enquanto Silver e Lady Guantes escolhiam seus vagões. Lady Guantes entrou no mais próximo e Silver andou pela plataforma até o seguinte, tão casualmente como se tivesse aquele em mente o tempo todo. O pequeno grupo de feéricos inferiores e acompanhantes entrou nos vagões seguintes, deixando que Irene e os demais criados entrassem rapidamente arrastando as bagagens, com o latejar crescente do motor como um contraponto apavorante. O interior do trem era puro luxo. Irene teve um momento para observar antes de ter que arrastar outra mala para o vagão, seguindo pelo corredor estreito até o compartimento fechado no final. Era tudo de veludo preto macio, couro e prata. Uma alcova com cortina do tamanho de uma cama ocupava o final do compartimento, com cortinas de brocado pesado discretamente fechadas. Silver tinha se jogado em um dos assentos compridos, e Johnson abriu uma mala para pegar uma garrafa de conhaque e um copo.

Com um puxão, a última mala foi trazida a bordo. A vibração do motor estava mais alta agora, alta o bastante para sacudir de forma desagradável os dentes e ossos de Irene. Johnson colocou o copo cheio de conhaque na mão de Silver, depois caminhou rapidamente e fechou a porta do vagão, bem na hora em que o trem começou a se mover. Não sacudiu para iniciar o movimento, como ocorria com as formas inferiores de transporte; só deslizou para frente em um fluxo orgânico e tranquilo.

Ele já viajou assim antes, reparou Irene, mas estava tensa. Sua preocupação principal agora era de se misturar com os criados. Ela só esperava que eles estivessem ocupados demais para não se darem conta do fato de que ela era uma estranha.

— Assim está bom — disse Silver, balançando a mão casualmente. — Para o corredor, todos vocês. Deve haver outro compartimento onde possam esperar. Johnson vai chamá-los se eu precisar.

Irene observou para verificar se ele lhe lançaria algum sinal específico, mas não houve gesto algum indicando que ela devesse ficar para trás. Ela saiu com o resto dos criados, que se amontoaram no corredor enquanto procuravam o compartimento designado.

Irene saiu silenciosamente na direção oposta enquanto eles conversavam e cuidavam dos ferimentos. Era hora de mudar de roupa e estabelecer um álibi em outra parte do trem, o de feérica recém-chegada de algum outro mundo. Ela só precisava evitar completamente o vagão de Lady Guantes.

Parou por um momento para olhar pela janela, com medo de avistar algo capaz de destruir a sanidade, oriundo de mundos alternativos. Mas não havia nada para ver, só campos turvos e luzes distantes, além do silêncio da noite.

Nada para ver?, perguntou-se, com a impossibilidade disso se tornando evidente para ela. *Nenhum viajante em estradas próximas? Nenhum outro trem? Ninguém por aí tarde da noite? Nenhuma das outras estações perto de Londres? Estamos seguindo pelos trilhos há poucos minutos e não há ninguém lá fora?* As palavras *noite desconhecida* passaram por sua mente, e ela sufocou um tremor, enquanto se ajeitava para abrir a porta do vagão seguinte. Preparou-se para um confronto, mas não havia necessidade. O vagão seguinte só tinha um corredor vazio ao lado de um compartimento vazio.

Isso não foi conveniente demais?, considerou Irene, tomada de paranoia. Era fácil uma imaginação vívida conceber feéricos invisíveis... Mas eles podiam ficar invisíveis? Ela não sabia. Nunca tinha ouvido falar de algum que pudesse. Mas, de qualquer forma, tinha que mudar de aparência, e rápido. Se continuasse com aquela roupa de criada, teria problemas para se passar por feérica de um alternativo futurista. Ela teria que confiar na sorte.

Irene odiava confiar na sorte. Não substituía adequadamente um bom planejamento e uma preparação cuidadosa.

Ela entrou no compartimento, fechou a porta e puxou a persiana da janela. Rapidamente, tirou o disfarce e o enfiou embaixo de um banco. O terninho ainda parecia razoavelmente arrumado e havia um brilho dourado nos pulsos dela. Eram as pulseiras de Silver, que, segundo ele prometera, emitiriam traços de magia se alguém verificasse. Agora, ela tinha pulseiras feéricas nos pulsos e um pingente de dragão no pescoço. O simbolismo de pertencer à Ordem e ao Caos era detestável, e ela estava surpresa de sua marca da Biblioteca não estar coçando...

Ah. Ela esticou a mão por cima dos ombros para tocar na marca. Doeu profundamente, e estava doendo havia um tempo; ela só tinha outras coisas com que se preocupar. Um mau sinal.

A coceira nas costas de repente pareceu simbolizar todas as coisas em que ela estava tentando não pensar. No topo da lista estava o perigo real e imediato que Kai corria. Seus dedos roçaram o pingente do pescoço. Se ao menos ela pudesse verificar o estado de saúde dele por ali, da mesma forma que Ao Shun... Sua situação arriscada era o segundo item da fila: fugir do seu papel designado e ir para mundos de Caos intenso sem permissão poderia lhe render no mínimo uma repreensão, e podia levar a coisa bem pior. *Como ser retirada de sua posição de Bibliotecária em Residência*, seu eu interior sussurrou. *Ser rebaixada a viajante de novo. Ser deixada na Biblioteca pelos próximos cinquenta anos. Até ser demovida de seu status de Bibliotecária...*

Mas se preocupar não ajudaria em nada. Assim, ela sufocou os próprios medos e os empurrou para o fundo da mente. Kai não seria salvo se ela ficasse angustiada por causa dele como uma romântica sentimental, nem se entrasse em pânico como uma heroína gótica de vestidão comprido. Ele seria salvo se ela fosse até lá e efetivamente o *salvasse*, e que se dane a posição dela!

Era hora de ir. Ela começou a vasculhar o trem.

O vagão seguinte tinha decoração dourada e marrom-escuro. O corredor estava vazio, mas as persianas estavam todas fechadas no compartimento particular. Ela conseguia ouvir o som de flautas e cantos distantes através da parede. Era melhor deixar aquele vagão em paz.

O seguinte – esse deveria ser o terceiro em que ela entrava – com Lady Guantes ficando cada vez mais para trás, era decorado em creme e marfim. As persianas estavam pela metade das janelas e, através do pedaço de vidro exposto, ela conseguiu ver corpos pálidos entrelaçados no compartimento particular. Seguiu em frente.

Abruptamente, o trem tremeu e começou a ir mais devagar. Irene olhou pela janela e a vista tinha mudado. Em vez da paisagem noturna no campo, ela agora se viu... submersa. Ainda estava escuro, pois eles pareciam bem abaixo da superfície, mas as luzes de uma cidade submarina brilhavam no horizonte à frente. Uma coisa grande e com barbatanas passou na escuridão do outro lado da janela. Irene não conseguiu distinguir muita coisa além de um vislumbre rápido de dentes.

O trem estava quase na cidade submarina agora e um pensamento lhe ocorreu. E se alguém abrisse a porta externa e inundasse o corredor? O que poderia acontecer?

Em pânico, ela correu até o vagão seguinte. Virou-se para a janela do compartimento, que pareceu desocupado. Conforme o trem desacelerava, chegando na estação, ela entrou e fechou a porta.

Alguém tossiu.

Irene se virou com um sobressalto. Às vezes, até uma Bibliotecária podia ser surpreendida.

Havia uma mulher na extremidade do compartimento. Era alta e estava sentada ereta no assento forrado de couro, coberta de seda azul-escura pesada. Usava um xale enrolado na cabeça e no pescoço, que lhe cobria o cabelo, mas deixava à mostra o rosto, em um estilo que Irene já vira ser chamado de *hijab* em alguns alternativos. As feições do rosto sério eram tão inflexíveis quanto a postura, e não havia um milímetro de suavidade nos olhos escuros e contornados de lápis. Os lábios eram linhas finas, repuxadas em reprovação, e embora o semblante fosse bonito, tratava-se de uma beleza severa e crítica, do tipo retratado em ilustrações de anjos sábios e juízos finais.

— Você está atrasada — disse ela, e então o trem parou e ficou em silêncio.

CAPÍTULO 12

— Desculpe-me — disse Irene, decidindo entrar no jogo e ver no que daria. A mulher tinha falado em árabe e Irene percebeu que respondera na mesma língua. Era uma pena seu sotaque ser tão ruim, mas ela não praticava o idioma há anos.

— Não importa — disse a mulher. — Venha até aqui e sente-se. Vou ser tolerante porque você pelo menos está aqui antes dos outros, mas temos pouco tempo até chegarmos ao nosso destino. Seu nome, por favor.

Irene buscou mentalmente algum nome que não tivesse nenhum significado escondido que pudesse entregá-la e usou o primeiro que veio à cabeça.

— Clarice, senhora — respondeu ela. — Peço desculpas pelo meu sotaque ruim. — E o que você quis dizer com *os outros*?

A mulher fez um sinal impaciente para que ela se sentasse no banco da frente, as mãos ainda escondidas nas mangas. Não havia armas evidentes, nenhuma ameaça imediata ou algo que a denunciasse, então Irene relaxou um pouco. Seu disfarce estava funcionando.

— É aceitável. Você tem um sotaque egípcio, eu acho. Foi no Egito que aprendeu a língua?

Irene assentiu, sentando-se e cruzando as mãos no colo.
— Sim, senhora. — Bom, em *um* Egito. Embora fosse provável que aquela mulher, uma feérica, visse os mundos da mesma forma. *Um* Egito. *Uma* Veneza. Nada de ideal platônico, só mil variantes diferentes.
— Pode me chamar de tia Isra — anunciou a mulher. — Agora, como você está aqui, vamos começar...
A porta se abriu, e seis homens e mulheres jovens tentaram entrar ao mesmo tempo, com vários pedidos de desculpas.
— Madame...
— Nós pedimos desculpas...
— Nós não fazíamos ideia...
— Eu teria chegado antes, mas um bebê caiu embaixo do trem...
Tia Isra só fez uma cara feia até todos calarem a boca. Os seis, três homens e três mulheres, formavam uma mistura de culturas e roupas, com uma mulher de traje sumário de couro preto e um chicote no cinto e a segunda de roupa de caubói. Dois homens estavam de macacão e tinham os peitos nus, exibindo músculos desenvolvidos por exercícios; um era mais claro e o outro, de pele mais escura, mas os dois tinham o mesmo perfil heroico e o mesmo estilo de cabeça raspada. A última mulher estava elegante, com um terno preto perfeito e sapatos pretos perfeitamente engraxados, e o último homem usava sedas escarlates com um alaúde nas costas. Todos pareciam constrangidos.
— Ah, podem corar — disse tia Isra com rispidez. Ao reparar em uma certa confusão, ela mudou o idioma para o inglês. — Vocês todos *entendem* essa língua, imagino? Quando eu aceitei levar estudantes nessa viagem, esperava indivíduos jovens e *inteligentes*, que seriam capazes de *seguir instruções* e talvez até *entendê-las*. Seus patrões podem

ser poderosos, mas vocês são jovens, banais, meros observadores, basicamente um degrau a mais que humanos! Eu não esperava perder meu tempo com pessoas que não se beneficiariam dele. Até essa que chegou quase na hora — ela indicou Irene — estava atrasada. Eu *abomino* atrasos. É uma ofensa básica contra a cortesia.

Apesar de ainda desnorteada e confusa, Irene achou que talvez estivesse começando a sentir alguma solidez sob seus pés metafóricos. Era algum tipo de aula pré-combinada. Era *informação*. Era *disfarce*. Era, na verdade, a oportunidade perfeita.

Talvez um pouco perfeita demais?

Pensaria nisso depois. Aquele era um momento ruim para tentar sair. Tia Isra não parecia do tipo que apreciaria se um aluno a abandonasse.

— Nós pedimos desculpas, tia Isra — disse Irene, curvando a cabeça. — Pedimos desculpas pelo nosso atraso.

Os outros se juntaram aos pedidos de desculpa murmurados. Duas pessoas olharam para Irene com irritação, com cara de *Por que você tinha que chegar aqui primeiro e submeter o resto de nós a um papelão*. Irene não ligou. Significava que eles achavam que ela era um deles, não uma intrusa. Uma pontada de medo surgiu quando ela pensou o que ocorreria caso descobrissem a verdade. Não seria um final feliz para ela.

— Sentem-se, todos — disse tia Isra com rispidez. O trem começou a sair da estação.

Eles se espremeram no assento em frente ao de tia Isra. Um dos jovens musculosos de macacão evitou a disputa por lugar e se sentou graciosamente no chão, de pernas cruzadas. Irene ficou espremida entre a mulher de couro preto e a de terno, que tirou um caderno e uma caneta prateada de um bolso interno. Como ela conseguira fazê-los caber ali? Irene desejou ter um caderno.

— Como favor a seus patrões — começou tia Isra —, aceitei dar um pequeno seminário sobre comportamento adequado em esferas de alto poder, como a que vamos visitar. Alguns de vocês podem ter ouvido falar de mim. Sou uma contadora de histórias por ofício e por natureza, e não desejo nada além de uma história e uma plateia. Costumo ser convidada para grandes eventos, para que sejam lembrados de forma adequada mais tarde. Talvez, no futuro, eu me lembre de vocês.

Seus olhos percorreram o grupo. Irene achou que o olhar se prolongara um pouco demais sobre si, e se preocupou. *A paranoia só a fará parecer suspeita*, lembrou a si mesma. Queria *mesmo* um caderno. Isso teria que ir para os arquivos da Biblioteca assim que ela tivesse oportunidade. Era informação vital para qualquer negociação com feéricos ou visitas a alternativos com Caos intenso. Claro que era preciso haver esse tipo de interação tola com feéricos primeiro para a obtenção desse tipo de informação, o que explicaria por que não existia ainda.

E oferecer esse tipo de informação poderia até aliviar qualquer reprimenda que ela pudesse receber. Ou melhor, que ela *iria* receber.

Desde que sobrevivesse para repassar as informações.

— Entendo que até o momento vocês ficaram limitados a uma esfera só ou talvez tenham visitado algumas das locais — prosseguiu tia Isra. — Isso está correto?

Houve concordância generalizada e murmúrios:

— Sim, senhora.

— Podem me chamar de tia Isra — disse ela novamente. — Bem, imagino que vocês raramente se misturem aos maiores entre nós.

O homem de seda vermelha levantou a mão. As roupas tinham um corte que caía bem em seu corpo (caía muito bem mesmo), e o cabelo cascateava em ondas louras pelos ombros, escondendo um olho de forma elegante.

— Senhora... Tia Isra, tenho a felicidade de frequentar a corte do meu patrão há vários anos, nas esferas mais medianas, e ele é um lorde grandioso e poderoso...

— E, ao dizer isso, você trai a pequenez e a fraqueza da corte dele! — interrompeu a mulher. Seus olhos brilhavam como diamantes negros. — Garoto tolo, você não sentiu essas esferas tremerem quando o Cavaleiro e o Cavalo passaram por elas? Assim como tremem todos os mundos de menor poder quando os grandes se deslocam entre eles. Essas esferas não vão, *não podem* aguentar a força dos poderosos. A esfera para a qual estamos viajando é de maior poder e vai conseguir suportar a presença deles. Digo outra vez que vocês raramente devem ter encontrado os grandes entre nós, porque a sua esfera de criação não os teria aguentado por muito tempo. Garoto, seu nome!

— Athanais, o Escarlate — murmurou o homem. Ele ficou de pé e fez uma reverência.

— Vire-se e peça desculpas aos seus irmãos e irmãs por fazê-los perder tempo com uma intervenção tão tola — ordenou tia Isra. — Considere-se afortunado por eu não chicotear suas mãos para ajudá-lo a se lembrar da lição.

Ainda de pé, Athanais se virou para Irene e para os outros.

— Peço desculpas por fazê-los perder tempo com uma intervenção tola — murmurou ele, fazendo outra reverência. — Por favor, me perdoem.

Dentre os murmúrios gerais e constrangidos de *Desculpas aceitas, não foi nada*, Irene se repreendeu mentalmente. Esteve desde sempre tão preocupada com a exagerada imagem libertina de Silver que nunca se deu ao trabalho de pensar em feéricos que gostavam de *outros* tipos de papéis quando construíam suas histórias. Eles ainda podiam ser o centro das próprias narrativas, mas isso não queria dizer que tinham que ser os "heróis" ou os "vilões" da trama toda. Havia outros papéis para assumirem, papéis que não precisavam ser tão *imediatamente* destrutivos para quem estava ao redor (se bem que ela odiaria cometer um erro em qualquer aula dada por tia Isra. Parecia que acabaria sendo doloroso). Mas pensava, inconscientemente, que todos fariam seus jogos da mesma forma que Silver fazia o dele, sempre se escalando como protagonistas.

Tia Isra era feérica, mas também era professora e contadora de histórias por natureza. Tinha que haver um jeito de Irene poder usar isso.

Tia Isra assentiu.

— Sente-se novamente. Agora, como eu estava dizendo, vocês devem ter tido pouco contato com os grandes entre nós, e também não devem ter passado muito tempo em uma esfera de alto poder... pelo que me disseram. — Ela olhou ao redor e, quando todos assentiram, Irene inclusive, deu um sorriso fraco. — Ah, isso vai ser um novo começo para vocês todos!

A mulher de terno levantou a mão.

— Tia Isra, podemos fazer perguntas?

— Desde que sejam inteligentes — disse tia Isra, sem ajudar muito.

A mulher assentiu.

— Nós todos vivemos à sombra dos nossos patrões, tia Isra, e seguimos os caminhos deles. Portanto, temos algum entendimento do que deve ser capturado na "história" de outro da nossa espécie... Pelo menos foi assim que meu superior elaborou a ideia. O quão... hum... maior é o efeito quando se encara um dos grandes... — Ela estava procurando um jeito diplomático de dizer *o quanto é pior*, e Irene queria muito saber qual seria a resposta para aquela pergunta.

Tia Isra fungou. A luz forte que entrava agora pelas janelas dotava suas feições de linhas rigorosas de contraste e sombra.

— Sem dúvida você pode fugir, minha jovem, e recuar para a esfera de onde veio. Claro que haverá humanos lá que vão alimentá-la com adoração suficiente para mantê-la viva. Mas não vai ser *mais* do que viver. Depois que você experimenta o vinho intenso de seguir os passos dos grandes, nada menor vai contentá-la. Houve uma época em que eu, *eu mesma!*, era uma humilde criada que portava a espada a serviço do grande Califa al-Rashid. Tudo me parecia possível na época. Admito que tive amantes, até *amigos* entre os humanos. Eu poderia viver naquela esfera mesquinha porque não sabia o quanto se podia ter fora dela.

Do outro lado da janela só havia um deserto, pontuado por cactos, palha seca e caminhos de pedra. O sol ardia em um céu sem nuvens.

A voz de tia Isra tinha mudado para os padrões ascendentes e descendentes de uma história.

— Mas contei uma história que libertou um gênio e viajei três vezes com amigos pelas areias em movimento para responder às perguntas dele. Segui caminhos que levavam do Paraíso ao Inferno e fiz cinco escolhas às suas portas. Dei a um herói as rédeas de um cavalo que galopava mais rápido do que o vento. Ajoelhei-me aos pés de um imperador que governava cinco mundos e contei a ele uma história que provocou o fim de um, mas salvou outro. Deitei-me nos braços do oceano e lhe dei um filho. E, depois de ter feito todas essas coisas, minhas crianças, vi como valia pouco ser apenas uma pessoa que tinha o nome que eu já tive. O que são os humanos em comparação ao vinho da vida, que é encontrado ao se viver como vivemos? Eu sou o que sou, e agora não tenho desejo nenhum de ser menos.

"Menos" é mesmo a palavra?, perguntou-se Irene, e pensou: *É para ela.*

— Deixem suas incertezas de lado — prosseguiu tia Isra. — Sejam quem vocês *são*. É o caminho para frente, minhas crianças, o caminho para o poder, o caminho para a vida. E quanto maior o poder do lugar onde caminhem, mais fácil será. Vejo por suas roupas e hábitos que vocês são todos bem estabelecidos nas suas esferas, o que é bom. Mas os grandes entre nós podem andar em qualquer esfera e aparecerem com as roupas e o estilo apropriados à sua natureza. Eles podem falar e ser entendidos em qualquer língua. São imutáveis porque se tornaram eles mesmos e nunca vão ser diferentes.

Irene levantou a mão com hesitação.

— Sim? — disse tia Isra. Ela parecia um pouco menos agressiva agora, mais uma sensível contadora de histórias do que uma professora severa. — O que tem a dizer, Clarice?

— Tia Isra — disse Irene com cuidado, o estômago se contraindo pelo risco de chamar mais atenção para si mesma —, quando entrei no trem, reparei no condutor. Mas era difícil vê-lo com clareza. Eu vi muitos rostos e estilos de roupa diferentes, mas cada um era apropriado, de um jeito particular. Ele é um dos grandes, não é? — O nervosismo pinicava sua coluna como eco da marca da Biblioteca, enquanto as outras pessoas no vagão olhavam na sua direção.

O trem parou suavemente. Havia carruagens esperando lá fora. Pelo canto do olho, Irene viu homens de ternos brancos e cartolas e mulheres de sombrinhas e vestidos decorados sendo ajudados a descer das carruagens. Eles estavam indo para vagões no final do trem.

Tia Isra assentiu.

— Ele é o Cavaleiro. Ele e seu Cavalo compartilham uma história. Todos vocês a conhecem?

Antes que Irene precisasse admitir que não sabia ou fingir que sabia, o homem de macacão sentado no chão levantou a mão.

— Claro, tia Isra. Estou surpreso de Clarice aqui não saber mais a respeito.

Presunçoso, pensou Irene. *Só porque eu cheguei na hora.* Mas ela também sentiu uma pontada de apreensão, caso tivesse exposto sua ignorância.

— Então pode contar a história, meu jovem — disse tia Isra, passando graciosamente a tarefa para ele, como se fosse um prêmio.

Com expressão arrogante e satisfeita, o jovem começou:

— Antigamente, em um estado muito distante, havia um cavalo que galopava por terra e mar...

Era um típico conto de fadas, ainda que o herói que acabou capturando o cavalo fosse um *heroico servo do povo* em vez do habitual príncipe ou caçador. Irene cuidou de memorizar os detalhes: coleira prateada forjada da lua e de estrelas, chicote feito de vento, o cavaleiro segurando sua montaria pela crina enquanto galopava três vezes por nove estados proletários. Todas as coisas habituais. E ela assentiu nos momentos certos enquanto as repetia em pensamento.

— ... e o cavalo curvou a cabeça e se submeteu — concluiu o jovem —, e, daquele dia em diante, o herói controlou seu poder, e o corcel passou a galopar conforme sua vontade, mais rápido do que mil arco-íris. De terra em terra ele segue, dos portões da história às margens do sonho, até o mundo estar mudado.

Tia Isra permaneceu imóvel por um tempo, perdida em pensamentos, e o vagão ficou em silêncio, exceto pela vibração do trem. Havia arranha-céus visíveis pelas janelas agora, sua altura perdida em neblina. Irene percebeu que havia outras pessoas no vagão, amontoando-se para ocupá-lo. Possivelmente outros alunos? Mas não ousava afastar o olhar de tia Isra.

— Toleravelmente bem executada — disse tia Isra. — Uma versão aceitável da história. Eu aprovo. Você pode me acompanhar depois para ter mais aulas.

— Obrigado, tia Isra — disse o jovem, e se curvou até a cintura.

— Agora, que conclusão podemos tirar disso? — perguntou tia Isra abruptamente, o olhar percorrendo o grupo.

Irene procurou adivinhar mentalmente qual seria a resposta certa. Alguma coisa sobre estar em histórias tradicionais fazer da pessoa um feérico poderoso, ou vice-versa? Alguma coisa sobre como as mesmas histórias persistiam em mundos diferentes? Ou sobre como o cavalo e o cavaleiro eram participantes importantes da história?

— Claramente, que tanto o cavaleiro quanto o cavalo são necessários um para o outro — disse a mulher de terno, a dicção perfeita. — O que pode ser interpretado como um encorajamento para que nos envolvamos uns com os outros, para benefício mútuo.

Mesmo eu preferindo ser o cavaleiro e não o cavalo, pensou Irene.

— Você está correta, minha jovem, embora coloque de forma muito corriqueira — disse tia Isra. — Eu não esperaria que você entendesse a glória pura que acompanha o compartilhamento do caminho de outro, o que decorre apenas da experiência. — A voz dela transbordava condescendência. — Certamente, você pode se recusar a fazê-lo. Pode também optar por se limitar. Mas os que escolhem fazer isso... Bem, se estiverem *aqui*, estão no lugar errado. Agora, estamos dentre os grandes que viajaram no Cavalo. Nossa história, portanto, se tornou mais rica, e somos mais grandiosos por causa dela. Além do mais, conseguimos ver que as coisas menores na história têm sua força própria. O Cavalo é um mero servo do Cavaleiro, mas é necessário para a história. Nenhuma história é sobre o protagonista somente! Outras coisas são lembradas: oponentes, amigos, criados e obstáculos.

Havia alguma coisa incomodando Irene, e ela tentou articular em forma de pergunta.

— Tia Isra... — começou ela.

— Sim, Clarice?

— A senhora disse que o Cavalo era um dos grandes, assim como o Cavaleiro — prosseguiu Irene com cautela, torcendo para acertar na terminologia. Sua marca estava coçando de novo, conforme eles seguiam mais para o Caos a cada parada do trem... Ou do Trem. — No momento, estamos dentro do Cavalo. Isso quer dizer que estamos em uma esfera de "alto poder", onde as grandes formas de história podem florescer?

— Claro — disse tia Isra. Não exatamente com um tom de *Só uma idiota precisaria fazer essa pergunta*, mas perto. — É por isso que foi tão fácil para todos vocês chegarem a este seminário. Seus caminhos os trouxeram até aqui.

Irene assentiu.

— Obrigada, tia Isra — murmurou ela, baixando os olhos enquanto pensava. Então o interior do Trem encerrava por natureza um alto nível de Caos, e estar em um ambiente de alto nível de Caos a levava para onde "precisava" estar para a "história" da qual participava. Ela não precisava ficar paranoica com medo de tudo ser uma armadilha gigantesca... Pelo menos, ainda não. Mas *precisava* ficar paranoica com a possibilidade do seu "caminho" levá-la a um encontro com Lorde ou Lady Guantes. Isso levaria ao evento dramático, tão atraente para a história, mas ela podia ser obrigada a bancar a vítima, não a heroína. Mais uma armadilha para evitar... se ela pudesse.

— É difícil criarmos um papel para nós mesmos quando os grandes já detêm os caminhos mais notáveis — disse uma voz de mulher com sotaque americano atrás dela.

— Até os grandes podem morrer — disse tia Isra calmamente. — O caminho é eterno, mas nós que andamos nele raramente somos. Não se apresse a se limitar, criança. Siga em frente e aja de acordo com sua natureza. Só os fracos se limitam a pensar em termos humanos. Tenha pena deles, use-os, mas não se torne um deles. Nós somos o que fazemos de nós mesmos.

Havia verde do lado de fora da janela agora. O Trem parecia estar se movendo cada vez mais rápido, permanecendo menos tempo em cada parada. Era só impressão de Irene ou eles seguiam com mais suavidade e rapidez conforme iam penetrando mais profundamente no Caos?

Tia Isra continuou falando e Irene fez uma expressão de interesse, mas por dentro revirava os novos fatos como cartas em uma leitura de tarô. Quanto mais obviamente um feérico parecia desempenhar um papel, mais poderoso ele ou ela era. Lorde Guantes e Silver deviam estar no mesmo nível, ou presumivelmente Lorde Guantes já teria destruído Silver, considerando a rivalidade entre eles. A não ser que a história exigisse que eles a mantivessem por mais tempo. Então, Lorde Guantes teria seu arquétipo, seu caminho, seu personagem concorrente, ou como quer que fosse chamado? E Lady Guantes era menos poderosa? Silver dissera que ela não tinha o poder de viajar entre mundos da mesma forma que Lorde Guantes e pareceu não dar valor a ela. Por outro lado, até onde era possível confiar na avaliação de Silver?

Um pensamento frio se formou. Lady Guantes podia ser menos poderosa como feérica, talvez, mas ardilosa o suficiente para criar obstáculos para Irene e Vale e para pensar em formas inovadoras de fazer isso. Os bloqueios que ela criou na perseguição a eles foram práticos e sensatos, um tanto dramáticos, exóticos ou o tipo de coisa que Silver poderia ter feito (é verdade que emboscadas de lobisomem não são *exatamente* práticas e sensatas, mas quase funcionaram). Talvez a força de Lady Guantes fosse o que tia Isra estava se empenhando para denegrir naquele momento. E se ela pensasse como uma humana em vez de feérica e por isso não fosse limitada por padrões de pensamento arquetípicos? Era só uma hipótese, mas fazia um sentido inquietante.

Mais uma parada. Torres cintilantes de cristal do lado de fora das janelas. Homens e mulheres em seda ondulante e véus de veludo.

Talvez ela não conseguisse evitar o casal Guantes. Mas podia tomar todas as precauções para impedir que a reconhecessem. E a prioridade dela era encontrar Kai, salvá-lo e fugir. Deixaria a vingança para a família dele. Só tinha que chegar *lá*, e se haveria um leilão, o tempo de Kai estava acabando rápido.

Ela se agitou quando tia Isra terminou outro discurso sobre as glórias de se tornar um feérico mais poderoso, sacrificando toda a amizade com "humanos comuns". Depois, Irene levantou a mão.

— Sim, Clarice? — disse tia Isra. — Sua opinião sobre o assunto?

Irene corou da forma mais delicada e modesta que conseguiu.

— Na verdade, tia Isra, eu estava pensando se podia perguntar sobre a situação atual no local do nosso destino e suas possíveis implicações. Como a senhora bem disse, nós todos partimos de origens limitadas, e eu ficaria muito agradecida de ter um ponto de vista mais amplo antes de chegarmos.

Houve um murmúrio aprovador às costas de Irene, que a surpreendeu pelo volume. Parecia ter feito uma pergunta popular. Também parecia que o vagão tinha ficado bem maior para abrigar tanta gente.

Tia Isra assentiu, pensativa. As luzes do vagão agora iluminavam o compartimento intensamente, pois do lado de fora estava escuro de novo, um oceano agitado de águas negras.

— É verdade que a maior parte de vocês compreenderá pouco das implicações mais amplas. Vocês sabiam que um brinde comum em alguns exércitos era "à uma praga repentina e uma guerra sangrenta"?

Houve uma concordância generalizada, inclusive de Irene.

— Lorde Guantes, da sétima esfera da reticulação, capturou um dragão e o venderá em leilão. Claro que os grandes entre nós vão fazer lances e vocês, crianças, serão meros observadores. O que vocês talvez *não* percebam, crianças, é que há uma boa chance de isso levar a um conflito aberto entre nossa espécie e os dragões. Tudo pode acontecer. Lorde Guantes ascenderá às alturas ou despencará às profundezas. Então, você entende, criança — ela sorriu para a mulher de terno ao lado de Irene, e não havia nada no rosto dela além de puro prazer —, não precisa se afligir. Novos caminhos estão se abrindo para todos nós. À meia-noite de amanhã, na ópera La Fenice, o dragão será vendido para quem der o lance mais alto. E o que quer que aconteça, sem dúvida acarretará em uma história grandiosa e magnífica para esta contadora relatar.

Houve uma agitação enquanto as pessoas olhavam para seus relógios ou outros dispositivos de marcação de tempo. Irene olhou para o próprio pulso automaticamente, sem querer parecer deslocada, mas internamente seu coração estava congelado. Ela tinha um único dia para encontrar Kai. E se fracassasse e não conseguisse salvá-lo, o resultado seria guerra. Ela mal conseguia respirar. Não era uma pessoa sem habilidades, mas como, *como* conseguiria cumprir sua missão em uma cidade estranha, sozinha, até a meia-noite do dia seguinte...

O Trem tremeu e tia Isra olhou pela janela. Além do vidro havia luzes ao longe, espalhadas em prédios e domos e palácios. Veneza.

— É melhor vocês se prepararem para observar os eventos na plataforma, crianças, ou encontrar seus patrões. Não os deixem esperando.

SEGUNDO INTERLÚDIO: KAI NA TORRE

Kai acordou com gosto de conhaque na boca e engoliu por reflexo, antes de a ideia de veneno surgir na sua mente.

A terrível pressão constante e a queimação do Caos tinham sumido. Por um momento, esse pensamento dominou os outros. A pedra fria e o metal gelado na pele eram carícias gentis em comparação, e a limitação de movimento nos braços não era importante. Ele conseguia pensar claramente de novo, perceber, raciocinar.

Alguém o estava segurando e apoiava sua cabeça, encostando uma garrafa de conhaque em seus lábios. Kai abriu os olhos por uma fração de segundo, o bastante para ver quem era e onde se encontrava.

Era seu sequestrador, o homem que chamavam de Lorde Guantes. Fúria pura despertou em Kai, e ele puxou o que estava segurando seus pulsos, lutando para se soltar e poder botar as mãos no pescoço do feérico.

Guantes deu um passo para trás e se levantou.

— Imagino que isso queira dizer que você não deseja mais conhaque — disse ele, limpando o gargalo da garrafa com uma manga. Ele vestia seda e veludo cinza agora, com um manto que caía por cima de um colete justo e uma calça. — Como está se sentindo?

— Como ousa perguntar isso depois de botar as mãos em mim dessa forma! — Em outro lugar e outro tempo, as palavras de Kai teriam gerado tempestades, teriam feito rios e mares se erguerem à sua ordem. Mas ali, naquele momento, eram só palavras, e ecoaram secamente no pequeno aposento de pedra cinza.

— Ah, por favor. — Guantes guardou a garrafa no manto.

— Você foi um alvo terrivelmente fácil. Eu achava que seu pai ou seus tios tinham lhe ensinado a ter mais cautela. Uma pena para você não terem feito isso.

O insulto a seu pai e seus tios fez Kai morder o lábio, a fúria deixando sua visão turva. Ele puxou os grilhões que o prendiam à parede até escorrer sangue pelos pulsos.

— Você vai *morrer* por isso — rosnou ele.

— Palavras, palavras, palavras. Se eu soubesse que vocês, dragões, eram tão fracos, teria agido antes. Diga-me, quer pedir um resgate? Imagino que possamos mandar uma carta para o seu tio. Na verdade, hum... — Guantes começou a andar, refletindo, distraído por essa linha de pensamento. — Talvez fosse interessante plantar a desconfiança entre os criados do seu tio. Nós teríamos que deixar alguma pista indicando que um deles comprometeu você, claro, depois eu poderia até incriminar um dos seus irmãos mais velhos, ou possivelmente sugerir que a Biblioteca estava por trás de tudo, enquanto ao mesmo tempo vendia informações para...

Um homem que estava de pé perto da porta tossiu educadamente. Estava usando o mesmo tipo de roupas que Guantes, embora mais baratas e de um preto já desbotado.

— Meu lorde, o teste?

— Ah, sim. Quase esqueci. Pode dizer para os seus senhores que o dragão não dá sinais de poder se libertar das correntes nem sob severa provocação. — Ele se virou para Kai. — Queira me desculpar. Eu me distraio com facilidade. Diga-me, quem você acha que seria o suspeito mais plausível?

— De quê? — perguntou Kai, confuso. Ele se encostou na parede. Era inútil tentar alcançar Guantes. Ele só podia esperar que o feérico chegasse perto de novo.

— De sequestrá-lo, claro. Ah, eu sei que você sabe que fui eu, mas quem mais faria isso? São tantas as opções, e eu não ia querer limitá-las a mim mesmo indevidamente. Talvez o melhor fosse esperar até a notícia da sua captura se espalhar e sugerir que alguém estava se passando por mim. Ou que talvez eu fosse um agente da sua mãe, e a coisa toda foi o primeiro golpe em uma guerra civil contra seu pai. Claro que ainda não há uma guerra civil, mas podemos trabalhar nisso. — Ele balançou a cabeça. — Não, eu preciso me controlar. Seguir o plano atual até que esteja executado, como minha querida esposa sempre diz.

Kai tentou rir, a garganta ainda ardendo do conhaque. Ele retomou seu orgulho, empertigou os ombros e se levantou.

— Se chegar ao ponto de ofender minha mãe, o destino que tenho em mente para você agora não será nada em comparação. Você é um tolo e está se metendo em assuntos além da sua compreensão.

— Um discurso muito bonito — disse Guantes. — Eu teria orgulho dele. Mas me permita observar que *você* está acorrentado agora, preso e longe de qualquer um que poderia ajudá-lo. Além do mais, ninguém sabe onde você está.

— Uma situação temporária — retorquiu Kai, enquanto tentava ignorar a incerteza vazia na barriga. — Meus amigos vêm me buscar. Meu tio vai me encontrar.

— Não aqui — disse Guantes, com uma certeza que encerrava verdade absoluta. — Esta esfera fica nas profundezas das zonas de Caos. Ainda que seu tio pudesse encontrá-lo, não poderia nem viria até aqui, mesmo que fosse para salvar sua vida. Pois seria um ato aberto de guerra. Na verdade, o fato de você estar aqui poderia ser interpretado como uma provocação. O filho mais novo do Rei do Oceano Leste, nas profundezas do nosso território.

A raiva e o medo lutaram com a vontade de Kai de revirar os olhos.

— Você *me* sequestrou.

— Sim, é verdade. Eu só teria que me assegurar que você não poderia me incriminar... — Mais uma vez, ele balançou a cabeça. — Imagino que eu possa manter a ideia como último recurso se o leilão não acontecer conforme o esperado.

— Leilão? — perguntou Kai. Parte dele ainda não aceitava que aquilo pudesse estar acontecendo.

— Sim, à meia-noite de amanhã. — Guantes olhou para as aberturas das janelas na parede acima. Uma luz leve e pálida entrava por elas, e era impossível determinar a hora do dia. — Você vai ser leiloado e vendido para quem der o maior lance. Muito elegante, não acha?

— Eu vou matar você — disse Kai novamente. Raiva e orgulho eram as únicas coisas que lhe restavam e davam forças.

— E, se eu não o matar, meus amigos o matarão.

— Mas eu já falei — disse Guantes amavelmente. — Dragões não podem alcançá-lo aqui. Nem a Biblioteca vai ajudar.

— Você sabe da Biblioteca?

— Eu conheço todos os envolvidos no jogo. — Guantes se virou e andou na direção da porta. — E você, jovem príncipe, está em xeque-mate. Durma bem.

A porta se fechou atrás dele com um estrondo seco, cortando o último desafio vociferado por Kai e o deixando sozinho na cela.

Em xeque-mate? Talvez não. Ele tinha que acreditar que ainda havia uma chance, senão entraria em desespero. E se Guantes achava que a Biblioteca não o ajudaria, ele não conhecia Irene. Ela ainda estava no jogo.

Tinha que estar.

CAPÍTULO 13

Assim como Irene esperava, o local da chegada estava uma confusão, e uma confusão quase sangrenta. Ela cambaleou para fora do Trem em uma longa plataforma oscilante, que se estendia longe, para dentro da lagoa escura. O Trem estava apoiado em trilhos de aço, mas não havia indicação do que sustentava esses trilhos, se é que alguma coisa os sustentava.

O grupo do seminário de tia Isra cercou Irene convenientemente, e ela tomou o cuidado de ficar no meio de todos. Alguns elementos se afastavam, em uma tentativa de encontrar seus patrões ou protetores, mas outros mantinham a posição atual, esperando a multidão dispersar. Em meio aos criados, servos, pilhas de malas, galgos de estimação e grupos de garanhões brancos Lipizzaner, havia pouquíssima chance de alguém discernir o que estava acontecendo ou de diferenciar um grupo de feéricos visitantes de outro. A plataforma era uma confusão de trajes diferentes, quase todos altamente dramáticos, e à luz das lâmpadas altas dos postes parecia um sono febril: muita cor, muita luz e nenhuma lógica ou sanidade. A marca da Biblioteca nas suas costas emitia um latejar permanente de calor doloroso, como uma queimadura de sol, lembrando-a constantemente da sua presença. Mas, por fora, ela era só mais uma pessoa anônima na multidão. E, felizmente, ninguém olhou para ela duas vezes.

Teoricamente, como aquele era um alternativo de alto nível de Caos, ela podia perambular pela multidão e encontrar exatamente a pessoa que precisava encontrar para resgatar Kai e resolver a situação. Histórias se formavam com facilidade ali, e ela seria só mais uma protagonista com uma história para contar. Por outro lado, também podia ser encontrada por alguém, como Lady Guantes, que precisava encontrá-la para continuar a sua própria história. E isso seria catastrófico para Irene.

— Ei! — A mulher de roupas de caubói cutucou seu braço, pegando-a de surpresa, e Irene controlou um tremor de susto enquanto se virava para ela com cautela. *Me pegaram! Não, calma, ela só quer me perguntar uma coisa.* — Clarice, não é? Meu nome é Martha. Alguns de nós vamos pegar um... Como eles chamaram, Athanais? Um táxi aquático para sair daqui e procurar nossos superiores depois. Só preciso encontrar minha lady à meia-noite, e sei onde ela está hospedada. Você pode procurar seus superiores depois? Onde eles vão ficar?

Irene pensou nos poucos comentários que Lorde Silver tinha feito.

— Ele disse que no Gritti Palace — disse ela, falando a verdade. *Porém, pode ser útil ter uma desculpa para me afastar...* — Mas ele pode mudar de ideia. O que se pode fazer? — Ela deu de ombros.

Martha assentiu. Cachos castanho-claros do mesmo tom do couro contornavam o rosto dela e caíam pelos ombros. O bronzeado da pele estava alguns tons abaixo.

— Já tive alguns assim, sei como é. Mas, outra coisa: você estava falando com tia Isra em árabe mais cedo, não estava?

Você é boa com línguas, como italiano? — A pergunta dela parecia mais do que um pouco desesperada.

Por um momento, Irene teve vontade de rir histericamente. Claro que ser feérico não o tornava onilíngue, embora tia Isra tivesse sugerido que os muito poderosos podiam sê-lo. Os feéricos juniores que estavam ali, peões ranqueados no mesmo nível presumivelmente baixo dela, não seriam necessariamente linguistas.

— Sou — disse ela. — Boa o bastante para sobreviver, pelo menos...

— Já serve. Ei, Athanais! Arranje o barco! — A mulher segurou o braço de Irene e começou a puxá-la no meio da multidão, na direção do outro lado da plataforma, onde a água batia. Irene reconheceu alguns outros alunos do seminário ao chegar lá. — Clarice sabe falar italiano!

— Ah, graças a Deus por isso — disse Athanais. Irene sufocou um suspiro de alívio. Eles não haviam mudado de ideia sobre ela, não estavam nem considerando ter inimigos entre eles. Uma explosão distante de fogos cintilou no cabelo claro dele. — Nenhum de nós aqui fala italiano. Venha, fale com esse barqueiro. O que queremos é achar uma boa taverna...

— Bar — disse a mulher de terno.

— Minha querida, nós *temos* que ir a uma loja de roupas primeiro — disse uma mulher de biquíni preto sentada na beirada da plataforma, as pernas na água até os joelhos. — Eu me chamo Zayanna, querida — ela se apresentou para Irene. — Eu juro que, se tivesse tido permissão de trazer tantas roupas quanto certas pessoas...

Vários barcos pequenos flutuavam do outro lado da plataforma. Alguns eram gôndolas, grandes o bastante para transportar seis pessoas, mas outros eram embarcações um pouco maiores, com vários remadores. Os barqueiros (*gondolieri?*) usavam capas pretas, máscaras, roupas listradas e tricórnios, como se a indumentária fosse uma espécie de uniforme.

— Com licença — disse Irene, e mudou para italiano. — Com licença! Deixem-me passar, por favor. — Ela foi parar ao lado de Athanais e logo conseguiu negociar um preço para os seis. Sterrington, a mulher de terno, ficou feliz de pagar, desde que mediante um recibo.

A ideia de se refugiar em uma taverna parecia cada vez melhor. Uma bebida forte faria bem, e seria útil conhecer o local e ouvir as fofocas antes de voltar à procura por Kai. Pelo menos enquanto o grupo de feéricos aparentemente simpáticos não se virasse contra ela. Ela terminou de fazer o acordo com o gondoleiro e retomou o inglês.

— Todos a bordo, senhoras e senhores. Nós vamos sair daqui antes que alguém de ranking elevado requeira nossa embarcação para seu elefante de estimação e tenhamos que ir nadando para o bar.

Houve risadinhas e os demais entraram no barco estreito. O aluno que restava foi apresentado como Atrox Ferox, um feérico oriental vestindo couro preto e placas de vinil na roupa. Ele tinha uma arma moderna presa na lateral do corpo e o rosto parecia entalhado, sem expressão. Zayanna simplesmente entrou na água e nadou até o barco, passando um braço pela beirada para se segurar. Sterrington ajudou Irene a subir a bordo antes de entrar atrás dela, e Athanais se juntou a eles.

O gondoleiro ficou na parte de trás, o remo dramaticamente posicionado, e o barco começou a se movimentar, afastando-se da plataforma e indo pela lagoa até a cidade.

Era tudo que uma Veneza de contos de fadas *devia* ser, Irene concluiu com cinismo. As construções eram de tijolo e mármore, velhas e bonitas. Emergiam triunfantes e atemporais da névoa noturna, ardendo sob lampiões a óleo e luzes coloridas. Ao longe, ela via outros barcos, na verdade gôndolas menores, se deslocando com lampiões pendurados nas proas, e ouviu sons distantes de música e gargalhadas. À distância, alguém deu um grito breve e ficou em silêncio.

— Olhem — murmurou Sterrington, apontando para a plataforma de onde eles tinham acabado de sair. Uma carruagem de ébano, puxada por quatro cavalos pretos, tinha parado no começo da plataforma. Um criado estava ajudando uma mulher a entrar, enquanto outros criados guardavam suas malas. Mesmo de longe, Irene reconheceu Lady Guantes.

— Vocês acham que deveríamos ter ficado e tentado nos apresentar? — sugeriu Athanais. — Poderíamos ter feito algum pequeno serviço para ela, de dezenas de formas diferentes...

— Seria invasivo — interrompeu Atrox Ferox. Era a primeira vez que Irene o ouvia falar. A voz dele era como o rosto, cortante e fria. — Não se força atenção ao dependente de um patrão.

A mulher na água se aproximou para descansar na lateral do barco, apoiando-se em um cotovelo.

— Seria "força companhia" e não "força atenção".

— Sua correção é apreciada, Zayanna — disse Atrox Ferox em tom azedo. — Não se força companhia ao dependente de um patrão sem a permissão desse patrão. Um encontro casual é mais apropriado quando possível de planejar.

Enquanto tentava decifrar o significado do diálogo, Irene se viu imaginando se dragões também tinham problemas de linguagem. Haveria alguma linguagem dragoniana que todos falavam? Se sim, ela podia aprendê-la?

— Dez centavos por seus pensamentos, Clarice — disse Martha.

Irene buscou algo inocente para dizer.

— Estou surpresa de tantos de nós não terem tarefas imediatas. Seria porque nossos patrões estão mais preocupados com o tamanho dos seus cortejos do que com sermos genuinamente úteis?

Athanais, Martha e Zayanna riram. A boca de Sterrington tremeu nos cantos. Atrox Ferox ficou olhando mudo para a escuridão.

Irene deu de ombros.

— Imagino que algumas coisas sejam iguais em toda parte. — Ela sabia muito bem que cada tentativa de interação era um risco. Mas, se queria tirar informações deles, tinha que fazer a conversa fluir.

— Ah, olhem! — Zayanna surgiu na lateral do barco de novo e apontou para a margem da qual eles estavam se aproximando.

— Sim — disse Sterrington calmamente —, as construções são extremamente impressionantes.

— Não isso. Olhem para as pessoas!

Houve um momento de silêncio. Agora que eles estavam mais perto, era possível dar uma boa olhada nas pessoas passeando nas calçadas, apesar da neblina. Algumas podiam ser vistas nas janelas ou em outras gôndolas, e o denominador comum mais óbvio, Irene percebeu, era que todas usavam *máscaras*.

— É carnaval? — perguntou Irene, a voz pouco mais alta que um sussurro.

Martha deu de ombros.

— Estamos em Veneza, então é claro que é carnaval. Por que eu não *pensei* nisso? — Ela bateu com a mão na coxa. — Preciso de uma máscara!

— Nós todos precisamos, senão vamos parecer óbvios e deslocados — disse Athanais. — Clarice, você precisa pedir ao nosso barqueiro que nos leve a uma loja de máscaras primeiro. Por favor. — Ele apontou os olhos grandes de súplica para ela. Mais uma vez, ela sentiu alívio por seu disfarce parecer sustentar-se. Por enquanto, pelo menos.

Estamos em Veneza, então é claro que é carnaval. As palavras de Martha ecoaram na cabeça dela. Veneza como em sonho, não como realidade. Não era surpresa a água ter um cheiro agradável de sal e não de esgoto ou coisa pior. Não era surpresa terem conseguido pegar um barco com facilidade, e não após uma espera de séculos, e ainda terem negociado o preço com o barqueiro.

Como em nossos melhores sonhos... Mas em nossos pesadelos também? Não, melhor não pensar neles, só por precaução. Vai que os pensamentos se tornem reais?

Irene informou ao barqueiro a mudança de planos e sorriu para os outros.

— É bom saber que vocês confiam em mim para falar com ele. — Ela esperava não estar forçando demais a indiferença casual.

— Se não podemos confiar em uma estranha que conhecemos no Trem, em quem podemos confiar? — disse Athanais preguiçosamente. — Não estamos planejando assassinar os inimigos uns dos outros, afinal. — Fosse qual fosse a sua origem, parecia que ele era fã de Hitchcock.

— Claro que não — disse Martha rapidamente.

— Definitivamente não — concordou Sterrington.

— De jeito nenhum — murmurou Zayanna.

— Tais ilegalidades jamais seriam imaginadas — disse Atrox Ferox com firmeza.

O barqueiro esperou educadamente que todos terminassem de trocar gracejos para murmurar sua concordância para Irene. Mediante uma leve mudança no preço, claro.

— Clarice? — perguntou Martha. — O que ele disse?

— O que era de se esperar — disse Irene. — Estaremos lá em cinco minutos. Dez, no máximo.

Os outros trocaram olhares.

— Nós estamos cientes do favor que nos faz ao traduzir — disse Athanais, a linguagem se tornando mais formal. — Embora normalmente ficássemos felizes de lhe dever um favor, não temos certeza de que vamos vê-la de novo. Você consideraria suficiente se cobríssemos o pagamento da máscara e talvez uma ou duas bebidas?

No dia anterior, Irene ficara com medo de aceitar um café de um feérico. Agora, parecia que os feéricos também tinham problemas com favores e presentes.

— Eu consideraria uma troca justa, pelo menos até chegarmos a uma boa taverna — respondeu ela. — Além do mais, podemos nos encontrar no futuro. — *Se eu tiver muito azar.*

— Seria melhor então começar nosso relacionamento em bons termos.

Zayanna assentiu.

— É engraçado como sempre encontramos as pessoas que conhecemos, querida, embora eu suponha que tia Isra fosse dizer que é apropriado. Athanais e eu somos da mesma esfera, segunda da reticulação, terceira em resposta, e conheci Atrox Ferox quando ele estava nos visitando, à caça de um contraventor por ordem de seu comandante. E Athanais conheceu Martha...

— Acho que tia Isra pode ter se apressado ao julgar a todos nós como iniciantes — acrescentou Sterrington. O tom foi de pura esnobação, mas Irene se perguntou se ela pretendera deixar transparecer na voz o toque de violência reprimida.

O barco deslizou para um canal relativamente pequeno, entre duas filas de construções, com talvez cinco metros de largura e fileiras de lampiões de vidro com tons variados de verde e azul brilhando acima. Aqui, longe da lagoa aberta e entre os *palazzos*, a neblina caía em véus. Era suficiente para ofuscar, mas não para esconder totalmente. Irene tentou avaliar os arredores, perguntando-se quanto tempo demoraria para voltar para a baía se precisasse bater em retirada rapidamente. Talvez ela pudesse contratar um barco e fugir daquela cidade com Kai após tê-lo resgatado de onde era mantido prisioneiro. Depois, poderiam fugir partindo de outra cidade na costa. Se é que havia outras cidades na costa, ou qualquer coisa naquele mundo além de Veneza... Ela desejou saber onde ficava a biblioteca mais próxima.

Duas ruas (ou canais) depois, eles estavam na loja de máscaras. Era incrível o tempo que seis pessoas podiam demorar para escolher máscaras, mas todos conseguiram alguma coisa no final, enquanto o gondoleiro esperava, sem dúvida aumentando a tarifa a cada minuto que passava. O novo traje de Irene incluía uma meia-máscara de Colombina, de cor clara e com detalhes em vidro verde-água, amarrada com fitas azuis. A parte da qual ela mais gostou foi a longa capa preta, com um capuz grande e ocultador.

Agora trajando algo que a escondia de qualquer Guantes que se aproximasse, Irene percebeu que conseguia relaxar e prestar mais atenção à Veneza ao redor. O local estava mais cheio de vida do que parecera da plataforma do trem, na baía. Pequenas lâmpadas ardiam em templos ao longo das margens do canal, e sons vinham das casas altas e lojas pelas quais passava: música, canto, os gritos de uma discussão, o latido de cachorros. E os cheiros! Comida, vinho, velas de cera, lampiões a óleo, o odor de mar aberto...

Zayanna tinha entrado no barco e estava mais do que disposta a assumir a parte de Irene na conversa, permitindo que ela ouvisse os outros e se agitasse silenciosamente por trás da máscara e do capuz. Tudo aquilo era um disfarce útil, mas Kai ainda era prisioneiro... E o tempo estava acabando.

Na taverna, Irene foi detida à porta de entrada por Sterrington, que ainda estava satisfeita por pagar a conta do barqueiro, mas queria cada item listado e um recibo assinado. Quando enfim terminou de negociar com o barqueiro desanimado, todos os demais já tinham conseguido pedir suas bebidas, apesar das limitações no italiano.

Prováveis limitações no italiano. Irene não estava totalmente convencida de que todos eram tão ignorantes quanto alegavam. Seria burrice acreditar piamente na palavra deles.

— É o Prosecco local — disse Zayanna, dando para Irene uma taça cheia e a puxando para a mesa que o grupo selecionara. — Vamos virar!

— Vocês estão mesmo se divertindo — disse Irene. Todos tinham enchido as taças da mesma garrafa, então provavelmente era seguro. Ela bebeu. Nenhum sinal imediato de envenenamento. Bebeu de novo.

— É uma boa mudança me afastar de todas as minhas terríveis responsabilidades — disse Zayanna, com veneno inesperado na voz. — Tantos templos para administrar, tantas cobras para cuidar, e quando eu tenho a chance de tirar uns dias de folga para mim? Sou sempre eu que tenho que tirar o veneno das serpentes, enquanto meu mestre seduz os heróis. Não é *justo*, querida. — Ela tomou um gole de vinho. Obviamente, não era a primeira taça.

— Será que aceitam pedidos de transferência aqui? — disse Irene, pensativa. — Pelo que tia Isra disse, uma esfera de alto poder como esta poderia ser bem... estimulante.

Athanais deu um tapinha na mão dela.

— Não acredite em nada daquilo, Clarice. É o que dizem para encorajá-la a oferecer sua lealdade, mas nunca dá certo. Olhe para mim. — Ele suspirou. — Três vezes já me prometeram um lugar melhor na casa de alguém, mas foi assim que aconteceu?

— O que precisamos — disse Sterrington, colocando a pilha de recibos dentro do paletó — é de um informante local. Se queremos usar essa situação em vantagem própria, ou vantagem mútua... — Ela olhou para Atrox Ferox. — Ou para a vantagem dos nossos superiores, precisamos de informações melhores de como as coisas estão.

Irene sentiu vontade de se levantar e aplaudir, mas se controlou.

— Mas as pessoas daqui saberiam sobre... hã... sobre o motivo para termos vindo para cá? — Irene não sabia se dizer "o dragão aprisionado" em voz alta era apropriado. — E onde nós encontraríamos o tipo certo de pessoa para interrogar?

Ela olhou ao redor, tentando responder à própria pergunta. Pelo que podia avaliar, o barqueiro os levara para um bom lugar, com habitantes de verdade, e não uma armadilha turística. As outras pessoas bebendo ali, embora também mascaradas e usando capas, vestiam trajes que exibiam sinais de uso, e não como se tivessem saído diretamente da loja, como o de Irene.

— É preciso tomar cuidado — disse Sterrington. — Afinal, em uma situação assim, eles devem ter enchido a área de informantes, que vão relatar qualquer comportamento suspeito.

— E *eles* são...? — perguntou Martha.

— Quem quer que esteja no poder — disse Sterrington calmamente. — É a coisa sensata a fazer.

— Supondo-se que *eles* tenham muitos informantes com os quais encher a área — disse Zayanna. — Bons espiões ocupam uma fatia gorda do orçamento. — Ela esticou o braço para encher a taça novamente. — Ah, deuses, é tão bom beber uma coisa diferente de vinho de cogumelos! Eu juro que quando nosso mestre nos falou sobre essa viagem, estávamos praticamente assassinando uns aos outros por uma oportunidade de participar dela. Não *ligo* para espiões, dragões, sei lá, só quero ter a oportunidade de ser descuidada uma vez.

— Zayanna — disse Athanais, esticando a mão para tirar a garrafa de perto dela. — Talvez, se você bebesse um pouco menos por enquanto...

— Ah, deixe-a beber — disse Martha. — Só ficaremos uns poucos dias aqui, pelo que eu soube. É melhor aproveitar enquanto podemos.

— São só uns poucos dias? — perguntou Irene, tentando parecer plausivelmente ignorante. — Apesar de o leilão ser amanhã, deve haver socialização depois. Foi o que me disseram, pelo menos.

— Algumas pessoas podem ficar mais — disse Sterrington. — Não estou totalmente informada. Mas o Trem vai embora em três dias. Só pode ficar esse tempo no mesmo lugar. Seu patrão voltará por outro caminho?

— Talvez — concordou Irene, o estômago despencando de novo. Era o fim de qualquer ideia de esconder Kai depois do leilão e então embarcar sorrateiramente no Trem, quando o calor metafórico tivesse passado. Era verdade que o leilão era o prazo mais urgente, mas esse obstáculo adicional não ajudava. — Ele não me conta tudo. É difícil organizar as coisas. — Ela deu de ombros.

— Estou surpreso de você não estar com ele, caso seja sua intérprete pessoal. — Sterrington proferiu a declaração com casualidade, mas Irene sentiu os pelos da nuca se eriçarem em sobreaviso.

Ela deu de ombros de novo, o mais casualmente possível.

— Ah, ele não precisa de mim quando tem *outra* pessoa para encontrar. — Ela enfatizou a palavra para acrescentar uma sugestão de ligação imprópria e de um caso quente. — Eu não queria ser chicoteada por impertinência, então vim para outro lugar. Desde que eu volte antes do amanhecer, estarei bem.

— Ah, você é *esse* tipo de secretária particular — disse Martha, parecendo de repente muito afetada e crítica. — Eu não tinha... percebido.

Athanais revirou os olhos. Foi perceptível, mesmo por trás da máscara vermelha de couro. Ele continuou seguindo o tema escarlate, ao ponto de Irene ficar tentada a perguntar se ele estava incorporando deliberadamente a Morte Rubra ou se era apenas daltônico.

— Martha, querida, alguns dos nossos patrões usam o chicote para disciplinar, alguns usam o marcador de ferro quente e alguns usam contas de despesas, mas não vamos fingir que qualquer um de nós tenha muita escolha na questão. Se quiséssemos ter escolha, não teríamos feito juramentos aos nossos patrões. Vamos agradecer por termos a noite para nós. Clarice, tem comida aqui?

— Sinto cheiro de frutos do mar — disse Irene, tentando ignorar Zayanna cambaleando contra a mesa e os seus murmúrios de que ninguém se *importava* mesmo e era tudo *culpa* do patrão dela e ela ia fatiar o coração dele no altar de sacrifícios um dia, era só esperar pra ver. — Vou perguntar.

Dez minutos depois, pediram camarão com polenta, e a alegre proprietária Maria (que felizmente falava inglês) levou outra garrafa para a mesa deles.

— É sempre bom receber novos clientes no carnaval — disse ela com um aceno aprovador para as máscaras. — Podemos muito bem nos divertir antes da Quaresma, não é? E faço questão de dizer que meu pequeno estabelecimento é bom o bastante para receber o próprio Conselho dos Dez...

Martha estava abrindo a boca para falar alguma coisa, e Irene temia que não fosse *Sim, por favor, continue nos contando tudo sobre seus clientes* quando a porta da taverna foi aberta. Um homem de uniforme simples entrou, fazendo uma reverência e segurando a porta para mais duas pessoas, um homem e uma mulher com capas pesadas de couro preto e máscaras combinando em prateado e preto. Eles entraram juntos em um sopro de névoa e pararam na porta, observando a taverna.

Irene viu o brasão nas capas e foi tomada de uma desconfiança desagradável. Um par de luvas prateadas, cruzadas em um fundo preto. Suas mãos apertaram a beirada da mesa. A história podia ter se virado contra ela? Era agora a parte da narrativa em que a heroína disfarçada é confrontada pelos arqui-inimigos, ou possivelmente em que os protagonistas se encontram e se livram da espiã maléfica, tudo dependendo do ponto de vista do leitor? E o poder da história tinha sido tão *útil* até o momento...

— Olhem só — disse a proprietária. Ela andou para a frente e fez uma reverência até o chão. — Meu Lorde e minha Lady Guantes. Bem-vindos à minha taverna!

CAPÍTULO 14

— Minha querida. — Lorde Guantes conduziu Lady Guantes para dentro do salão e a acomodou em uma das mesas maiores, antes de se virar para a proprietária. — Seu estabelecimento nos agrada muito, Donata. O de sempre, por favor. — O olhar mascarado percorreu as instalações e observou a mesa de Irene. Ele tinha voz grave, de baixo, mas não de baixo profundo, e o inglês apresentava um leve sotaque, embora Irene não conseguisse identificar de onde.

Todo mundo na mesa de Irene ficou de pé rapidamente para fazer uma reverência na direção dos recém-chegados. Irene se levantou com o resto, sentindo o coração despencar no chão.

É agora. Estou completamente encrencada. Mesmo que não nos chamem, os outros vão sugerir que nos apresentemos a eles. E Lady Guantes deve saber como eu sou. Talvez até me reconheça através da máscara...

Sua mente girava como uma rodinha de hamster movida a energia nuclear, sugerindo e rejeitando planos a uma velocidade que daria orgulho aos supervisores. Caso ela voltasse a vê-los.

Se essa for mesmo a história dos Guantes e eu for apenas uma antagonista menor dentro dela, isto pode acontecer: eu sou descoberta e me prenderem a grilhões, fim de capítulo. E tudo termina com um leilão triunfante de um dragão e, depois, uma guerra.

Ela precisava ir embora. E, para isso, precisava de uma distração.

A atenção de todos ainda estava voltada para os Guantes. Irene pegou sua taça quase cheia, murmurou "**Vinho, aumente sua potência em dez vezes**" e se inclinou para trocá-la com a taça de vinho quase vazia de Zayanna.

Sterrington acabara de se virar para olhar para ela. Teria visto?

Irene pegou rapidamente a taça.

— Um brinde? — sugeriu ela.

— Um brinde a Lorde e Lady Guantes! — concordou Athanais. Todo mundo pegou suas taças e bebeu. Irene viu com o canto do olho Zayanna beber com vontade.

— Que educado. — A voz de Lady Guantes transbordava cordialidade. — Donata, mande outra garrafa do seu melhor vinho para aquela mesa lá.

A proprietária não tinha dito que seu nome era Maria? Mas assentiu em concordância, sem a menor reclamação. Talvez, naquele lugar, se você fosse humano era apenas um adereço de palco, e seu nome era aquele pelo qual o feérico escolhesse chamá-lo.

O grupo voltou a se sentar.

— Deveríamos nos apresentar? — perguntou Athanais com ansiedade e previsibilidade. — Seria cortês agradecer pelo vinho.

E você está de olho em outro patrão, decidiu Irene, *e tentando arranjá-lo antes de todos nós.*

— A cortesia apropriada seria beber o vinho e depois fazer o agradecimento — disse Atrox Ferox secamente. — Agradecer sem apreciação é não demonstrar estima pelo presente.

Obrigada, obrigada, obrigada, pensou Irene silenciosamente enquanto assentia, concordando. Ela estava observando Zayanna de forma discreta, mas até o momento a mulher se mantinha decididamente ereta.

— Estou surpresa de eles terem vindo aqui — disse Sterrington. Ela olhou ao redor novamente. — É bom, mas eu não esperaria que fosse um dos melhores restaurantes da cidade.

Ela foi interrompida por Zayanna, que deu um suspiro de satisfação longo e gorgolejante. A mulher colocou a taça na mesa com cuidado e caiu para a frente. *Droga. Exagerei.*

— Eu não achava que ela tivesse bebido tanto assim — disse Martha, visivelmente se distanciando da situação.

— Zayanna? — Athanais colocou a mão de dedos longos no ombro dela e a sacudiu delicadamente. — Zayanna, querida, minha pequena flor de mel, acorde.

Irene olhou com nervosismo para os Guantes. Eles não pareciam estar prestando atenção.

— Talvez um pouco de água fria — sugeriu Athanais com delicadeza. — Clarice, você pode pedir à proprietária...

— Pare de me sacudir — disse Zayanna com voz arrastada. — Vou vomitar...

Perfeito. Irene se inclinou para passar o braço em volta de Zayanna.

— Nós vamos lá para fora um pouquinho — anunciou ela para o resto da mesa, enquanto Athanais se encolhia. Aparentemente, o cavalheirismo feérico não existia em situações em que se pudesse sujar uma nova e linda capa vermelha.

— Boa ideia — disse Martha. Ela moveu um pouco a cadeira para longe, enquanto Irene levantava Zayanna e oscilava com o peso dela. Em sua mesa, os Guantes enfaticamente não prestavam atenção, e a proprietária estava servindo o vinho para eles. Irene esperava que isso quisesse dizer que a história estava do lado dela naquela noite.

Isso mesmo, continuem. Só não se deem ao trabalho de olhar para cá, não pensem nisso como algo incomum...

— Senhora. — Um dos outros clientes levantou a mão para chamar atenção de Irene, e apontou para uma porta à direita da taverna. — Aquela porta leva ao beco lá fora.

— Obrigada — murmurou Irene. Ela ajudou uma Zayanna cambaleante a passar pela porta, tentando ignorar os grunhidos preocupantes da mulher. Talvez fosse justiça poética, mas ela também não queria sujar de vômito *sua* bela capa nova.

Do lado de fora, o ar estava enevoado. A neblina estava ainda mais densa agora do que durante o trajeto de barco até a taverna. A temperatura pareceu reavivar um pouco Zayanna. Ela se encostou na parede e cambaleou, enquanto Irene olhava ao redor com nervosismo. Se houvesse alguém escondido ali, nos telhados, na esquina, ela nunca veria a pessoa se aproximar.

— Quero ir para casa — murmurou Zayanna.

— Fica um pouco longe, infelizmente — disse Irene. — Respire fundo algumas vezes e sente-se. Deixe-me ajudá-la. — O beco quase não tinha lixo, e foi fácil encontrar uma área relativamente limpa no chão. — Sente-se aqui. Vou buscar água.

— Não quero água. — Os cachos escuros de Zayanna caíram em volta do rosto quando o capuz caiu para trás. — Quero ir para *casa*. Quero estar com minhas irmãs, preparando-me para o sacrifício do amanhecer. Quero seduzir um herói. Você é uma heroína, Clarice querida?

— Claro que não — disse Irene rapidamente, enquanto Zayanna tentava se aconchegar nela. — Eu sou como você. Só uma mulher com um trabalho. — Ela não ouvira ninguém as seguindo da taverna; os outros deviam ter confiado nela para resolver as coisas.

Zayanna não estava falando mais.

— Zayanna?

A feérica bêbada soltou um suspiro suave. Críticos mais ferrenhos poderiam chamar de ronco.

Certo. Era o momento perfeito para Irene sair pela esquerda do palco e se afastar, antes de os Guantes ou qualquer outra pessoa se interessar. Ela devia se parabenizar. Coisa de livro. Só precisava sair andando agora... E, como observou sua consciência, deixar uma mulher inconsciente sozinha na rua, à noite, em uma cidade perigosa. Uma mulher que a própria Irene havia drogado. Várias palavras vieram à sua mente para qualificar esse tipo de comportamento. Não eram palavras gentis.

Mas Irene tinha uma missão e a vida de Kai estava em perigo. Onde estava seu senso de prioridade?

Ela mordeu o lábio.

— Falsa dicotomia — ela sussurrou, como se ouvir as palavras as tornasse realidade. — Não existe motivo para eu não ajudar os dois.

Ela sacudiu o ombro de Zayanna.

— Acorde, Zayanna. Onde você está hospedada? Onde seu patrão está?

Os olhos de Zayanna se abriram por um momento atrás da máscara.

— No Gritti Palace. Como o seu. — Ela desabou de novo.

Bom, aquilo podia dar certo, pois Irene estava mesmo planejando falar com Silver. Arrastar Zayanna consigo e deixá-la aos cuidados dos funcionários do hotel seria um esforço adicional, mas também um bom disfarce, ela garantiu a si mesma.

Ela é só uma feérica, e você provavelmente vai ter que fugir ou matá-la se ela descobrir quem você é de verdade, observou seu senso de praticidade.

Os pensamentos penetraram em sua mente. Mas, com um grunhido, ela se agachou e passou o braço de Zayanna por cima do seu ombro, para depois botar a mulher de pé. Era o que Kai faria. Provavelmente. Mesmo ela sendo feérica.

O canal mais próximo ficava à esquerda, junto à rua. Tomara que ainda houvesse gôndolas circulando.

— Cale a boca — murmurou ela para seu âmago pessimista e cambaleou em frente, junto com Zayanna.

Elas esperaram durante dez frios e úmidos minutos, que mais pareceram vinte, com Zayanna roncando delicadamente no ombro de Irene, até que uma gôndola aparecesse. Pelo menos o gondoleiro pareceu receptivo a um trajeto até o Gritti Palace.

— Talvez a bela visitante pudesse pagar primeiro? — sugeriu o gondoleiro quando Irene estava prestes a embarcar. Ele pediu o dobro do que o gondoleiro anterior havia cobrado para levar os seis por todo o caminho da plataforma à taverna.

— Eu esperava bem menos do que isso — disse Irene secamente. — Metade, para ser precisa.

O gondoleiro abriu as mãos.

— Ah, mas não tens pena de um pobre homem, madame?

— Sim, sem dúvida — disse Irene. — Ainda assim, é o que estou oferecendo.

— Tenho certeza de que a bela dama poderia dispor de um pouco mais — disse o gondoleiro. — Senão, vou ter que deixá-las sozinhas aqui na neblina, esperando um outro gondoleiro. — Ele indicou a névoa com expressividade. O barulho suave das ondas batendo nas casas se misturava aos ecos distantes de cantoria e conversas da taverna. Nenhuma outra gôndola podia ser vista ou ouvida.

Por fim, um valor que era dois terços do preço original acabou sendo suficiente. E ela avistou uma bolsa debaixo da capa de Zayanna. Com sorte, haveria o bastante lá.

Irene levou Zayanna para dentro do barco e, com um suspiro de alívio, acomodou-a na parte de trás. Seria uma amurada? Ela tinha de fazer um curso prático sobre "partes de um barco" qualquer dia desses. Teria sido muito útil se tivesse feito um antes de ir para lá. Com uma certa dificuldade, soltou a bolsa de dentro da capa de Zayanna e abriu. Moedas de ouro brilharam na luz dos lampiões a óleo ao longo do canal. Ela contou algumas e colocou na mão do gondoleiro, fazendo uma pausa quando viu os olhos dele se arregalarem de satisfação.

— Madame — disse o gondoleiro com seu tom mais meloso —, bela dama, sem dúvida são novas na cidade e não conhecem as taxas de câmbio, mas ainda não me pagaram a tarifa completa.

— Você recebe o resto quando chegarmos — disse Irene, fechando a bolsa e sentando-se ao lado de Zayanna.

O gondoleiro devia ter concluído que não conseguiria arrancar mais nada daquela mina de ouro no momento. Com um suspiro, ele se afastou do beco e levou a gôndola para o meio do canal estreito. As casas se elevavam dos dois lados, quase assustadoras com sua altura e volume, mas também estranhamente tranquilizadoras com sua natureza ligeiramente instável. Essa parte da cidade era real. Seres humanos moravam ali.

Em poucos minutos, a gôndola virou à esquerda e foi para o meio de um canal maior, deslizando mais rápido agora. A névoa escondia as construções dos dois lados; eram massas escuras, enormes e semivisíveis, com a clareza borrada de lâmpadas ou janelas acesas brilhando como pedras preciosas ocasionais. Zayanna se aconchegou no braço de Irene com um murmúrio delicado, apoiando a cabeça.

Irene tentou se acalmar elaborando mentalmente seu futuro relatório, mas não estava dando certo. Chegou até a *Eu estava planejando procurar meu contato feérico e arrancar mais informações dele*, mas os pensamentos em Kai se tornaram cada vez mais urgentes. Ela só tinha até a meia-noite do dia seguinte. E a exaustão estava começando a surgir.

Eles passaram debaixo de uma grande ponte de pedra e, por um momento, as luzes à distância, ainda que poucas, sumiram. A mão de Irene apertou a lateral do barco e ela se obrigou a relaxar.

Não era a escuridão que a incomodava, mas o que podia estar escondido nela.

O gondoleiro murmurou alguma coisa que pareceu uma ópera, e a gôndola saiu do outro lado. A névoa estava mais densa do que nunca, mas pelo menos agora Irene conseguia ver as luzes ao longe.

— Diga-me — ela começou a elaborar uma pergunta para o gondoleiro —, é sempre tão cheio de névoa por aqui...

Sombras caíram dos céus, despencando em rodopios de capas escuras, aterrissando na gôndola e a sacudindo violentamente. O gondoleiro falou um palavrão e fez o sinal da cruz; Irene se levantou abruptamente, deixando Zayanna cair para o lado. Eram três: dois na frente dela, equilibrados dos dois lados da gôndola, e um atrás. Ela conseguia ver as botas e capas com o canto do olho.

— O que é isso? — perguntou ela.

O gondoleiro fez o sinal da cruz de novo e se virou freneticamente para o remo, encolhendo-se para longe dos recém--chegados. Podiam ser homens ou mulheres. Era impossível saber. Usavam preto: coletes e calças pretos, lenços pretos em volta do pescoço, chapéus clericais de três pontas pretos e máscaras pretas simples, sem nenhum ornamento.

Zayanna se aconchegou sonolenta ao lado de Irene, apoiando a cabeça em seu colo.

— Nós somos os inquisidores negros — disse em italiano o que estava atrás dela. A voz poderia ser de qualquer gênero. Espalhou-se pela gôndola antes de a neblina sufocar o som.

— Os senhores da noite — sussurrou o que estava à sua direita.

— Os servos do Conselho dos Dez — murmurou o que estava à esquerda.

— Nós viemos pela escuridão para interrogá-la — disse o que estava atrás dela, com uma ausência apavorante de inflexão na voz. O barco estalou quando ele (ou ela) se moveu, inclinando-se na direção de Irene em um agitar da capa pesada. — E ninguém vai perguntar para onde você foi, porque sabem que não devem perguntar.

Irene engoliu o pânico. Seu primeiro pensamento foi: *Eles só estão tentando me assustar. Qual é a melhor forma de sair dessa situação?* Seu segundo pensamento foi: *Pode não haver uma saída.*

— Eu não fiz nada — disse ela apressadamente, de forma não específica e insincera.

As duas figuras escuras da frente cruzaram os braços, estátuas negras dos dois lados do barco.

Um som baixo veio da figura atrás dela. Podia ser o barulho de metal em couro, quase inaudível sobre o som da água no canal. A imaginação ofereceu a imagem de uma faca sendo puxada.

— Ainda assim, você vai nos contar tudo que sabe, aqui ou quando chegarmos ao nosso destino.

Eles sabem quem eu sou? Ou sou apenas a enésima turista azarada que é ameaçada pela polícia secreta mascarada?

— Por favor, digam o que querem saber — sussurrou Irene. Ela deixou um tremor artístico surgir na voz. — Não conheço esta cidade, cheguei hoje...

— Lorde e Lady Guantes entraram em um estabelecimento. — Houve um estalo quando a pessoa de trás mudou de posição de novo. A voz, ela achou que masculina, parecia mais próxima agora. — Alguns minutos depois, vocês duas saíram pela porta dos fundos. Por quê? Nós queremos respostas. Vocês vão dá-las para nós.

Então eles eram ou servos de Guantes ou ligados de alguma forma às autoridades da cidade. A reação do gondoleiro sugeria a segunda opção.

O canal parecia infinito. A névoa formava cortinas dos dois lados da gôndola, escondendo facas desembainhadas e possíveis gritos abafados. Eles estavam em uma pequena bolha de silêncio, no centro do canal, onde ninguém podia ver nem ouvir o que acontecia. Irene não achava que fosse possível estar tão sozinha em um lugar público.

— Minha amiga estava bêbada — disse Irene. Ela sentiu os músculos de Zayanna se contraindo sobre sua perna. *Ela está acordada. Ou acordando.* — Eu tinha que tirá-la de lá.

Os dois na frente dela balançaram as cabeças mascaradas ao mesmo tempo.

— Não é bom o bastante — disse o que estava atrás dela. — Uma dama e um cavalheiro tão nobres não ficariam surpresos com um pouco de embriaguez. Vamos ouvir algo melhor, senão vocês vão para as Prisões. — Ele deixou a palavra se alongar, acariciando-a com a voz.

Ela poderia tentar empurrá-lo para trás, mas ficaria vulnerável aos dois na frente; e vice-versa, se partisse para cima dos dois. Eles estavam em local mais alto, e ela não tinha nada além dos fundos do barco para trabalhar.

— Meu patrão e os Guantes têm um desentendimento! — Não foi preciso esforço para falar com desespero, e era quase verdade. — Sim, eu admito, aproveitei a desculpa para sair de lá antes que me vissem, mas eles teriam me usado como exemplo, para mandar um recado. Eu tinha que fugir!

— Plausível — disse o da direita —, mas não temos provas.

— Repare que ela não está dando nomes — disse o da esquerda. — Acho que ela devia nos dar uns nomes, não?

— Que tal? — Mais uma vez, o som de metal em couro atrás dela. — Forneça alguns nomes, mulher. Conte-nos alguns *segredos*.

Irene pesou as opções. Se dissesse o nome de Silver, eles o interrogariam, e ele possivelmente a entregaria para se salvar. Mas se ela inventasse algo aleatório, eles provavelmente identificariam as inconsistências, e ela estaria com mais problemas ainda.

Ademais, ela não estava convencida de que eles a deixariam livre, de qualquer modo. Independentemente do que contasse. Por mais que confessasse.

— Não posso dizer — disse ela, a voz tremendo. — Eu seria punida.

Zayanna estava tensa sobre sua coxa, os músculos contraídos embaixo da capa.

— Bah! — O que estava atrás deu um chute no meio das costas de Irene, jogando-a de barriga no chão da gôndola. Uma Zayanna agitada de repente ficou presa embaixo do seu corpo. — Peguem o alicate e os sacos...

Enrolada na capa, a máscara se soltando, Irene tentou colocar as mãos sob o corpo, mas Zayanna se contorceu para o lado e tirou seu equilíbrio novamente. Ela bateu a cabeça no assoalho da gôndola e sentiu o homem atrás dela apoiar o pé em suas costas, segurando-a no chão.

Ela precisava de uma saída rápida. E o único caminho de saída... era para baixo.

As lutas e a movimentação de Zayanna encobririam o barulho.

— **Tábuas do barco** — ordenou Irene em um sussurro baixo, os lábios na madeira —, **separem-se e abram espaço agora!**

Foi exigido dela mais do que ela esperava: a energia fluiu do corpo como água jorrando por uma rachadura repentina em uma barragem. Ela quase não teve forças para respirar fundo, mas os resultados foram dramáticos. O barco se abriu da frente até a parte de trás, com uma expulsão repentina de madeira em todas as direções que a fez pensar rapidamente em diagramas de perspectiva explodida e imagens do tipo "corte e faça sua própria gôndola".

Brevemente.

Logo, ela estava na água.

Irene esperava que aquilo acontecesse, ao contrário de qualquer outra pessoa ali. Além disso, ela estava virada para baixo e pronta para mergulhar, enquanto todas as outras pessoas estavam de pé ou brigando. Suas mãos foram até o pescoço para soltar a capa, e ela bateu os pés freneticamente na água, mergulhando mais fundo em uma tentativa de fugir da agitação na superfície.

A água estava fria, o frio do mar aberto recém-chegado do oceano que alimentava os canais de maré da cidade escura e cheia de lodo. Ela não tinha a menor ideia da direção para a qual estava nadando depois de algumas braçadas, e só podia se concentrar em tentar ir para *longe*.

Então algo se fechou em seu tornozelo.

Irene sufocou um grito, prendendo a respiração, e chutou o que (ou quem) a estava segurando, cheia da energia repentina do pânico. Estava ficando sem ar, e embora estivesse quase certa de que ia para longe do barco, era aí que a certeza dela terminava.

A coisa (ou pessoa) segurou o tornozelo dela de novo. No mesmo momento, seu braço bateu em algo sólido. Ela perdeu o foco e subiu para a superfície em um movimento repentino, emergindo ao lado da base de uma construção. Ela respirou fundo, piscando para tirar a água dos olhos.

A cena à frente era mais audível do que visual. A névoa escondia qualquer perseguidor, mas, apesar dos seus efeitos abafadores, ela conseguia ouvir a agitação. O gondoleiro vociferava ameaças e orações, variando entre invocar a Virgem e jurar vingança sangrenta contra as vacas que destruíram sua gôndola, mas se concentrando de um modo geral na perda do barco. Irene sentiu uma pontada de culpa.

Zayanna apareceu ao lado dela, a cabeça e os ombros saindo da água como uma estátua clássica. O cabelo estava grudado nas bochechas e nos ombros nus, e os olhos captavam a luz e cintilavam na escuridão, as pupilas fendidas e nada humanas.

— Como foi que você *fez* aquilo, querida? — sussurrou ela, a voz quase inaudível.

— Agora é mesmo a *hora* para isso? — sibilou Irene em resposta. — Podemos sair daqui primeiro e discutir essas coisas depois? — Com sorte, bem depois, ou seja, possivelmente nunca.

— Era você que eles estavam interrogando — observou Zayanna. — Eu não estava envolvida...

— Ah, claro, e eles iam mesmo acreditar nisso considerando que estavam atrás de respostas. O único motivo para não a terem interrogado ainda foi por acharem que você estava dormindo...

Houve um estalo alto e o som de passos correndo perto de onde a ação estava acontecendo. Irene parou e fez um leve gesto de nadar com a mão.

Zayanna assentiu, permitindo-se deslizar para baixo novamente. Juntas, as duas nadaram silenciosamente pelo canal, mantendo-se em posição baixa na água, as cabeças pouco visíveis na superfície.

Duzentos metros depois, elas já tinham atravessado mais dois canais e quase foram atropeladas por um barco de carga que passava. Irene estava se sentindo muito mais cansada do que o normal para uma nadada rápida.

— Pare por um momento — disse ela, arfando, tentando falar em tom de pergunta, sem conseguir. Tinha perdido os sapatos em algum lugar na água e desejava estar de biquíni, como Zayanna. Seria bem mais fácil nadar.

— Só um pouquinho mais e podemos subir do outro lado da rua — disse Zayanna. Ela subiu com facilidade para as pedras da calçada, sentando-se na margem do canal com as pernas na água, a pele parecendo ouro líquido à luz dos postes. Os olhos estavam normais de novo. — Você não é uma grande nadadora, é?

— É mais uma habilidade para emergências — ofegou Irene. — Pelo menos, eu não me afogo.

— Esse é seu único critério? — Zayanna chutou a água, espalhando-a na névoa em gotículas cintilantes.

— Você ficaria atônita com a quantidade de garotas na minha antiga escola que *quase* se afogaram. — Irene apoiou os cotovelos nas pedras, ainda não se sentindo preparada para subir. Estava exausta. Não sabia se a culpa era do exercício, do uso da Linguagem ou das circunstâncias estressantes.

Possivelmente, de todas essas coisas. Ela precisava dormir. Só um pouquinho. Não poderia salvar Kai se estivesse desabando no meio do resgate por falta de sono. Nem a água fria estava ajudando muito. — Todo verão, havia alguma de nós que achava que sabia nadar e descobria que não sabia. Sem mencionar as que caíam no gelo. Nadar bem o bastante para não se afogar era útil.

Zayanna inclinou a cabeça.

— Parece dramático demais, querida. Eles treinavam heróis?

— Heroínas, em sua maioria. — A aula de linguagem também era *world-class*. Literalmente. — Eu não era uma delas.

— Então o que exatamente está acontecendo? — Zayanna levou as mãos para trás da cabeça para tirar um pouco da água do cabelo. — E como você quebrou o barco?

Aquilo provavelmente não acabaria bem.

— Você deve ter ouvido o que os homens de preto disseram — começou Irene com cautela. — É verdade que eu queria tentar ir embora antes que Lorde e Lady Guantes reparassem em mim. Quando você apagou, aproveitei a oportunidade para sair. Admito.

Zayanna pensou nisso e deu de ombros.

— Bem, você *ia* me levar para o meu hotel. Eu me lembro disso. Foi gentil da sua parte. Teria sido ainda mais legal se você tivesse voltado para me pegar, depois de ter jogado nós duas no canal. Como você fez isso mesmo, aliás?

— Segredo do ofício — disse Irene com firmeza.

— Desculpe.

Zayanna riu.

— Eu não esperava de verdade que você me contasse! Não seja tão boba. Clarice, essa noite está sendo *maravilhosa*, e desde que eu não me meta em problemas com os Guantes nem com ninguém por causa dela, acho que vai ser o começo de uma bela amizade.

O calor da atividade estava passando e Irene podia sentir o frio da água do canal chegando aos ossos. Deixava tudo gelado e distante, desde o seu corpo até o sorriso de Zayanna. *É o choque*, ela fez o diagnóstico de si mesma. *Não deixe que tome conta de você.*

— Eu não me incomodaria com isso — disse ela, recompondo-se. E talvez pudesse ser verdade, depois que a história toda estivesse resolvida, depois de Kai estar seguro e de tudo o mais voltar ao normal. Talvez elas pudessem encontrar um jeito de ser amigas, apesar de tudo. *Mas ela é feérica*, seu bom senso sibilou enquanto ela tentava se controlar. — Mas aqui e agora nós precisamos chegar ao Gritti Palace. — Ela subiu pela lateral do canal. Foi bem menos graciosa do que Zayanna, e ela sabia que era bem menos atraente também. Seu traje não fora feito para aquilo.

— Veja o lado bom, querida! — Zayanna apertou o ombro dela de forma reconfortante. — Nós fugimos! Agora, *só* precisamos invadir uma dessas casas e convencer os habitantes a nos levarem ao Gritti Palace. Talvez até nos emprestem algumas roupas.

Que ótimo, pensou Irene, *acabei de conhecer alguém que faz planos mais imprudentes do que eu.*

— Pode mesmo ser o começo de uma bela amizade — concordou ela, e não pôde deixar de sorrir.

213

CAPÍTULO 15

No final, foi a pura exaustão que forçou Irene a passar o que tinha sobrado da noite em um dos armários de lençóis do Gritti Palace. Ela teve que se encolher sobre uma pilha de cobertores, usando um vestido roubado, ainda cheirando a água do canal. Não foi a noite mais desconfortável que ela já tivera, mas ainda estava longe de ser uma noite ideal de férias em Veneza.

O som de sinos a acordou. O barulho soou pelas paredes do hotel, penetrando até mesmo no pequeno armário, e ela despertou com um susto, batendo a cabeça na prateleira mais baixa e piscando na escuridão. Irene demorou um momento para se orientar. E os sinos ainda estavam tocando, assumindo padrões próprios de velocidade e tom, de alguma forma harmônicos apesar da falta de unidade. Ela tentou contar as badaladas na esperança de adivinhar que horas eram, mas não havia como saber quanto tempo ela tinha até a meia-noite e o leilão.

Quando ela e Zayanna chegaram ao Gritti Palace, depois de dois incidentes menores envolvendo o roubo de um par de vestidos, ela estava tão exausta que foi difícil não desabar na hora. Eram duas ou três da manhã, mas o hotel ainda estava cheio de luzes e de pessoas correndo de um lado para outro em passagens. Alguns gritos de "Meu Deus, meu marido!" e "Rápido, se esconda atrás da cortina!" bastaram para Irene reconhecer os ingredientes de uma farsa. Possivelmente, várias farsas, todas acontecendo simultaneamente. Ela não queria chegar nem *perto* do quarto de Silver nessas circunstâncias.

Ela e Zayanna se separaram, supostamente para encontrar seus respectivos patrões. Irene desconfiava que Zayanna estava mais interessada em encontrar mais álcool. Não podia culpá-la. Ficaria agradecida por uma taça ou duas de conhaque.

Ainda assim. Aparentemente, amanhecera. Era hora de sair discretamente do abrigo e encontrar Silver, e com sorte tirar dele mais informações.

Quando saiu do armário de roupas de cama, ficou claro que, como a maioria dos aristocratas depravados, esses feéricos não levantavam cedo. E, se havia um clichê literário que requeresse acordar cedo para cumprir um dia cheio de libertinagem, Irene ainda não o tinha encontrado. As únicas pessoas acordadas até o momento eram criadas, criados e atendentes de nível mais baixo, que corriam de um lado para o outro carregando bandejas de comida e pilhas de roupas. Isso facilitou as coisas para Irene, que apanhou uma pilha de lençóis e assumiu uma expressão adequadamente apressada e atormentada. Ela se misturou bem. *Sentia-se* atormentada. Seu vestido era escuro e velho, o segundo melhor vestido de domingo de alguém, e não chegava nem ao nível das empregadas do hotel, mas o corpete estava bem amarrado e o cabelo tinha sido penteado com os dedos e preso em uma trança apertada. Ela não parecia anacrônica nem de outro mundo, e essa era a coisa mais importante.

A escada dos fundos era igual a de qualquer outro hotel. Era estreita, apertada e cheia de pessoas sobrecarregadas, subindo e descendo o mais rápido possível. Ninguém se dava ao trabalho de usar máscaras.

Uma mulher, o cabelo louro caindo desgrenhado pelas costas, segurou o braço de Irene enquanto passava.

— Você viu as salsichas?

— Não — disse Irene.

— Virgem misericordiosa, o cozinheiro vai matar alguém — gritou a mulher, e desceu a escada correndo de novo.

Panóplia rica de experiência humana, drama de um Grande Hotel etc., concluiu Irene enquanto seguia apressada.

Ela tinha notado os criados que Silver levara consigo na noite anterior. Alguns instantes perambulando nos fundos da escada permitiram que ela enfim avistasse um deles e o seguisse até a suíte de Silver, no terceiro andar. Irene esperou até que não houvesse ninguém por perto, largou a pilha de lençóis em um banco de janela conveniente e bateu na porta.

Johnson a abriu e seus olhos se arregalaram. Ele segurou Irene pelo ombro e a puxou para a sala com decoração intrincada, batendo a porta quando ela entrou.

— Você vai arrumar problema para o meu lorde vindo aqui em público assim! O que acha que está fazendo? — sibilou ele.

— Johnson? — A voz de Silver soou preguiçosamente no quarto. — Quem é?

Johnson respirou fundo e recompôs o semblante. Ele agora irradiava só um leve desgosto em vez de aversão severa.

— É *ela*, meu lorde.

— Ah! Bem, traga a ratinha para cá. Tenho alguns comentários sobre o desempenho dela.

Sem soltar o seu ombro, como se com medo de que ela saísse correndo, Johnson guiou Irene até o quarto. Era um aposento esplêndido, mais ainda do que a sala. As paredes eram de gesso branco polido, que brilhava como mármore, e o piso era um mosaico de pequenos tacos de madeira clara. A parede mais distante era toda coberta por uma janela que se abria para uma sacada com vista para o canal lá embaixo e o edifício do outro lado. Cortinas de renda estavam amarradas e o sol iluminava o aposento. A névoa tinha sumido e o céu exibia um azul claro e lindo. O quarto era dominado pela cama de casal, que se projetava da parede até o centro, como se sentisse que precisava enfatizar sua presença. Silver estava deitado nela em meio a um emaranhado da colcha azul-clara e de lençóis brancos, enrolado em um roupão de seda azul-marinho que o deixava quase indecente. Considerando o jeito como estava deitado, com o roupão aberto até a cintura, Irene ficou tentada a rebaixar sua avaliação anterior para totalmente indecente.

Ele balançou a cabeça em um fingimento de tristeza.

— Querida srta. Winters, achei que a tivesse perdido.

— Besteira, meu lorde — disse ela rispidamente. — Tenho certeza de que ficou feliz por estar livre de mim.

— Uma coisa não exclui a outra. — Ele brincou com um prato que continha pedaços de alguma guloseima de massa açucarada e frita. Com canela. Irene sentia o cheiro do outro lado do aposento e tentou impedir o estômago de roncar. — Então... Concluo que não tenha havido tentativas ousadas de resgate ainda?

Irene hesitou.

— Foi uma piada, espero.

— Infelizmente, sim. — Ele levou um dos petiscos até a boca e mordiscou. — Hum, muito bom... Gosto de vir para cá. É um lugar muito seguro e confiável.

Essas não eram as palavras que Irene teria usado para descrever aquele alternativo. Ela ergueu uma sobrancelha e cruzou os braços sob os seios.

— Ah, não, isso não está nada bom. — A voz dele pingava mel, tão intensa quanto um cantor de ópera prestes a descer uma oitava em um único solfejo prolongado. — Minha lady. Perdoe-me por me referir a você como ratinha. Já passamos disso. Sinto que falhamos ao estabelecer qualquer comunicação razoável aqui. Não me sinto realmente *necessário*, menos ainda desejado. Não está bom assim.

Irene se manteve firme.

— Lorde Silver. — Ela tentou não trincar os dentes porque, se ele sentisse a sua impaciência, ela talvez não conseguisse respostas. — Caso eu salve Kai, isso vai ser bom para nós dois, considerando sua rixa com os Guantes. Peço desculpas se meu jeito não o agrada, mas tenho perguntas urgentes.

Ele lambeu os restos de açúcar dos dedos.

— Sei que tem, minha ratinha. Sei que são *muito* urgentes. Acho que desejo ver o quanto. De joelhos, ratinha. Aqui, por favor. — Ele indicou a lateral da cama.

Por um momento, Irene só conseguiu pensar em dizer "O quê?". Ele já tinha flertado com ela, lançando sobre ela o seu glamour como um pavão exibindo a cauda. Mas se comportara do modo como faria com qualquer ser humano, e não por estar realmente *interessado* nela. Assim, parecera-lhe comparativamente seguro.

— Agora. — Silver indicou o chão. — Ah, não se preocupe. Eu não vou *fazer* nada com você, ratinha. Você está com fome, não está? Escondida a noite toda, correndo por corredores... — Ele conseguia fazer as palavras soarem ao mesmo tempo bonitas e depravadas, sugerindo coisas indizíveis sobre a noite e os corredores. — Deixe-me alimentá-la. Deixe-me responder às suas perguntas. — Os olhos dele brilharam: maldosos, ávidos, famintos. — Deixe-me ver o quanto suas perguntas são *urgentes*, ratinha. Ajoelhe-se. Ou saia daqui.

Ela não tinha opções, não tinha aliados, e Silver estava levando a questão para o lado pessoal. De forma muito deliberada, estava levando para o lado pessoal. Talvez a rara oportunidade de humilhar uma Bibliotecária alimentasse de poder um ser como ele.

Ela cerrou os dentes e fez o que ele mandou. A barra do vestido roçou no chão quando ela o abriu em um leque escuro, sentando-se sobre os calcanhares ao lado da cama. Johnson tinha ido até a porta. *Para montar guarda? Ou só não queria assistir?* Era mais fácil tentar analisar as motivações do criado do que pensar em seus próprios sentimentos.

— Pronto. Bem melhor. — Silver rolou de lado, levando a bandeja de guloseimas junto, e se apoiou em um cotovelo enquanto olhava para ela. — É bom saber que você é sincera, minha ratinha.

Irene olhou para as mãos cruzadas no colo. Sentiu um certo orgulho de os dedos não estarem brancos e apertados, mas sim perfeitamente imóveis e calmos, como se ela fosse pura serenidade e autocontrole. A luz da manhã que entrava pelas janelas era intensa e clara o bastante para ela conseguir enxergar as pequenas cicatrizes, linhas brancas e finas que se espiralavam das palmas até os pulsos. Lembranças de outro confronto com um monstro bem pior do que Silver podia ser.

Sim. Era simplesmente *mesquinho.* Exigir que se ajoelhasse, fazer os joguinhos dele. E por que exatamente Silver desperdiçaria seu tempo para exercer uma dominação mesquinha sobre ela? Pessoas que estavam no controle de verdade não precisavam fazer isso.

— Onde estávamos mesmo? Ah, sim. Você tinha algumas perguntas. Por que não me faz uma delas?

— Onde Kai está sendo mantido prisioneiro? — perguntou Irene.

— Nas Prisões — disse Silver na mesma hora. — Ou melhor, nos *Carceri*, como chamam aqui. É uma das características principais desta maravilha de esfera, afinal. Eu devia ter percebido que tinha sido *por isso* que o leilão fora marcado para acontecer aqui, e não apenas pela localização. Talvez uma pergunta mais genérica tivesse sido melhor, hum?

Irene olhou para ele e soube que sua repulsa se evidenciava no olhar.

— Você pode esperar várias coisas de mim, mas espero que não ache que estou gostando disto. E não vejo por que não me contou isso antes.

— Eu não contei antes porque não sabia — disse Silver. — Mensageiros dos Dez estavam esperando em nossas hospedagens para nos dar a notícia e aumentar o drama. Imagino que eu devesse ter pensado a respeito, mas pareceria um tanto extremo. Os *Carceri* foram construídos para prender a nossa espécie. Seria de se supor que um calabouço normal bastaria para aprisionar um mero príncipe dragão. Quanto a você gostar disto ou não, não vem ao caso.

Ele pegou um pedaço pequeno de massa açucarada no prato.

— Sabe, minha ratinha, eu preciso de *uma coisa* de você. Sou um feérico, afinal de contas, e não consigo me sustentar só com honra e benevolência. Não é da minha natureza. Por mais que você queira que eu apenas responda às suas perguntas importantes. Se eu não puder provocar desejo puro e absoluto, uma boa dose de vergonha e ódio dá quase no mesmo. E vou sentir se não conseguir. Agora, abra a boca, deixe-me oferecer-lhe o seu café da manhã... — Ele deve ter notado a forma como ela se encolheu para longe dele. Ela não tentou esconder. — Ou você pode apenas ir embora e tentar resolver tudo sozinha. Depende totalmente de você.

Irene teve que respirar fundo algumas vezes para se manter ajoelhada ao lado da cama de Silver. As mãos seguravam a saia de linho com força enquanto ela se concentrava para não bater na cara dele.

— Podemos negociar? — perguntou ela.

— Estou preparado para ouvir. — Silver segurou o doce pouco acima do rosto dela, olhando para baixo com ar de tanta satisfação que devia estar lambendo os lábios.

Irene se levantou.

— Então acho que vou preferir a vergonha e a humilhação.

— Suas veias pulsavam de raiva, mais quentes do que sangue, e ela olhou para ele com aversão. — Suas.

— O quê? — Ele teve que rolar para o lado para olhar para ela e o roupão se abriu, revelando um triângulo do peito. Um fragmento de desejo surgiu nela como reação ao poder que ele irradiava, mas foi facilmente sufocado por sua irritação. — Como ousa?

Irene lhe deu as costas para andar pelo quarto e se sentar em uma das cadeiras, sem se apressar e ajeitando a saia com cuidado antes de responder.

— Lorde Silver. Você se dirigiu a mim como "lady" antes. Eu prefiro que continue assim, em vez de me tratar como subordinada, e mais ainda como subordinada inferior.

Os olhos de Silver refletiram a luz como pedras preciosas multifacetadas, enquanto o rosto assumia o esgar arrogante do orgulho ofendido.

— Foi você quem veio aqui fazendo perguntas — cortou ele.

— Não gosto desse tipo de comportamento, srta. Winters. Não gosto mesmo. — Havia aquele toque de paixão nas palavras dele de novo, mais forte desta vez, enquanto ele se concentrava nela.

Mas o fato de ele estar tentando negociar deu a prova de que Irene precisava. Ele não estava nem um pouco no controle da situação: nem em geral, aqui em Veneza, e definitivamente não naquele quarto com ela. Naquele exato momento, ele precisava da ajuda dela bem mais do que ela da ajuda dele. E todos os joguinhos foram para tentar desequilibrá-la, para impedir que ela percebesse esse fato. Ela se permitiu sorrir.

— Lorde Silver, não ligo para o que você gosta ou não. Aqui e agora, se eu não salvar Kai, Lorde Guantes triunfará, e você está condenado. Você pode me dar a informação que quero, e pode ser que isso o salve. Ou pode ficar deitado na cama comendo doces até o telhado cair sobre sua cabeça. A decisão é totalmente sua. Porque, para ser sincera, se você terá ou não um destino terrível nas mãos de Lorde Guantes não faz a *menor diferença* para mim. Kai importa. Você, não.

Ele olhou para ela. E sorriu. Não foi exatamente um sorriso gentil; foi uma curvatura sugestiva dos lábios, um toque de dentes metafórico... Uma expressão que não levou humor nenhum aos olhos dele. Mas foi um sorriso.

— Minha lady Winters, você está florescendo nos ares desta cidade como uma rosa na primavera. Diga-me, o que mais gostaria de saber?

— Tudo — disse Irene secamente. — Mas vamos começar com esses *Carceri*. Suponho que o nome signifique mais do que apenas a palavra *prisões* em italiano.

Silver se sentou ereto, com as pernas para fora da beirada da cama.

— Não sei o quanto os pequenos Bibliotecários sabem sobre a minha espécie — começou ele. — Suponho que conheçam todos os destaques escandalosos, mas quase nada de útil. Assim, vamos começar explicando este lugar: você sabia que, conforme os de minha espécie crescem em poder, vão ficando mais fiéis a si mesmos?

Traduzindo: tornam-se estereótipos ambulantes. Irene assentiu em concordância, preferindo manter o olhar no rosto dele em vez de olhar para outro lugar.

— Bem. — Ele selecionou outro doce. — Alguns de nós se tornam tão grandiosos que não podem mais ser confinados a uma única esfera ou mundo. Você sabe sobre o Cavaleiro, que nos trouxe para cá?

Irene assentiu de novo.

— E seu Cavalo — disse ela, para mostrar que estava prestando atenção.

Silver deu de ombros.

— Isso também. Mas, conforme vamos ficando mais fortes, podemos andar entre mundos. Eles tremem à nossa passagem. — Ele sorriu com a ideia, e a luz da manhã deixou seu rosto bonito, apesar das palavras. — Nesse nível, não conseguimos mais tocar nem entrar nas esferas mais rasas, senão as quebraríamos, e menos ainda tolerar os mundos pequenos de onde vem seu amigo Kai.

Irene tremeu, grata por pelo menos alguns mundos estarem livres dos feéricos mais poderosos.

— Estou contando isso, minha lady Winters, para explicar outro poder demonstrado por nossos grandes. No nosso canto do universo, por assim dizer, onde as forças do Caos dominam, alguns são tão poderosos que seu poder pode permear a própria terra sobre a qual andam. Dessa forma, eles conseguem instigar terremotos, afetar os movimentos das marés e coisas assim. Os dragões *acham* que controlam os elementos, mas nós temos nossos próprios métodos para influenciar nossos mundos.

Irene franziu a testa, tentando entender. E *queria* ter um caderno, para poder preservar todas as informações para a Biblioteca, supondo que conseguisse sair viva daquilo.

— Então, este mundo, ou pelo menos esta Veneza, hospeda feéricos com esse tipo de poder?
— Sim, está vendo? Você *entende*. Achei que deveria avisar, para jogar limpo. — Ele deu um sorriso alarmante. — Aqui, nos lugares mais hospitaleiros à minha espécie, as leis do mundo físico são fluidas, e os grandes podem tirar vantagem disso para dobrá-las conforme sua vontade. Ainda que os feéricos aqui brinquem com jogos de política mortal, não se esqueça de que o poder deles corre por este mundo como o sangue em suas veias.

Bom, mais uma razão para os mundos de alto nível de caos serem tão perigosos... Eu estou contaminada? Consegui usar a Linguagem ontem à noite, mas saberia se estivesse contaminada? Mais um pensamento lhe ocorreu.

— E é por isso que a atmosfera deste lugar é tão prejudicial a alguém como Kai? Assim como você, um ser do Caos, sofreria se estivesse em um mundo baseado na Ordem? — E por que esses governantes não tinham reparado em Irene? Ela era pequena demais para atrair sua atenção?

— E agora temos a segunda questão. — Silver se inclinou para a frente, observando-a. — Esta esfera em particular possui dois pontos que a tornam recomendável a muitos da minha espécie, incluindo Lorde e Lady Guantes nesse caso. Primeiro, é um terreno até certo ponto neutro para os feéricos, pois os governantes desta Veneza se mantêm acima das brigas com outros da mesma espécie. — Irene gostaria de perguntar mais sobre isso, mas ele continuou: — Foi por isso que os Guantes conseguiram convidar tantos dos meus semelhantes poderosos para o leilão. E discordâncias entre os convidados precisam ser suspensas neste território. O Conselho dos Dez, os grandes que governam aqui, não está sob o comando dos Guantes. Eles só os ajudam, auxiliam e incitam, enquanto bancam os anfitriões para o resto de nós. — Ele levantou um dedo para impedir as palavras que Irene não tinha dito. — Mas não pense que isso quer dizer que os Dez vão recebê-la de braços abertos, ratinha. Ao contrário. Tome cuidado com as atenções de quem você atrai.

Irene sufocou um suspiro. Só mais um detalhe que ele tinha omitido.

— Teria sido útil se tivesse mencionado tudo isso antes — disse ela. *Quando estávamos planejando isto*. — Mas achei que, historicamente, o Conselho dos Dez fosse só um grupo de conselheiros do Doge, e ele fosse o verdadeiro governante quando Veneza dominava a área...

— Ah, a história — interrompeu Silver. — Daqui a pouco você começa a falar de realidade, como se fosse uma coisa especial também. *Nesta* Veneza, o Conselho dos Dez governa a cidade das sombras, e todos o temem. Eles brincam com os agentes uns dos outros só por diversão, mas sempre se unem contra estrangeiros.

— E por que os Dez estão ajudando os Guantes? — perguntou Irene.

Silver deu de ombros.

— Apesar de os Dez não necessariamente apoiarem os Guantes, eles também não vão dispensar uma possível vantagem. Se houver guerra, eles não vão chegar nem perto, os dragões não têm como alcançá-los aqui. Não, os Dez vão deixar as coisas acontecerem e vão ganhar oferecendo o local do leilão. É uma escolha sensata.

— Se você diz... — respondeu Irene. Não valia a pena discutir. — Mas essa explicação vai dar em alguma coisa?

— Vai direto ao próximo ponto — disse Silver. Ele ficou de pé e andou na direção dela. — A prisão. Ou devo dizer Prisão? Ou Prisões? Os *Carceri*. Foram concebidos por Piranesi... — Ele viu a expressão no rosto de Irene. — Você está franzindo a testa. Talvez em outro lugar e tempo esse tal de Piranesi tenha passado a vida interpretando desenhos em ruínas romanas e mantido sua prisão no imaginário. Aqui, ela é real. É a base da imaginação desta esfera, a fundação sobre a qual a cidade foi construída. — Ele se inclinou para mais perto. — Para criar uma cidade em paranoia constante, minha pequena, onde espiões vigiam uns aos outros e correm como ratos por aí, onde todo mundo tem medo do que há por trás da máscara do vizinho, onde você pode postar uma denúncia anônima todas as manhãs na frente do próprio Palácio do Doge... Para isso, minha ratinha, é preciso que haja prisões. Prisões escuras e sufocantes, escondidas em sótãos ou porões. Mas ainda pior do que isso, ainda mais assustadoras, são as prisões que ficam *em outro lugar*, em dimensões acessíveis apenas por passagens que levam à escuridão, a grandes aposentos ecoantes e longas fileiras de celas.

Ele sustentou o olhar sobre ela, e sua voz era como seda na pele, uma coisa confiável e tentadora, que a impelia a beber as palavras dele em vez de analisar e pensar.

— Nessas Prisões, os *Carceri*, ninguém vai encontrá-lo nunca, porque ninguém vai saber onde você está. Não há luz do sol nem vento, só o movimento do ar em grandes túneis giratórios, que descem pelas longas passagens e escadas. Não há água fresca nem marés, só as poças fundas de água antiga que não se move nunca. Você vai encontrar pedra velha, madeira velha, correntes e instrumentos de tortura, e tudo é maior do que você é capaz de imaginar, mais antigo do que o tempo e mais paciente do que a eternidade.

A mão dele aninhou o rosto dela, e ele se inclinou para roçar a bochecha na dela e sussurrar no seu ouvido:

— E se você for pega, minha querida, é para lá que vão levá-la, por mais que você grite e se defenda, por mais lindamente que implore, por mais desesperadamente que lute. — A sua voz acariciava as palavras. — E vão deixar que fique lá até terem decidido a melhor forma de... se livrarem de você.

Ela estava se afogando em sua proximidade, em sua presença, o cabelo dele como seda em sua bochecha, a voz em seu ouvido, as mãos em seu rosto e pescoço. Dedos longos e frios percorriam a sua pele e a deixavam trêmula e com vertigens. Todas as responsabilidades a impeliam e tentavam afastá-la: o motivo de ter ido para lá, a marca da Biblioteca nas costas. Mas tudo que ela queria era querer o que ele queria: abandonar os desconfortos mesquinhos da realidade e cair nos olhos dele, ver para onde aquela voz e aquelas mãos a levariam.

O que *não* ia acontecer.

Ela se recuperou agarrando-se a tudo que era — *Eu sou uma Bibliotecária, eu sou Irene, não sou vítima de ninguém* — e fincou os pés metafóricos. Talvez essa fosse a história de Silver. Mas não era a dela. Ela não ia entrar no joguinho dele.

— Lorde Silver — disse ela, a voz áspera nos próprios ouvidos depois do tom suave e aveludado da dele —, você não terminou de me dizer tudo que preciso saber.

— Mas você realmente se importa? — Ele recuou um pouco, o bastante para olhar nos olhos dela. — Você não prefere... — Ele interrompeu a frase no meio, mas o significado ficou claro.

Ele prefere passar o tempo que tem me seduzindo a me deixar salvá-lo da destruição certa. E isso realmente dizia tudo que se precisava saber sobre feéricos que tinham ido longe demais em seu arquétipo.

Irene colocou as mãos nos ombros dele, mantendo-o afastado.

— Sim, eu me importo — disse ela. — E não, eu não prefiro.

Silver recuou para longe em um movimento suave que ela não pôde deixar de interpretar como *elegantemente musculoso e sedutor*, embora a parte eficiente do cérebro o rotulasse como abrupto.

— Eu poderia entregá-la — disse ele. — Os Dez apreciariam ter uma espiã Bibliotecária para interrogar. — Era para soar como uma ameaça casual, feita de uma posição de poder, mas ela viu o medo nos olhos dele, e saiu como uma reclamação petulante.

— E imagino que você diria que me atraiu até aqui para me entregar — disse Irene. Ela manteve o tom equilibrado e despreocupado. Quem cedesse primeiro perderia naquele jogo feérico. E havia muita coisa em jogo para que fosse ela.

— Ah, claro. — Silver deu de ombros. — E qualquer coisa que você dissesse sobre eu tê-la incitado a resgatar o prisioneiro seria vista como mentira.

Irene se permitiu sorrir.

— Então você não se importaria de eu acusá-lo de conluio com os dragões para salvar Kai — disse ela.

Silver olhou fixamente para ela.

— Ninguém acreditaria em você.

— Ah, mas nós estamos em Veneza. — Irene deu de ombros, como ele tinha feito. — Você mesmo disse. É uma cidade de espiões e prisões. Vamos acabar em celas adjacentes. Se eu cair, Lorde Silver, você cai junto. Você tem *tudo* a perder.

Um silêncio ameaçador ocupou o ar entre eles, mais alto do que qualquer discussão. Lá fora, o som das águas nos canais e o ressoar distante de sinos pareceram estar a mil quilômetros, enquanto os dois se olhavam.

Ele foi o primeiro a afastar o olhar.

— Você acredita que Kai esteja aqui — disse ela. Era melhor conseguir a informação e sair dali, antes que ele tentasse desafiá-la de novo. — Naquelas Prisões, naqueles *Carceri*. Eles são parte do que esta Veneza oferece aos visitantes? As prisões ideais para depositar os inimigos?

Silver deu de ombros.

— Acredito que sim. Não estive lá, nem preciso dizer. Dizem que os *Carceri* poderiam prender outros mais fortes do que eu. Tenho certeza de que seu dragão seria uma mosquinha lá dentro.

— E onde fica em Veneza?

— Se eu soubesse, minha lady Winters, eu contaria, mas infelizmente não sei. Os Dez consideram, digamos, *impróprio* compartilhar esse tipo de informação, e tenho que dizer que entendo o ponto de vista deles. Mas todas as minhas fontes concordam que só dá para chegar aos *Carceri* por algum lugar aqui em Veneza.

Nesse caso, não fazia muito sentido perder tempo interrogando-o mais.

— Então, Lorde Silver, em resumo: Kai está em algum lugar por aqui, cm uma prisão que só pode ser acessada por esta cidade, mas você não sabe onde fica a entrada, nem como entrar, nem como podem ser as condições lá dentro, exceto em termos que um autor melodramático pseudogótico consideraria exagerado. E presumo que não esteja disposto a ajudar em mais nada, para que não seja feita qualquer ligação com você. Se bem que, se eu *for* pega, nós dois sabemos que Lorde e Lady Guantes vão supor que o culpado seja você, de qualquer maneira.

— Correto, de modo geral — concordou Silver. — Menos pelo comentário sobre meu estilo de prosa.

— Bom, nesse caso, Lorde Silver... — Irene considerou suas necessidades imediatas. — Preciso de um par de sapatos, uma capa ou xale, um pouco de dinheiro, uma faca e instruções de como chegar à grande coleção de livros mais próxima. Com tudo isso, farei meu melhor para evitar contato com você de novo.

Silver franziu a testa.

— Isso é suborno, minha lady?

Irene ficou de pé.

— Só estou observando nossa vantagem mútua, Lorde Silver. Você sem dúvida será observado se os Guantes desconfiarem de você. Se nos mantivermos longe, é mais seguro para nós dois.

Silver pensou nisso, brincando com a gola do roupão. Finalmente, disse:

— Você pode estar certa, minha lady. Johnson! Cuide disso tudo, por favor. E mais uma coisa. — Ele deu um passo para mais perto. — Eu não estava brincando quando disse que os ares deste lugar seriam incompatíveis com seu dragão. Como Bibliotecária, você não é atingida, e está usando os objetos que lhe dei, que a protegem um pouco. O dragão é puramente um antagonista neste mundo. Quando você o libertar, é melhor ter um plano para tirá-lo desta esfera o mais rápido possível. E a si mesma também.

— Eu não pretendo ficar — disse Irene secamente. — Este lugar pode ser o seu destino de férias ideal, senhor, mas não é nem um pouco o meu.

Silver balançou a cabeça com tristeza.

— Um dia, minha lady. Um dia. — Ele fez um sinal para Johnson, que na mesma hora encheu os braços de Irene com uma trouxa de tecido. — Johnson, isso é...?

— São os itens requisitados, senhor — disse Johnson friamente. — E a biblioteca mais apropriada para os desejos dessa pessoa deve ser a Biblioteca Marciana, ou seja, a Biblioteca de São Marcos. — Ele citou uma série de instruções, e Irene franziu a testa enquanto as registrava na memória. Era perto..., bem, razoavelmente perto da Piazza San Marco que, se ela se lembrava corretamente, era a praça principal da cidade. Isso podia ser bom ou ruim. Pelo menos, certamente haveria muita gente.

— Assim está bom — disse Silver quando Johnson fez silêncio. — Minha lady, peço licença. Tenho uma manhã cheia à frente, e você me despertou cedo, então devo tirar vantagem disso. — O sorriso dele não continha nada de específico que pudesse ofendê-la, mas sugeria uma dezena de coisas, todas elas sensuais.

— Vou seguir meu caminho, então — disse ela quando o silêncio se espalhou pelo quarto.

— Se realmente precisar de mim — disse Silver —, estarei na ópera mais tarde, na apresentação precedente ao leilão. Procure-me lá.

— Vamos torcer para que eu não precise — disse Irene secamente. Ela se virou e caminhou para a porta.

Johnson a abriu para ela. Ele se inclinou em sua direção.

— Se metê-lo em confusão — sibilou ele, o tom agressivo de repente, *humano* de repente —, eu mato você.

E bateu a porta quando ela saiu.

CAPÍTULO 16

A primeira coisa que Irene fez foi comprar comida e uma xícara de café.

Bom, esse era seu *objetivo* inicial. Primeiro, ela teve que amaciar os sapatos até caberem, enrolar o xale novo na cabeça e nos ombros, esconder a nova faca (pequena, mas afiada) e a bolsa, depois andar até a Piazza San Marco. Ela encontraria um monte de cafés lá, e precisaria avaliar a área próxima à Biblioteca Marciana.

Seus dedos roçaram no pingente de jade de novo. Ela só tinha até meia-noite. O sentimento de urgência que a guiava fazia qualquer tempo perdido parecer criminoso, incluindo parar para comer. Mas, diferentemente dos feéricos, ela ainda era humana e tinha necessidades humanas.

A Piazza San Marco ficava a poucos metros do Gritti Palace. Irene confirmou sua condição de recém-chegada ao parar quando alcançou a praça, sendo quase atropelada pelas pessoas atrás. Era... tão cheia de *luz*. A enorme praça pública tinha o que devia ser a Basílica em uma ponta, com domos enormes em cima e coberta de mármore e mosaicos. Era imponente, gloriosa e, sim, absurdamente bonita. A luz fluía ao seu redor como se ela tivesse se erguido das ondas, e ardia em ouro e cores. À direita, junto à Basílica, havia outra construção enorme. Era retangular, mais prosaica, apesar da cor pastel. Fora construída de mármore em tons de rosa e branco, e a coloração pareceria insossa sob o sol inglês, mas à luz da manhã veneziana ela resplandecia, triunfante e poderosa. Outras construções se alinhavam nas laterais da Piazza, e havia uma torre alta com um sino no meio, construída de tijolos vermelhos finos com mármore e bronze em cima. Deveria ter pelo menos uns cem metros de altura. Bem, talvez fosse um pouco mais baixa, mas *parecia* ter pelo menos cem metros de altura. Na noite anterior, ela estava se afogando na água e na névoa onipresentes. Agora, na luz do sol, parecia estar flutuando... Parecia que toda Veneza estava flutuando.

A praça estava cheia de gente. E, com tantas pessoas, quais eram as chances de alguém identificá-la como impostora? *Grandes demais para que ela pudesse ficar à vontade*, pensou Irene.

Seu destino ficava bem perto da Piazza, com o Palácio do Doge de um lado e um prédio que devia ser a Biblioteca Marciana do outro. Também havia muitos pequenos cafés por ali, e isso foi uma desculpa para ela se sentar com uma xícara de café e um pãozinho e pensar.

Irene podia ver a lagoa da mesa onde estava: o espaço amplo de água margeado pela própria Veneza de um lado e pelas ilhas do Lido de outro. O Trem era uma mancha escura ao longe, parado sobre a água em seu trilho impossível e brilhando sob o sol forte como uma centopeia tão negra quanto a noite.

Ela observou a multidão e as pessoas na Biblioteca Marciana. Ouviu as conversas ao redor, planejou e avaliou rotas de fuga. Não podia esperar mais nada de Silver. Mas, com sorte, não *precisaria* de mais nada. A Biblioteca Marciana devia dar acesso à Biblioteca. Ela então precisava encontrar esses *Carceri* onde Kai estava, depois tirá-lo de lá e correr até a biblioteca.

Ela olhou para a xícara quase vazia, permitindo-se absorver o fluxo de idioma italiano ao redor. Não era uma de suas melhores línguas, mas a imersão total estava ajudando. Ela já conseguia distinguir uma discussão sobre os acontecimentos escandalosos em um convento local, mesmo que o significado preciso de certos substantivos fosse um pouco vago.

Ela olhou para cima e observou a Biblioteca Marciana. Não era tão alta como alguns dos outros prédios, e ela contou um térreo, um primeiro andar e um telhado um pouco inclinado que podia ser de um segundo andar, ou pelo menos um sótão, tudo em mármore liso rosa e branco ornamentado de dourado. Uma galeria com colunas cercava o prédio, e ela conseguia ver uma sacada com mais colunas no primeiro andar, conectadas por arcos. Havia frisos entalhados no mármore brilhante, exibindo bestas ou cabeças grandiosas com colares de flores decorativos. Qualquer tentativa de entrar pelas janelas ou pelo telhado seria dolorosamente óbvia, o que significava ter que usar a porta principal. Mas, considerando a quantidade de gente que fazia a mesma coisa, ela provavelmente não chamaria a atenção.

Enquanto se dirigia para a entrada, Irene não conseguiu afastar a imagem de si mesma como um besourinho andando pela pele exposta de um humano. Saber como o poder dos Dez se estendia pela cidade deu a ela uma sensação adicional de paranoia. E de fato, como feéricos maiores, eles poderiam notá-la até nas ruas da cidade. *O quão sensíveis são esses Dez e será que conseguem me sentir? Se importariam comigo ou sou uma barreira momentâneo para eles? Se lhes provoco coceira, eles coçariam?*

Irene subiu por uma escadaria enorme de metal e estuque logo atrás de um grupo de jovens acadêmicos que discutiam Petrarca. Passou por pilares de mármore e por janelas cuja vista dava para a Piazza abaixo.

Aqui e ali, havia pessoas sentadas nas mesas, virando cuidadosamente as páginas de manuscritos ou desenrolando pergaminhos e fazendo anotações. Isso a tranquilizou. *Este lugar foi feito para guardar livros, por pessoas que queriam preservar livros, e é usado por pessoas que querem ler esses livros. Eu não estou sozinha.*

Ela finalmente entrou em uma sala grande de leitura. A sensação repentina de espaço e vazio a fez parar. Ela olhou para cima e viu o teto a mais de dois andares acima. Nos dois andares superiores, galerias abertas cercavam o ambiente, com balaustradas na frente. Atrás delas, ela conseguia ver as estantes e portas que levavam às profundezas do local. Era isso que ela queria.

Quinze minutos depois, ela *finalmente* conseguiu encontrar um caminho para uma seção silenciosa entre as pilhas de livros. E para um depósito. Serviria lindamente. Isto é uma biblioteca, aquilo é uma porta – tudo de que ela precisava para abrir uma entrada para a Biblioteca propriamente.

Ela respirou com alívio, obrigou-se a relaxar e a se concentrar e disse, na Linguagem:

— **Abra para a Biblioteca.**

E nada aconteceu.

Sua primeira reação foi a irritação básica que acompanha algo simples, como o molho que não sai de uma garrafa ou um site que não carrega na primeira tentativa.

— **Abra para a Biblioteca** — disse ela de novo, concentrando-se em cada palavra.

Sua voz ecoou no nada. Não havia sensação de mudança, de *conexão*.

Desta vez, o pânico surgiu em seu estômago. Ela nunca tinha ido a um alternativo do qual não conseguisse acessar a Biblioteca. Não achava *possível* estar em um alternativo em que não fosse capaz de acessar a Biblioteca.

Só que ela também nunca tinha se aventurado tanto no Caos antes. E na Biblioteca em si, lembrou ela tardiamente, as portas para alternativos com alto nível de Caos estavam bloqueadas e acorrentadas. O acesso fora impedido porque era perigoso demais. E se estavam bloqueadas no lado da Biblioteca, isso queria dizer que também eram inacessíveis pelo outro lado?

— **Abra para a Biblioteca!** — disse Irene, a voz tensa de pavor.

Não houve resposta.

Ela se agarrou a uma das prateleiras à direita e seus dedos afundaram na madeira, com força suficiente para doer. *Estou presa aqui*, pensou ela. Não era um medo que ela tivesse considerado antes. Era novo e apavorante, um abismo que se abria de repente na frente dos seus pés.

Alguém tossiu às suas costas.

— Este é um lugar impressionante — disse uma voz de mulher —, mas acho que você está negligenciando as partes mais interessantes.

Os dedos de Irene apertaram com mais força a prateleira quando ela se virou para ver quem havia falado.

Lady Guantes estava ali, serena, em um vestido verde-escuro, as mãos enluvadas de branco. Apontava uma pistola para Irene. Como a maioria das armas que tinham sido apontadas para ela, essa também parecia grande demais. Estava sendo um dia daqueles, afinal. Lady Guantes segurava a pistola com o que parecia ser uma preocupante postura profissional, com as duas mãos na coronha.

Devo fingir ser uma habitante local inocente? Talvez valesse a tentativa.

— Devo observar que falei em inglês — disse Lady Guantes. — Qualquer tentativa de me convencer de que é uma cidadã local inocente deve levar isso em conta, srta. Winters.

Irene sempre considerou que uma das virtudes estratégicas mais importantes era saber quando aceitar uma derrota.

— Eu não consigo ficar longe de uma boa biblioteca — disse ela, continuando em inglês. — É como um vício para mim. Você tem o mesmo problema?

— Não tente ser engraçada. Era lógico que acabaria vindo para a maior biblioteca da cidade em busca de ajuda. — A arma nem se mexeu. — E se você tentar dizer qualquer coisa que soe peculiar, tenha certeza de que vou atirar.

Isso queria dizer que usar a palavra "arma" em qualquer contexto provavelmente resultaria em ferimento imediato. Uma pena. Dizer algo nas linhas de **Que sua arma exploda em sua mão** resolveria muitos dos pequenos problemas da vida.

Houve uma pausa.

— É difícil falar livremente com você podendo atirar em mim a qualquer momento — observou Irene. — Mas suponho que não queira atirar, senão já teria feito isso.

— Você lida com a sua segurança com muita casualidade — disse Lady Guantes. Ela ainda estava com aquele ar gracioso de amabilidade e bom senso de que Irene se lembrava da estação de trem, mas havia algo novo. *Nervosismo? Ela poderia estar nervosa? Por minha causa?*

— Há graus de perigo — disse Irene. Se continuasse falando, talvez conseguisse encontrar uma saída. Silver descreveu Lady Guantes como mais fraca do que Lorde Guantes. Como isso podia ser comparado a uma Bibliotecária? — Há o perigo imediato da morte, que é uma coisa, e o perigo imediato de um destino pior do que a morte, que é outra coisa bem diferente. E há o medo menos imediato da morte possível. E todos os cenários deveriam ser encarados individualmente. Eu prefiro conversar a fazer uma coisa irreversível. Você tem a mesma opinião?

— Você é uma Bibliotecária. — Lady Guantes envolveu a palavra no mesmo asco delicado que outra pessoa usaria para *mercenários, colonoscopia* ou *cachorros loucos* e *ingleses.* — Deixar que fale é perigoso.

— Você pode ao menos explicar o que quer, então — sugeriu Irene. Se a mulher estivesse falando, não estaria atirando.

— Como?

— Bem, tenho certeza de que você tem um motivo para estar aqui. — Lady Guantes estaria vigiando Irene até reforços chegarem para levá-la presa? Ou apenas se deparou com a oportunidade, com uma pistola em uma das mãos e uma inimiga na frente, sem ideia do que fazer em seguida? — No meu lugar, não estaria curiosa?

Lady Guantes ergueu uma sobrancelha.

— Você está sugerindo que está aberta a uma aliança?

Irene deu de ombros.

— Eu quero saber quais são os riscos e o que está em jogo. Você ouviu falar de nós, sabe que costumamos ser neutros e só nos interessamos por livros. Por que mandou seus brutamontes atrás de mim?

— Em qual ocasião?

Irene piscou.

— Houve mais de uma?

— Duas, na verdade. A primeira, no leilão de livros ao qual você foi. Eu queria saber como você e o dragão reagiriam a um ataque. Fiquei convencida de que precisava separar vocês dois para sequestrá-lo. A segunda foi mais improvisada, admito.

Pelo menos isso explicava por que aqueles bandidos contratados foram tão ineficientes.

— Mais casual? Pareceu-me bem sério na hora.

Lady Guantes suspirou.

— Tudo culpa sua. Você e o detetive se moveram muito depressa. Se as coisas tivessem acontecido como planejei, você e o sr. Vale ainda estariam tentando descobrir onde o dragão estava quando chegasse a hora do leilão aqui. A família dele teria chegado para investigar o mundo do qual ele fora sequestrado e você, como sua superior, acabaria levando a culpa pelo desaparecimento. Isso teria constrangido a Biblioteca, e a deixado desequilibrada e na defensiva quando a guerra começasse. Claro que os dragões saberiam que éramos os responsáveis, mas meu marido e eu já estaríamos fora do seu alcance, e eles aceitariam de bom grado um bode expiatório ou dois. Da forma como acabou acontecendo, tive que contratar uns brutamontes apressadamente. Não é como gosto de operar. Se eu soubesse que acabaria tendo que matá-la, poderia ter contratado um atirador com antecedência. Teria sido bem mais eficiente.

— Se a família do dragão tivesse ido investigar, considerando que aquele alternativo era sua última localização conhecida, as consequências para o mundo todo teriam sido muito sérias, não só para Vale e para mim — observou Irene.

— Eu não tinha planos de visitá-lo de novo.

Um filete gelado de medo desceu pela espinha de Irene, mas se misturou à sua raiva crescente diante das consequências das palavras da mulher. Ao Shun havia deixado claro que eles destruiriam o mundo de Vale, caso o considerassem culpado pelo desaparecimento de Kai. E Lady Guantes sabia

239

disso. Irene quase podia admirar o esmero da mulher ao cobrir seu rastro, mas ao mesmo tempo estava revoltada com o sangue frio dela.

E, agora, ela tinha a confirmação absoluta de que Lady Guantes estava envolvida no sequestro de Kai. *Não vim aqui para me vingar*, refletiu Irene. *Mas eu não me importaria de garantir que ela nunca mais tentasse fazer coisa igual.*

— Então você não quer me matar agora — disse ela, mantendo a voz firme e engolindo a fúria.

— Bom, obviamente não agora que a tenho aqui — disse Lady Guantes. — Você é muito mais valiosa viva.

— Como aliada? — disse Irene, esperançosa.

— Não é impossível.

— Ou...? — Ela deixou a frase no ar, para ver se haveria resposta.

— Como Bibliotecária, certas pessoas a achariam interessante. Como si mesma, srta. Winters, certas outras pessoas a achariam ainda *mais* interessante. — Ela sorriu, de uma forma que sugeria que a questão era desagradável demais para pessoas decentes como elas discutirem.

Irene piscou.

— Estou atônita — disse ela. — Eu não fazia ideia de que tinha tal reputação. Na verdade, não fazia ideia de que tinha reputação alguma. — Houve alguns poucos encontros com feéricos, e, claro, a história toda do banimento de Alberich, que era sem dúvida um traidor perigoso e famoso. Mas ela não achou que fosse assunto de fofocas casuais. Fez com que se sentisse um tanto exposta.

Lady Guantes pareceu meio constrangida.

— Bem, "notória" talvez seja um adjetivo melhor. Mas, por favor, não interprete errado. É um elogio.

— Estou lisonjeada.

— E me faz questionar por que você está *fazendo* isso. — Ela virou o olhar sereno e compreensivo para Irene novamente.

— Legítima defesa é uma coisa, mas essa expedição espontânea ao nosso território não é o que eu chamaria de sensato. E você me parece uma mulher sensata, srta. Winters.

Irene mexeu um pouco o corpo. Não causou reação alguma na arma apontada. *Que bom, ela não vai atirar em mim por ter tremido.*

— Então, se nós duas apreciamos o bom senso, qual é sua motivação nisso?

Lady Guantes não hesitou.

— Um mundo melhor para todo mundo.

— É mesmo? Quando você pode estar prestes a iniciar uma guerra?

— O *objetivo* é iniciar uma guerra — disse Lady Guantes com firmeza. Ela não procurou enfeitar o argumento com algo glamouroso nem tentou tecer uma sedução, como se podia esperar de uma feérica, só apresentou o caso como única solução óbvia. — Nosso lado pode não vencer imediatamente. Porém, quando conseguirmos uma trégua, mais esferas estarão sob nossa influência. Isso vai ser bom para os humanos. Vai ser bom para nós. Nós não vamos interferir nos seus assuntos, vocês são bem-vindos a continuar roubando livros discretamente. E você se importa mesmo com os dragões? Mais do que com esse dragão específico?

— Achei que nós duas seríamos sensatas — disse Irene.

— Você não pode dizer que vai começar uma guerra e depois sugerir que só estou aqui porque gosto de um dragão específico. O quão imatura você acha que eu sou?

Lady Guantes deu de ombros.

— É verdade, esse tipo de motivação limitada é o tipo de coisa que eu esperaria dos mais *altamente concentrados* da minha espécie. Vamos considerar um ponto de vista mais amplo. — A arma nem tremeu. — Vocês, Bibliotecários, estão interessados em roubar livros com objetivos próprios. Tem alguma coisa a ver com estabilizar os mundos, eu ouvi dizer. Vocês não estão interessados em se aliar nem conosco nem com os dragões, pois só querem colecionar histórias. Fique fora do nosso caminho e não vai se ferir. Você não tem nada a ganhar se metendo nisso, srta. Winters.

Ela está genuinamente tentando me convencer? E, se estiver tentando ganhar tempo, o que está esperando?

— Eu ainda não vejo como os humanos se beneficiariam ao viver em um mundo como esta Veneza — respondeu Irene.

— Pergunte ao povo daqui — disse Lady Guantes. — Eles são felizes.

— Eles... — Por um momento Irene se perguntou se *devia* estar falando sobre "humanos", como se fosse diferente deles. — Mas eles acabaram de se tornar parte da história deste local. No momento em que um da sua espécie interage com eles, os humanos perdem o poder de escolha, a liberdade. A *vida*. No seu mundo, os humanos são apenas personagens coadjuvantes.

— Mas personagens coadjuvantes muito felizes — protestou Lady Guantes. — Ah, eu admito que nem todas as histórias têm finais felizes, mas as pessoas preferem aquilo a que estão acostumadas. Se você perguntar a elas, nove entre dez preferem uma existência de livros a um universo mecânico onde finais felizes nunca acontecem.

— É mesmo?

— Você acreditaria que eu fiz uma pesquisa? — Lady Guantes assumiu expressão arrogante. — Não neste mundo, mas acho que meu argumento continua valendo. As pessoas querem histórias. Você devia saber disso mais do que ninguém. Elas querem que suas vidas tenham sentido. Querem ser parte de uma coisa maior do que si mesmas. Até você, srta. Winters, quer ser uma Bibliotecária heroica, não quer? E se você disser que as pessoas *precisam* ter a liberdade de ser infelizes, uma coisa forçada a elas quer elas queiram ou não, eu questionaria a *sua* motivação. — Ela fez uma pausa de um segundo mortal. — A maioria das pessoas não *quer* um mundo novo e corajoso. Elas querem uma história que conheçam.

— Obrigada por explicar isso — disse Irene educadamente. — Ajuda-me a entender sua perspectiva da situação.

— O prazer foi meu — disse Lady Guantes. Ela se mexeu e olhou para trás, mas rápido demais para Irene se aproveitar do momento.

— Basicamente, você está totalmente convencida de sua própria benevolência — prosseguiu Irene rapidamente. Se Lady Guantes estivesse esperando reforços, Irene estava ficando sem tempo. — Você é uma fanática presunçosa disposta a destruir mundos inteiros para conseguir o que quer. Deseja controlar a humanidade e se convenceu de que os humanos ficariam mais felizes assim. E o que *a* convenceu a seguir seu plano imprudente? Foi Lorde Guantes? — Ela deu um passo à frente.

— Fique aí! — ordenou Lady Guantes, a voz agressiva de repente, pela primeira vez. As mãos estavam rígidas de tensão dentro das luvas.

— Por que está tão nervosa, madame? — Irene deu seu melhor sorriso de leve superioridade, o que deixava transparecer, apesar de todas as provas do contrário, que ela estava totalmente no controle. — Está me dizendo que você e Lorde Guantes não são parceiros em pé de igualdade? Onde ele *está*?

— Negociando com o Conselho dos Dez — disse Lady Guantes com rispidez. — Não chegue mais perto!

— E você não foi convidada também? — insistiu Irene.

O brilho de fúria no rosto de Lady Guantes disse tudo. A emoção só apareceu por um momento, mas estava lá, tão corrosiva quanto ácido.

— Minha presença não era necessária — disse ela.

— Talvez eu devesse oferecer um emprego a *você*. — Irene mudou de posição de novo, um pouco mais perto agora. Estava quase a alcançando. — Afinal, Silver disse... — Ela parou de falar de forma convidativa.

— O que ele disse? — perguntou Lady Guantes.

— Nós falamos de você e de Lorde Guantes. Sobre o desequilíbrio de poder, esse tipo de coisa. — Irene abriu as mãos com inocência. — Foi ele que me contou que você não passa de uma ferramenta para seu marido...

— Aquele verme não entende e nunca conseguiria entender! — interrompeu Lady Guantes. Um rubor de raiva deu cor ao seu rosto quando Irene finalmente acertou em um ponto delicado. — Ele vê tudo pela perspectiva dele. Não entende que, sem mim, meu marido nunca teria conseguido seguir em frente com isso. Meu marido *entende* isso e me valoriza...

Em um movimento rápido, Irene bateu no cano da arma e a empurrou para o lado.

A arma disparou, e a bala entrou em uma fileira de livros em algum lugar atrás de Irene, à direita.

Os segundos seguintes foram de uma briga indigna. Lady Guantes podia ser ótima atiradora, mas Irene tinha experiência com lutas sujas e informais. Ela ficou com a arma, e Lady Guantes ficou cuidando de um dedo torcido e de um pé pisado.

— Eu poderia gritar — ofegou ela, de mau humor.

— Poderia — disse Irene —, mas isso ainda deixa... — Ela olhou para o corredor. Não havia sinal de ninguém ainda.

244

— Isso me deixa com *você* de refém. Qual é a sua importância para os Dez, Lady Guantes?
A mulher ficou em silêncio. Não muito importante, aparentemente. Finalmente, ela disse:
— Você está cometendo um erro, srta. Winters.
Adrenalina pura corria agora pelas veias de Irene.
— Penso nisto mais como um gerenciamento de desastre — respondeu ela. *Eu poderia perguntar onde ficam os* Carceri. *Mas ela me diria, ainda que soubesse? Mesmo se eu ameaçasse atirar nela? Não vale a pena revelar o que eu sei.* — Não tente me seguir por alguns minutos. Pelo bem de nós duas, por favor.
Lady Guantes deu um passo para trás, sinalizando rendição. Sua boca apresentava uma expressão horrível, e o espaço entre as omoplatas de Irene desenvolveu uma coceira nova quando ela passou pela feérica. *Ela tem uma faca e está prestes a usá-la?* Mas não houve faca nenhuma, nenhum grito de aviso e nenhum tiro de armas escondidas. No entanto, cada passo para fora da biblioteca tirava minutos da vida de Irene enquanto ela examinava um lado e o outro para ver se estava sendo seguida ou se havia reforço feérico.
Finalmente, ela chegou à *piazzetta.* Uma luz do sol incrivelmente brilhante banhava a multidão, com a qual ela se misturou, e nessa hora o som de pés correndo veio da direção do Palácio do Doge. Foi fácil virar e olhar, porque todo mundo estava virando para olhar, e ela viu um grupo de homens com uniforme preto passar no meio das pessoas enquanto transeuntes saíam da frente. Andando bruscamente ao lado de um homem de uniforme com acabamento dourado, presumivelmente o líder, estava Sterrington.
Irene suspirou ao se virar. Bem, ela não tinha sido tão convincente quanto pensara na noite anterior. Não podia nem culpar Sterrington; afinal, ela também *estava* ali para espionar.

245

E agora estou encurralada, já que fugir pela Biblioteca não é opção... Não, ela não se *permitiria* entrar em desespero. Tinha um trabalho a fazer, e não era porque uma rota de fuga tinha sido descartada que outras não existiriam.

O beco levava a uma ponte que atravessava um pequeno canal, e ela olhou para baixo, para a água da baía. A área ampla de água cintilante parecia seguir por uma eternidade, mas sobre ela estava a linha preta do Trem e sua ferrovia impossível.

Preciso de uma rota de fuga. O Cavaleiro pode não me ajudar... Mas e o Cavalo?

CAPÍTULO 17

Inicialmente, Irene pensou que as pessoas estariam evitando o Trem e a plataforma como evitariam um navio carregado de ratos infectados pela peste. Mas, quando chegou perto, notou que um fluxo regular de visitantes formava um grupo movimentado ao redor.

— Você sabe o que é? — ela perguntou à mulher de meia-idade ao seu lado. A mulher segurava uma bandeja de lenços de renda contra o peito, e o cabelo grisalho estava preso com absoluto rigor embaixo de um gorro da mesma renda.

A mulher deu de ombros.

— Uma embarcação nova que veio da Sicília, eu soube. Cobriram de metal por causa dos vulcões.

Irene assentiu em compreensão.

— E essa gente rica a bordo deve ter dinheiro para gastar.

— De onde você é? — perguntou a mulher. Agora que estava olhando para Irene, os olhos dela se mostravam desconfortavelmente atentos. — Você não parece ser daqui.

Provavelmente não. Irene tinha aprendido italiano com um austríaco que aprendera a língua em Roma. O melhor que podia esperar em termos de seu sotaque italiano era que fosse "não identificável".

— Meu irmão Roberto e eu moramos em Roma — inventou ela.

— Roma. — A outra mulher ergueu um pouco o nariz.

— Bem, imagino que as pessoas tenham que morar em algum lugar.

Irene logo se perdeu dela na confusão da multidão, para seu alívio. Esse era o problema de fazer perguntas: as pessoas também faziam.

Foi fácil se misturar às pessoas que seguiam adiante para olhar o Trem. Era uma simples questão de entrar na fila que levava à plataforma e se juntar aos vendedores que atendiam ao grupo de habitantes curiosos. E o Trem em si estava lá, parado e sinistro, o sol cintilando no corpo de aço escuro e se refletindo nas janelas.

Irene seguiu em frente e se embrenhou no meio das pessoas.

— Com licença — ela disse para um homem com uma bandeja de doces. — Perdão.

Ela desviou de um cavalheiro idoso que oferecia relíquias supostamente sagradas e se viu encostada em uma das portas do Trem.

— Com licença — ela disse, para ninguém em particular, e experimentou a maçaneta. Girou-a com tranquilidade, entrou no Trem com um suspiro de alívio e fechou rapidamente a porta ao passar.

Estava diferente. Agora, o corredor era todo de painéis de ébano liso e trabalhado em estanho e cobre, e as janelas eram de vidro tingido, em um tom tão escuro que quase não se podia ver o lado de fora. E todos os sons exteriores eram inaudíveis. O fluxo de pessoas diminuía e aumentava silenciosamente lá fora, seus rostos e mãos parecendo espuma branca na superfície de um mar escuro.

Irene respirou fundo. Era hora de fazer algo totalmente inconsequente.

— **Meu nome é Irene** — disse ela na Linguagem. — **Sou uma servidora da Biblioteca. Eu gostaria de falar com o Cavalo.**

Suas palavras ecoaram no corredor do vagão como estalos de um chicote e deixaram um silêncio tenso para trás.

Vamos, vamos, pelo menos mostre curiosidade de descobrir o que está acontecendo...

Com um som que pareceu uma expiração, a porta da extremidade do corredor se abriu, movendo-se suavemente no trilho. Provavelmente seria a coisa mais próxima de um convite que ela receberia.

Irene começou a andar na direção da porta, mas não conseguia chegar lá. O vagão era mais longo do que deveria ser; não apenas aparentemente maior, mas *realmente* maior, alongando-se sem nenhum marcador evidente de distância ou espaço. Ela sempre parecia estar à mesma distância da porta, mas nunca fazia qualquer progresso.

Tudo bem. Talvez fosse um teste. Seria como todos os outros feéricos com os quais tivera de lidar aqui, querendo interagir com ela nos próprios termos? Por uma lente fictícia? Como em uma história? Mas desta vez *ela* ia contar a história.

— Sei como são essas histórias — disse ela, ainda andando, saindo da Linguagem e voltando a falar em inglês. — A mulher compra nove pares de sapatos de ferro, nove pães de ferro e nove cajados de ferro, e anda o comprimento e a largura da terra, até os sapatos estarem gastos e os cajados se tornarem finos como palitos de fósforo e ela ter comido até a última migalha de pão, e só depois ela encontra o que estava procurando. Mas esta é uma história diferente.

A porta ficou abruptamente dez passos mais próxima. Ainda estava fora de alcance. Mas mais próxima.

— Era uma vez, em um país distante, um cavalo que galopava pela terra e pelo mar... — começou Irene. Ela se lembrava da história da reunião com tia Isra. Era um mito padrão, e esse era parte do seu poder. Ela continuou andando enquanto recitava a história, e a porta continuou à mesma distância; longe demais para ela alcançar, mas perto demais para instigá-la.

Finalmente, ela chegou ao fim.

— De mundo em mundo ele galopa, dos portões da história às margens do sonho, até o mundo estar mudado e o cavalo, livre. — Ela deixou as palavras no ar por um momento. — Até o cavalo estar livre, diz a história, o que significa que deve chegar uma hora em que o cavalo *é* libertado. E isso quer dizer que o cavalo *pode ser* libertado.

A porta deu mais um pulo em direção a ela, em outro piscar de perspectiva. Estava bem próxima de Irene agora, quase perto o bastante para ela passar, mas cada passo mantinha a porta um pouco à frente.

Um suor frio escorria por suas costas. *Está me ouvindo. É melhor que eu realmente possa lhe dar o que estou prometendo, ou essa narrativa em particular vai ficar feia. E rápido!*

— É claro — prosseguiu ela — que, nessa história, a heroína não necessariamente sabe como libertar o cavalo. Mas o cavalo pode indicar a ela a direção certa. Mostrar-lhe como retirar as rédeas, por exemplo, ou como soltar um cabresto. E costuma haver um *motivo* para a heroína querer libertá-lo. Uma heroína gentil, que liberta o cavalo porque ele parece infeliz, só existe em algumas histórias. Mas não acho que essa seja uma dessas histórias.

A porta permaneceu à mesma distância.

— Então, a história... — Irene parou de andar. Sem o som dos seus passos, o corredor parecia mais ameaçador e silencioso. — **A jovem mulher estava em uma terra estranha e em busca de ajuda, em busca do...**

Deveria dizer *seu verdadeiro amor*, pois esse seria o padrão em uma história assim, mas não era a verdade sobre ela e Kai. *Mesmo que houvesse alguma vontade da parte dela de ver as coisas assim. Mas não importava.* Ela não podia correr o risco de contar uma mentira. Não falando na Linguagem.

— **Do filho do rei que havia sido sequestrado. Ela atravessou terras e mares para procurá-lo, usando sapatos emprestados e um vestido emprestado, sem nenhum amigo verdadeiro ao seu lado.** — As palavras arderam em sua boca, verdadeiras de certa forma, mas também só uma história. Era como tomar um sorvete que explode na boca e senti-lo estalar na língua e efervescer o crânio e os ouvidos. Sua cabeça vibrava com a sensação. — **E ela disse: "Vou resgatá-lo da prisão onde o colocaram e juntos vamos fugir dos inimigos e impedir uma guerra." Mas ela estava com muito medo, pois a cidade inteira os perseguiria quando o filho do rei estivesse livre da prisão.**

Seria mais difícil agora. Irene nunca tinha tentado isso antes, nunca tinha *pensado* em tentar. Mas a Linguagem era uma ferramenta, sua força de vontade a sustentava e aquele lugar era frágil, fraco, fácil de subjugar. Ela não estava contando mentiras. Só estava dizendo a verdade de um jeito diferente.

— **E, conforme caminhava na direção do mar, ela avistou um cavalo em correntes e cabresto, e disse: "Ah, se eu fosse veloz como você para podermos fugir!" E o cavalo falou com ela e disse...**

Foi como se ela estivesse fazendo um solo de violino antes e agora o resto da orquestra passasse a acompanhá-la; um peso repentino de música se abateu sobre ela e percorreu todo o seu corpo. Irene esticou os dois braços para os lados para se apoiar nas paredes da passagem, respirando com dificuldade enquanto a pressão esmagadora parecia pesar no peito, forçando-a a respirar em seu ritmo. O ar tremeu como a superfície de um tambor.

— LIBERTE-ME DO MEU CABRESTO E DAS MINHAS RÉDEAS — vibrou a voz ao redor dela, tão alta que ela mal conseguiu identificar as palavras individualmente —, E EU OS LEVO ATRAVÉS DAS TERRAS E DOS MARES ATÉ SEU LAR.

Irene já estava abrindo a boca para dizer *sim*, sem nem pensar direito, apenas levada pelo fluxo da história, mas firmou os calcanhares mentais e lutou para elaborar palavras diferentes. Tinha que negociar com astúcia para conseguir o que queria. Quando o acordo estivesse acertado, não haveria mais como voltar atrás e renegociar. Apesar de o Trem estar parado e imóvel, o som de rodas girando e motores estalando ecoou em seus ouvidos, como se ele estivesse se esforçando para arrastar um peso distante.

— **Nobre cavalo** — ela finalmente se obrigou a dizer. — **Agradeço pela oferta. Imploro a você que me permita procurar pelo príncipe e, quando eu voltar com ele, irei libertá-lo. E, então, você irá nos levar de volta para a terra da qual viemos.**

Ela já estava com medo de contaminação pelo Caos antes. Já tinha sido tocada por ele no passado, sentiu-o correndo em suas veias e ele quase a deixara incapacitada, até que finalmente o expulsou. O que causaria a ela se fizesse um acordo com aquela criatura?

— SIM... — sussurrou a voz ao redor, em uma expiração profunda que sacudiu fisicamente seu cabelo e suas roupas, empurrando-a para frente. Ela não conseguiu manter o equilíbrio, e caiu cambaleando pela porta no vagão seguinte. Suas costas, pulsos e o pingente no pescoço pareciam estar ardendo. Sua marca da Biblioteca, as pulseiras de Silver e o pingente do tio de Kai, cada um deles um objeto de poder, lutavam com o novo laço que ela assumira voluntariamente. Ela não estava em um vagão de trem, estava caindo na escuridão, e isso queimava...

Tenho que limitar isso. Irene estava de joelhos, mas não conseguia lembrar por quê, e tremia tanto que era fisicamente doloroso.

— **E, depois, vamos cada um para o seu caminho** — disse ela com voz rouca, uma voz estranha até para seus próprios ouvidos —, **livres de qualquer obrigação e sem laço nenhum entre nós!**

A pressão diminuiu um pouco, e qualquer alívio era uma bênção; as percepções de Irene voltaram a funcionar novamente. Ela estava *quase* sentindo dor, mas não exatamente.

Ela lançou um olhar para os pulsos, onde as correntes douradas das pulseiras apareciam sob as mangas do vestido. Não havia queimaduras físicas. A parte sensata da sua mente não esperava que houvesse, mas ela tinha que ter certeza.

Havia agora uma máscara caída no piso do vagão à frente dela. Era uma daquelas de rosto inteiro, branca, com olhos delineados em preto e dourado e lábios pintados de preto.

Irene a pegou. As fitas pretas para amarrá-la pendiam das suas mãos.

— Para que é isto? — perguntou ela.

— PARA QUE O CAVALEIRO NÃO POSSA VÊ-LA — sussurrou a grande voz. Parecia estar fazendo uma tentativa de modular o volume, e Irene se sentiu agradecida. — VÁ AGORA, VOLTE COM O FILHO DO REI E ME LIBERTE...

Se isso se alongar ainda mais, ficarei com tanta coisa no corpo que vou parecer uma árvore de Natal vitoriana, com uma quantidade extra de enfeites de biscoito de gengibre. Mas seria útil ter uma máscara nova para esconder sua identidade.

Sem muita hesitação, Irene a levou ao rosto e amarrou as fitas atrás da cabeça.

Nada de incomum aconteceu. Não lhe pareceu estranho. De verdade. Pelo menos, não mais estranho do que qualquer outra máscara. Não houve nenhum formigamento esquisito, nem calor ou frio excessivo. Nada mesmo. Ela devia estar só paranoica.

— Eu preciso agir — disse ela, surpresa por sua fala soar tão prosaica depois de tantos gritos. — Obrigada por sua promessa.

Ao seu lado, a porta se abriu para o mundo exterior e o barulho de gente e da cidade invadiu o vagão como uma coisa viva, o som de sinos distantes batendo e marcando a hora, fazendo o burburinho parecer quase musical.

Irene repentinamente percebeu que o sol tinha se posto e o céu estava escurecendo. A multidão na rua ainda estava presente, mas agora iluminada por tochas e lampiões a óleo. Ela soltou um palavrão. Era *noite*. Tinha perdido metade do dia. E ainda tinha que encontrar Kai.

Havia uma coisa que ela não tinha tentado. Andou pela multidão até encontrar um canto escuro onde pudesse parar, depois enfiou a mão no corpete e puxou o pingente, pendurado na corrente.

— **Coisa de dragões** — murmurou ela —, **guie-me até o sobrinho do seu mestre.**

O pingente começou a girar. Parecia uma agulha de bússola desajustada confundida por um ímã, girando sem parar, como se mais uma volta pudesse ajudá-la a encontrar a direção certa. Conforme foi ficando mais rápido, começou a chiar: um barulho agudo e fininho como o de um mosquito, mas descendo lentamente pelas oitavas até a audição normal. O movimento se tornou mais irregular, puxando a corrente, mas ainda sem conseguir escolher uma direção, e Irene podia sentir um calor crescente emanando dele.

— Pare! — sussurrou ela apressadamente, antes que o pingente pudesse se destruir devido à natureza caótica do local ou chamar a atenção dos Dez (ou as duas coisas). Ela deixou que ficasse pendurado por um momento para perder o calor, antes de colocá-lo de volta dentro do corpete.

Que inferno. *Aquilo* não ia funcionar e revirar Veneza atrás dos *Carceri* também não era mais uma opção. Simplesmente não havia tempo. Ela teria que interceptar Kai na ópera e rezar para conseguir enfrentar os feéricos que fossem assistir ao show.

CAPÍTULO 18

Irene se afastou da multidão, tentando pensar em opções além das exageradamente drásticas ou terrivelmente perigosas. Sua forma preferida de resgatar livros, ou melhor, de tomá-los por *empréstimo*, envolvia um tempo significativo de observação da área primeiro. Atividades referentes a colecionar livros (diferentemente de empreitadas para resgatar dragões) normalmente envolviam fazer amizade com pessoas de quem ela pudesse extrair informações. Ela também lamentava a falta de dinheiro para subornar guardas, uma boa identidade como disfarce, uma rota de fuga e todas as pequenas coisas que tornavam a vida bem mais fácil.

Ela não estava acostumada a operar com um orçamento tão apertado e sem *tempo* para elaborar estratégias. Esse era o problema. Eles levariam Kai para o palco do leilão à meia-noite, e as suas chances de poder observar uma prisão secreta a tempo pareciam no mínimo pequenas. Ah, talvez a heroína conseguisse, se essa história estivesse a seu favor... Mas ela não podia contar com isso.

Ela observou as pessoas e se permitiu refletir sobre o que tinha acabado de fazer. Tinha arranjado um pacto com um feérico. Não só um arranjo conveniente de cooperação do tipo que fizera com Silver, mas uma barganha clara, com promessa feita na Linguagem. Só esperava que não houvesse consequências da Biblioteca. Jovens Bibliotecários eram sempre avisados a não interagirem com feéricos, quanto mais fechar acordos formais com eles. Mas Irene não tinha violado as regras... Ou assim ela esperava. Só tinha se aproveitado de algumas de suas brechas, levado-as para um beco escuro e feito sugestões com uma faca apontada para elas. Salvar Kai e impedir uma guerra poderia salvá-la... Mas só se ela fosse bem-sucedida.

Havia sinos por toda a parte, ecoando pelas ruas e ao longo dos canais, enchendo o ar de som. As pessoas em volta, tanto as mascaradas quanto as sem máscara, faziam o sinal da cruz em algumas notas específicas. Irene tentou imitar os gestos sem copiá-los de forma óbvia demais. O ar estava mais frio e as mulheres em geral tinham puxado o xale em volta dos ombros para se protegerem, enquanto as mais ousadas andavam de ombros descobertos e seios quase à mostra. Os últimos fragmentos de crepúsculo manchavam o ar de laranja e rosa, como dobras de seda aparecendo sobre uma camada roxa-acinzentada de nuvem. Naquela manhã, a cidade pareceu flutuar na água, brotando dela como uma Vênus particularmente arquitetônica, em mármore rosa e branco. Naquele lugar, naquele momento, com o crepúsculo se esvaindo e as pessoas sussurrando, a cidade parecia à beira de afundar em meio aos reflexos delicados e mutáveis.

Mas havia algo além disso. Com a noite, chegava um sentido mais claro de desconfiança nas praças lotadas. Talvez ela não tivesse notado isso antes, sob o sol brilhante, cercada pelos sons diurnos de trabalho e entusiasmo. Mas agora, ao crepúsculo, com os sinos ecoando um sussurro constante de tons menores, ela se sentiu... observada. Espionada.

Olhos brilhavam atrás de máscaras e pessoas cochichavam em esquinas. E cada vez que passava por alguém ela tinha o impulso de olhar para trás e verificar se a pessoa a estava observando.

Irene parou para comprar nozes açucaradas de um vendedor de rua e perguntou casualmente:
— Para que lado fica a ópera?
— Qual delas? — perguntou o vendedor, puxando o avental com um suspiro cansado. — La Fenice?
Sim, foi isso que tia Isra dissera. Era uma das maiores e mais espetaculares óperas da Europa, em um grande número de alternativos. Em que outro lugar se faria o leilão de um dragão à meia-noite?
— Sim, por favor — disse ela com ansiedade.
— Ah, não fica muito longe — disse o vendedor e recitou uma série de instruções. — Quando passar pela igreja da Virgem, faça uma oração por mim, e espero que tenha uma boa noite.

Irene também esperava. Sorriu atrás da máscara e seguiu em frente, guardando o pacote de nozes em um bolso interno. Ela as comeria com alegria, pois estava faminta. Mas não podia comer nada sem tirar a máscara, e não queria provocar demais o destino.

Ao chegar mais perto, percebeu que não havia chance de se perder. Só precisava seguir o barulho.

Ela ouviu a multidão na frente de La Fenice bem antes de avistá-la. Aquela não era uma cidade, como tantas versões de Londres, em que as pessoas faziam fila educadamente antes de grandes eventos culturais. A multidão era um amontoado enorme e agitado de pessoas. *Que bom. Mais cobertura para mim.* Em pouco tempo, ela estava perdida em meio ao entusiasmo louco, à expectativa animada e à simpatia expectante, tudo isso contendo só uma sugestão de que as coisas podiam passar do limite se a multidão ficasse exultante *demais*. Homens de uniforme cercavam a ópera e ocupavam a margem do canal, e várias gôndolas com flâmulas coloridas e mais elegantes do que o habitual estavam paradas ali.

Irene ficou mais uma vez agradecida pela máscara, e estava longe de ser a única pessoa mascarada na multidão. Tanto homens como mulheres, bem ou mal vestidos, cobriam o rosto, e o resto de luz do sol transformava em buracos escuros e suspeitos as aberturas para os olhos.

Ela se postou disfarçadamente atrás de um grupo médio de homens e mulheres sem máscaras que compartilhavam garrafas de vinho e discutiam alto sobre os principais cantores na apresentação da noite.

— Quanto tempo até começar? — ela perguntou a um dos homens.

Ele apertou os olhos para ela, tentando focá-la, e passou a garrafa para a mulher ao lado.

— Cinco minutos, querida. Já estão afinando os instrumentos para a abertura. Nós só vamos conseguir entrar no intervalo. Você estava esperando alguém?

Então não havia chance de chegar até a frente. Ela teria que tentar a entrada dos atores e funcionários nos fundos ou esperar o intervalo. E isso devia significar que uma *ópera* de verdade estava para começar. Afinal, era um teatro de ópera. Seria um aquecimento para o leilão em seguida? Um pouco de xeretice casual deixou claro que o grupo esperava por *Tosca* e ofereceu informações adicionais sobre os cantores, suas vozes e hábitos pessoais.

— Acho que o estou vendo ali — murmurou ela, e se afastou.

Ela levou quinze minutos para ir até os fundos da ópera e encontrar a porta dos atores. Depois, precisou de várias moedas do dinheiro que Silver havia lhe dado para subornar pessoas e conseguir entrar.

Os corredores dos bastidores eram mais funcionais do que bonitos, e estavam cheios de pessoas: o coral, ajudantes de palco, seguranças, mensageiros e dois homens carregando um boneco em uma maca com uma mancha dramática de sangue no peito. Não era lugar para uma observadora e Irene foi para a frente da Ópera o mais rapidamente que pôde. Tudo ali era de mármore e madeira cara, bem diferente dos bastidores pragmáticos. Ela viu uma escadaria larga e um saguão iluminado com pinturas e afrescos, mas permaneceu nas sombras.

Tinha ouvido bem a música dos bastidores, o bastante para reconhecer que estavam no meio do primeiro ato, mas não perto do fim. Ela precisava entender a disposição do espaço. E se ouvisse guardas falando sobre dragões chegando para um leilão à meia-noite, melhor ainda.

Sua nuca formigou. Alguém a estava observando. Ela se virou de leve para olhar discretamente por cima do ombro e viu que um homem estava mesmo se aproximando pelo corredor. Espere, não um homem qualquer. Era uma das pessoas que estava na porta dos atores quando ela entrou, parado lá com algumas outras poucas pessoas.

Mais de vinte anos de experiência entraram em ação e ela começou a andar casualmente para longe dele no corredor. Não era coincidência. Irene tinha sido avistada, o que sugeria que ele estava na porta especialmente para vigiá-la. Isso não era bom. Precisava se livrar dele: despistá-lo ou pegá-lo sozinho em um canto escuro, nocauteá-lo e sair dali. E depois, mudar a aparência o máximo possível e ficar escondida.

O corredor à frente se abria para a direita e para a esquerda. Irene escolheu aleatoriamente a esquerda, entrou e quase esbarrou em outro homem.

— Desculpe — murmurou ela em italiano, fazendo uma reverência rápida.

— Segurem-na — disse o homem que vinha atrás, a voz alta o suficiente para que eles a ouvissem, mas não suficientemente alta para alcançar os camarotes e o auditório. Ele tinha um tom desagradavelmente profissional.

Droga. Irene transformou a reverência em um soco direto no estômago do homem mais próximo, passou por ele, chutou a parte de trás do seu joelho quando ele se inclinou desequilibrado e saiu correndo quando ele caiu. O lugar era público demais para ela ficar e lutar.

Ela ouvia o som de passos que a perseguiam enquanto corria, calculando mentalmente a rota mais rápida até as saídas dos bastidores. Esquerda e para baixo deviam funcionar. Ela se segurou no friso da porta para fazer uma curva, os sapatos escorregando no piso de mármore. Não havia portas convenientes para trancar, nem tapeçarias ou tapetes para jogar na frente do seu perseguidor.

Em desespero, ela pegou o pacote de nozes no bolso e jogou para trás.

— **Nozes, explodam!**

Ela ouviu um barulho como o de pequenas bombinhas explodindo, enquanto fragmentos de nozes açucaradas voavam em todas as direções, e um xingamento quando os passos se tornaram irregulares. Mesmo que não tivesse lhe feito mal nenhum, um pacote de nozes explodindo deve ter dado um bom susto no homem.

A passagem fez outra curva à esquerda e ela viu uma escada à sua frente. Quase lá.

Mas Sterrington apareceu em uma porta à direita. Irene reconheceu o terninho e a máscara que ela comprara no dia anterior. Ela carregava alguma coisa na mão direita, pequena demais para ser uma arma e robusta demais para ser uma faca. Irene decidiu continuar correndo, até que o choque nos músculos a pegou de surpresa. Ela caiu desconjuntada no chão e lá ficou, o corpo em espasmos por causa do choque. *Ah. Certo. Um taser. Sterrington deve ser de um mundo em que há essa tecnologia.* A mente de Irene produziu xingamentos, mas a língua e a boca estavam dormentes.

— Peguem-na — disse Sterrington para os dois perseguidores, que as alcançaram. — Com cuidado, por favor.

— Precisamos verificar a identidade dela? — perguntou o perseguidor que falava como profissional. — O lobisomem disse que confirmava o cheiro dela, mas se levarmos a pessoa errada para o lorde, ele vai ficar irritado.

— Não precisa — disse Sterrington. — Posso confirmar a identidade, mesmo com a máscara nova. Tragam-na por aqui.

Irene ficou pendurada como uma boneca entre os dois homens após eles passarem os braços dela pelos ombros, sustentando-a. Não conseguia nem levantar a cabeça enquanto eles seguiam atrás de Sterrington pelo corredor, seus pés arrastando pelo chão.

Sterrington se dirigia para a entrada dos camarotes e não para os bastidores. *Estou sendo entregue a alguém.* O estômago de Irene despencou. Ela tentou se lembrar de quanto tempo demorava a recuperação de um choque de Taser e desejou que fosse mais rápido.

Ela estava ouvindo a música novamente. Um tenor e uma soprano cantavam um dueto, o tenor arrebatadoramente romântico, a soprano se permitindo ser conquistada. Era quase incendiário de tão intenso. Irene se lembrou vagamente de que La Fenice pegou fogo uma ou duas vezes em alguns alternativos, e se perguntou se aquela também tinha desaparecido em fumaça e sido reconstruída.

Seria uma história tão boa, afinal...

Sterrington parou na porta de um camarote. Esticou a mão para tocar no queixo de Irene e inclinar o seu rosto, para que pudesse ser vista claramente.

— Você entende que são negócios, não? — disse ela educadamente. — Nada pessoal, Clarice.

De fato, aquilo havia sido uma das coisas mais legais que disseram a Irene estando ela drogada, atingida por um taser ou incapaz de responder por qualquer outro motivo. Mas sua incapacidade de responder impediu que ela desse uma resposta irritada, em vez do educado "Claro que entendo" que Sterrington parecia esperar.

Sterrington assentiu.

— Mais tarde, então. — Ela bateu na porta de leve com os nós dos dedos, virou a maçaneta e a abriu. Os homens carregaram Irene para dentro.

O camarote estava escuro, obviamente. Todas as luzes do teatro vinham do palco, e as cabines dos dois lados estavam apagadas, cada um delas um mundinho secreto, abundante em cortinas e denso em luxo. Por um momento, o mero espetáculo da vista tirou o fôlego de Irene. A ópera era *magnífica*. Até na escuridão ela podia admirar a rede de camarotes brancos nas paredes do teatro, o teto claro com afrescos tão altos lá em cima, a luz do candelabro elevado e a forma como os assentos abaixo estavam ocupados. Ou melhor, *lotados* pelos cidadãos de Veneza.

Havia duas cadeiras de costas altas no camarote, viradas para o palco. Ela não conseguia ver quem, nem se alguém, estava sentado nelas.

A cadeira mais próxima do palco se virou, e o coração de Irene disparou quando ela viu quem ali estava. Ela não era burra, já vinha desconfiando de quem podia ser, mas teria preferido que fosse outra pessoa. Era o feérico cuja foto ela vira no computador de Li Ming, o homem que viu se encontrando com Lady Guantes no Trem e a acompanhando na taverna. Lorde Guantes. E Irene estava dentro de um camarote de ópera com ele.

— Srta. Winters, acredito. — A voz era suave e grave, com um toque de comando. Ele falou em inglês. — Por favor, venha se sentar.

Os dois homens carregaram Irene até a outra cadeira e a colocaram sobre ela. Então, se curvaram para Lorde Guantes e saíram. A porta se fechou atrás deles na hora em que um canhão soou no poço da orquestra, o barulho fazendo o teatro tremer. Houve gritos da plateia. Irene tentou usar a boca novamente, e desta vez teve um pouco mais de controle enquanto considerava as opções. *Desmoronar o camarote e tentar fugir na confusão* era tentador, mas envolvia algumas falhas óbvias de execução.

Lorde Guantes deu a ela cinco minutos de paz, assistindo à atuação no palco e ouvindo a cantoria. Depois, virou-se para ela. As sedas e veludos cinza-escuros que vestia se misturavam à escuridão da cadeira, e as luvas escondiam suas mãos, deixando a impressão por um momento de que o rosto flutuava. *Um crânio flutuante.*

— Por favor, relaxe. Temos uma série de questões a resolver. Este não é o seu fim, de forma alguma. Eu não quero que entre em pânico, srta. Winters. Ou prefere que a chame de Irene?

Devo fingir que não consigo falar ou me mexer? Não faz muito sentido, ele só esperaria pela minha recuperação.

— Prefiro srta. Winters, considerando nosso estágio atual de familiaridade — murmurou Irene, a língua ainda grossa na boca.

Lorde Guantes assentiu.

— Estou ressabiado com suas habilidades, srta. Winters. Espero que perdoe a conduta dos meus servos, mas, sinceramente, depois que a senhorita conseguiu chegar a este mundo e evitar meus homens por horas, prefiro não correr riscos.

Irene esboçou um sim desajeitado e sentiu uma pontada momentânea de compaixão por Sterrington ter sido descrita apenas como "uma serva" e levado a culpa por ela não ter sido capturada antes. Ela conseguia sentir a pressão da arma de Lady Guantes em sua perna através da saia, mas sabia que ainda não tinha o controle motor necessário para usá-la. *Descuido de Sterrington. Eu teria me revistado, se fosse eu quem estivesse fazendo prisioneiros.*

— Minha esposa manda seus cumprimentos, a propósito — disse Lorde Guantes. Ele olhava para Irene e não para o que estava acontecendo no palco. — Ela ficou impressionada com a sua determinação. Tinha achado que a senhorita era a parte iniciante no relacionamento com o dragão.

O que quer dizer que ele provavelmente sabe que estou com a arma dela.

— E eu fiquei impressionada com a capacidade dela de me rastrear — disse Irene educadamente. Sua fala estava menos arrastada agora, o que era um alívio. Ela conseguiria usar a Linguagem se precisasse. — Há algum motivo em particular para ela não estar conosco agora?

— Ela está mantendo Lorde Silver em prisão domiciliar — disse Lorde Guantes. — E esperando para ver se a senhorita o procuraria. Agora, por favor, srta. Winters, descreva seu relacionamento com Silver. — Havia um tom de ordem na voz

265

dele novamente, que ressoava de forma nada natural no corpo dela, como um impulso físico que a incitava a falar.

— Eu pretendia chantageá-lo — disse Irene atrevidamente. Era um blefe e ela sabia (e ele sabia), mas a pressão da personalidade dele exigia alguma resposta. Se os poderes de Silver estavam na sedução e no glamour, os de Lorde Guantes estavam no controle e na obediência forçada.

— Chantagear? Lorde Silver? — Lorde Guantes piscou.
— Você me impressiona.

A cantoria no palco foi interrompida quando alguém fez uma entrada dramática, mas toda a atenção de Irene estava no feérico à sua frente.

— Impressiona-o o fato de eu poder ser uma especialista em chantagem?

— De jeito nenhum. Impressiona-me Lorde Silver ter feito qualquer coisa que pudesse ser usada para chantageá-lo. Não gostaria de compartilhar comigo?

— De jeito nenhum. É útil demais.

— Hum. — Lorde Guantes afastou a atenção de Irene e olhou para o palco. — Eu diria "uma história provável", mas está claro que vai sustentá-la. Muito bem. Gostaria de me fazer alguma pergunta?

— Bem, sim — admitiu Irene. — Mas estou surpresa de que esteja disposto a respondê-las. — Se ele só queria se livrar dela, por que ficar batendo papo? Por que permitir que ela recuperasse a voz? Não era uma forma sensata de se tratar uma inimiga perigosa.

Ele sorriu.

— Srta. Winters, eu poderia dizer que estou em uma posição tão elevada de superioridade que lhe fornecer respostas não é nada para mim. Mas estou disposto a começar o nosso relacionamento com sinceridade. — Ele olhou para ela por um momento, e Irene sentiu sua própria inferioridade envolvendo-a como uma onda, englobando o vestido velho, os objetos emprestados, suas fraquezas. Ela sabia que era o poder dele trabalhando sobre ela, e isso a ajudou a afastar a sensação, mas mesmo assim se sentia pequena e suja. — Eu pretendo recrutá-la. Uma Bibliotecária amestrada seria um golpe e tanto. E você seria muito mais útil como uma agente bem-informada.

Ela estava dolorosamente ciente dos minutos até a meia-noite passando, mas aproveitaria qualquer oportunidade de colher informação.

— Pelo que entendi por Lady Guantes, você pretende iniciar uma guerra.

Lorde Guantes meneou a mão casualmente.

— Ou nós iniciamos uma guerra, o que nos beneficiaria, ou a família do dragão o sacrifica, e nesse caso a pessoa que o adquirir fica me devendo um favor, o que também nos beneficiaria. Não tenho nada a perder.

— Fico surpresa de que esteja tão certo da vitória — disse Irene.

— Claro. — O tom de Lorde Guantes era como tapinhas sobre sua cabeça. A palavra *condescendente* poderia ter sido inventada para descrever as nuanças desse tom. — No entanto, srta. Winters, tenho acesso a muito mais informações do que você.

— Mais do que a Biblioteca? — perguntou Irene.

— Mais do que um membro júnior da Biblioteca.

Ela tinha que admitir que ele podia ter razão nisso.

— Por que você escolheu Kai em particular?

— Porque minhas informações demonstraram que sua posição hierárquica era suficiente para servir de causa para uma guerra, e ele estava em uma localização vulnerável. Eu não teria tentado sequestrá-lo na esfera do pai dele. Minha nossa, não. Se ele sobreviver a isso e um dia for devolvido aos cuidados do pai, acho que não terá permissão para vagar tão livremente de novo.

— Ele esticou a mão até uma pequena mesa, pegou um copo de conhaque e deu um gole de um jeito que encerrava a questão.

No palco, Scarpia enfrentava Tosca. Mas era só o primeiro ato, no palco e no camarote. E ela tinha que fazer Lorde Guantes pensar que ela estava cedendo.

— Por que não gosta de Lorde Silver? — perguntou ela.

Ele ergueu uma sobrancelha.

— Eu não achava que *a senhorita* gostasse dele.

— Não gosto. Estou muito feliz em chantageá-lo. Mas andei me perguntando quais seriam os seus motivos.

Ele deu uma risada no fundo da garganta. Mais uma vez, havia aquele tom de condescendência, como se ela tivesse dito alguma coisa encantadora e inocente.

— Minha querida srta. Winters, eu nasci em posição superior. — Mais uma vez aquele gesto displicente com as mãos enluvadas. — E, fazendo jus ao meu status, eu tenho um propósito, srta. Winters. Um dever. Uma obrigação...

— Começar uma guerra? — sugeriu Irene, antes que pudesse se controlar.

— Exatamente. — Ele a agraciou com um sorriso apertado. — Em oposição a Lorde Silver, que é um simples amador. Foi colocado em uma posição além da sua capacidade e ignora isto, mesmo estando lá. Ele ofende meu sentido de uso apropriado do poder.

A voz de Scarpia soou pela ópera em um grande crescendo e os olhos de Lorde Guantes cintilaram como fagulhas quando a luz se abateu sobre eles.

— E agora, srta. Winters — disse ele —, vamos falar de você.

CAPÍTULO 19

— Mas acredito que agora seja o intervalo — disse Lorde Guantes, olhando para o palco e liberando Irene do peso do seu olhar. — Posso confiar que vai ficar sentada quieta e não causar incômodos, srta. Winters?

Irene considerou a possível cadeia de eventos. *Eu grito e alego que fui atacada. Ele chama a guarda. Minha identidade é revelada. Sou presa e levada para a prisão.*

— Sim, é claro — ela disse, tentando expressar despreocupação, como se estivesse no controle da situação.

Não funcionou. E ela percebeu, pela forma como Lord Guantes relaxou, conforme o coral no palco se lançava em um dramático hino cristão *Te Deum*. *Ele sabe que não tem nada a temer de mim.* E ele parecia genuinamente interessado em recrutá-la. Mas por quê? Kai era bem mais importante do que ela.

Ela olhou para a plateia quando as cortinas se fecharam. As luzes em todo o auditório ficaram mais fortes conforme o volume de gás era aumentado ao máximo, e as pessoas começaram a conversar alto. Lá embaixo, uma multidão saiu da sala, mas a maioria dos homens e mulheres que tinham dinheiro para pagar por camarotes ficou onde estava.

— Será que não gostaria de ir buscar uma bebida? — sugeriu Irene educadamente.

— Eu não poderia deixá-la sozinha, srta. Winters — respondeu Lorde Guantes. — Quem sabe em que tipo de confusão poderia se meter?

Irene cruzou as mãos no colo e sentiu a arma nas dobras da saia. Seu controle motor estava de volta; ela poderia usar a arma se precisasse. Mas com o poder de Lorde Guantes a pressioná-la, ela preferia o jogo de esperar enquanto ele tentava recrutá-la, e então procurar uma vantagem. Qualquer vantagem.

Lorde Guantes deu um sorriso leve, como se sentisse uma quebra de resistência.

— Exatamente — disse ele. — Eu sabia que a senhorita seria razoável. Agora, imagino que esteja se perguntando quais são as suas opções.

Ele provavelmente gostaria ainda mais de dizer aquela frase se ela estivesse amarrada, concluiu Irene. Era tudo uma questão de poder.

— Eu estava pensando mesmo — murmurou ela.

— Bem, a senhorita precisa entender que é uma jovem um pouco notória.

Irene não sabia se ficava satisfeita ou irritada com o *um pouco*. Decidiu dizer:

— É tão difícil saber quando passamos dos limites. Eu não achei que tivesse causado dissabores a Lorde Silver.

— Ah, não é de *Silver* que estou falando. — Lorde Guantes pegou o copo de conhaque e bebeu novamente, prolongando o momento. — É de Alberich.

O nome que Irene menos desejava ouvir. Ela nunca *pediu* para ser uma pessoa que interessasse a um dos piores pesadelos da Biblioteca. Não *queria* estar ligada a alguém que esfolava pessoas vivas. E mal escapara com vida do último encontro com ele.

— Ah — ela disse, mantendo a voz firme, e agradecida novamente pela máscara. Talvez soltar um grito e ser presa *fosse* a melhor opção. Ela poderia tentar fugir na confusão.

— De fato. — Ele a estava observando, os olhos alertas para o menor sinal de fraqueza. — Um cavalheiro muito conveniente, para aqueles que desejam tirar vantagem das suas habilidades únicas. Muito... Qual é a palavra? Útil. Sim, útil. É impressionante o que ele se tornou, e dizem que ainda está se desenvolvendo. Ele pode ter seus esquemas próprios, mas é sempre um grande profissional quando precisa cooperar com outros...

— E foi ele quem lhe contou onde poderia encontrar um dragão, não foi? — disse Irene. Fazia muito sentido. Alberich teria reconhecido a natureza de Kai depois do último encontro entre eles, e certamente era do tipo que guardava ressentimento.

— Exatamente — concordou Lorde Guantes. — E é por isso que tenho uma dívida com ele. Entregar a senhorita resolveria as coisas de forma adequada.

A pontada de medo quase deu um nó no estômago de Irene. Seu pior pesadelo se tornando realidade... *Espere. Isso é óbvio demais.* O bom senso a trouxe de volta do pânico para a análise crítica. *Ele está mostrando isso para mim deliberadamente para me persuadir a escolher o mal menor. Se me quer tanto assim a seu serviço, qual a razão?*

— Resolveria, não é mesmo? — concordou ela, e captou um brilho de irritação nos olhos de Lorde Guantes. Ele esperava que aquilo surtisse mais efeito. *Vamos lá, gabe-se para mim. Conte-me alguma coisa útil.* — A nobreza daqui deve estar muito irritada de todos os camarotes estarem ocupados hoje

— comentou ela. — E todas essas pessoas de mundos diferentes, mas ninguém parece notar.

— Esta é a *nossa* Veneza, srta. Winters. — Lorde Guantes entrelaçou os dedos enquanto olhava para a plateia com ar de posse. — O mundo é o que dizemos que é aqui, ele começa e termina com Veneza. Não há terras além para interferir. Os Dez comandam, e o povo os obedece como seus mestres. Até o chão sob os nossos pés obedece à vontade deles. Tudo é precisamente como Veneza deve ser. Napoleão nunca virá a esta Veneza; ela nunca será conquistada, jamais será diminuída, e nunca será outra coisa. Os Dez querem que todos vejam os visitantes convidados como meros estrangeiros, e é o que eles fazem. — Ele fez uma pausa. — Seus visitantes *convidados*, quero dizer. Acho que *você* não recebeu convite, srta. Winters.

— Eu considero o sequestro de um dos meus amigos um convite implícito — retorquiu Irene secamente. — O que o torna meu anfitrião oficial, Lorde Guantes.

Ele riu.

— Nada mau, mas falta sustentação legal. Acho que não poderia defender esse argumento na frente dos Dez.

— É isso que vamos fazer?

— Só se me levar a isso, srta. Winters, e só se for absolutamente necessário. Você sabe como são essas coisas. Uma denúncia anônima. Sua exposição pública. Sua prisão. Seu... interrogatório. — Ele não deu a mesma inflexão à palavra que Silver daria, para torná-la doentia e lasciva. Só a pronunciou, carregada com o peso da escuridão e de calabouços e desesperança. — Quando chegasse a hora de se postar na frente dos Dez, eu garanto que já teria confessado tudo.

— Estou surpresa de você ainda não ter me entregado — disse ela, o mais casualmente que conseguiu. Sabia que estava caminhando no fio da navalha, tentando descobrir o que ele queria sem forçá-lo demais.

As luzes no teatro já estavam enfraquecendo de novo e o ruído da plateia diminuiu para um sussurro quando as cortinas se reabriram.

Lorde Guantes esperou até a ópera reiniciar para continuar:

— Claro que há outras opções.

— Sim? — disse Irene, tentando disfarçar a ansiedade na voz.

— Mas suas opções estão agora muito limitadas, srta. Winters. Limitadas a quem eu decidir que vai ser o seu novo mestre ou sua nova mestra, pois és minha prisioneira agora. — Fez uma pausa para permitir que ela concordasse com isso, mas ela não disse nada. Ele prosseguiu mesmo assim. — Os Dez ficariam felizes de tê-la, estou certo. Poderia ser trocada por alguma vantagem futura. Eles não têm nenhum desejo de começar ativamente uma escaramuça com sua organização, então seria uma questão de arrancar todas as informações que pudesse fornecer e mantê-la prisioneira, até eles acharem alguma utilidade para você.

Isso me diz mais sobre como você vê as coisas do que como eles veem as coisas. Irene fez uma inclinação rígida de cabeça, esperando que ele continuasse.

— Por outro lado, eu talvez obtenha alguma vantagem se apresentá-la a um dos meus aliados, ou para garantir um aliado em potencial. — A pausa agora poderia ter o objetivo de permitir que ela reconhecesse as sutilezas da alta política, expressada pela troca de almas. — Alguns dos poderosos da minha espécie ficariam felizes de tê-la como inimiga pessoal na história deles ou como aluna.

— Aluna? — disse Irene, surpresa.

— Em algum momento. Depois de treinamento suficiente. Ou... um brinquedo. — Seu tom expressava a tristeza de ter que mencionar tal desprazer, mas sugeria que ele podia facilmente enumerar cada possível indignidade, tortura ou pior: executá-las, se fosse necessário.

Irene engoliu em seco. Estava com a boca seca. Do ponto de vista clínico, ela sabia que ele estava só (*só?*) tentando assustá-la. Mas a experiência em si era realmente assustadora, pois ela sentia a compulsão de obedecê-lo e tinha que lutar com tudo que tinha para não sucumbir a esse poder.

Lorde Guantes já a estaria controlando? Era por isso que ela estava sentada tão passivamente, convencendo *a si mesma* que agia assim para descobrir os segredos dele? Ela avaliou mentalmente alguns planos. *Fazer a ópera toda desabar. Atirar nele. Ameaçá-lo com a arma. Destruir a cadeira dele e botar fogo no conhaque. Pular pela amurada na plateia.* Ela achava que poderia fazer qualquer uma dessas coisas... se assim decidisse. Se escolhesse fazer o esforço.

— Ou eu poderia oferecê-la a Alberich. — A mão de Lorde Guantes se aproximou para segurar o pulso dela, prendendo-o no braço da cadeira.

Irene se sobressaltou ao sentir o toque, mas a mão se manteve firme, forte o suficiente para machucar, e ele virou sua cadeira para olhar para ela. Havia prazer em seus olhos, na forma como ele olhava para ela, mas não era uma diversão sádica por causa da dor que ela sentia. Era só apreciação de seu poder sobre ela. *Tão parecido com Silver. Eu devia dizer isso a ele, se algum dia realmente quiser insultá-lo.*

— Ah, não, srta. Winters. Isso *não* é opção. Você só sai desse camarote quando tivermos decidido seu destino, seja qual for. Diga-me, você tem tanto medo assim dele?

— De Alberich? — Pura descrença surgiu na voz dela. — Por que não deveria ter? — Pare com isso. — Ele estava brincando com ela. As vozes no palco eram todas masculinas, carregadas de ameaça e desafio, prometendo aprisionamento e morte. — O que há para se desgostar tanto?

— Tenho certeza de que você sabe o tipo de coisa que ele faz — disse Irene rispidamente.

— Eu gostaria de ouvir da sua boca. — O olhar dele grudou no dela, e desta vez ela não conseguiu evitá-lo, mesmo querendo. Seu olhar a coagia. Era a vontade dele contra a dela, e nem sua marca da Biblioteca era suficiente para salvá-la agora.

Ela mal reconheceu a própria voz quando começou a falar.

— Ele esfola pessoas...

O som da sua voz quebrou aquele momento de controle e ela se jogou para trás na cadeira, o corpo tremendo. Suas costas doíam, como se ela tivesse apanhado. Isso era bem pior do que as tentativas de Silver de passar pelas defesas dela. Lorde Guantes *conseguira*.

Ela perdera a noção do tempo em algum momento. Tosca estava no palco cantando agora, a voz se espalhando pelo teatro em ondas suaves e potentes de som, como um pêndulo de prata marcando os segundos.

— Encantador — disse Lorde Guantes lentamente. — Muito encantador. — Sua mão permanecia agarrada ao pulso dela, a luva lisa e esticada, como se ele não estivesse aplicando pressão nenhuma. — Estou começando a ver por que Lorde Silver gosta tanto de você. A senhorita é mesmo estimulante, srta. Winters. É exatamente o que eu quero.

— Mas o que você quer? — sussurrou Irene. Sua voz tremeu, exatamente como deveria tremer se ele tivesse conseguido intimidá-la. Pessoas já tinham tentado se impor à vontade dela antes, mas nenhuma realmente *conseguiu*, e ela não queria pensar nas consequências.

— Que seja minha serva, em público, esta noite mesmo. — Seu sorriso era a essência da arrogância. — Nós já provamos que podemos atacar dragões. Ter uma Bibliotecária a meu serviço mostrará que a Biblioteca não será uma ameaça significativa neste conflito. Você não concordaria?

O coração de Irene afundou. Ele estava certo. Exibi-la como um troféu talvez ajudasse a converter os votos de alguns feéricos indecisos em favor da guerra. E era culpa dela ter ido para lá e enfiado a cabeça na forca...

Não, isso era o que *ele* queria que ela pensasse. Ela pensou no pingente que tinha no pescoço. Tinha feito a coisa certa, a *única* coisa que poderia ter feito, ao ir para lá.

Era hora de agir.

— **Conhaque, ferva!**

O copo e a garrafa de conhaque explodiram em um fluxo de vapor. O conhaque era um fluido volátil, e a garrafa ascendeu em uma exibição dramática gratificante. A violência do acontecimento pegou Lorde Guantes de surpresa, e sua atenção desviou-se de Irene quando ele olhou para o copo estilhaçado.

Irene tirou a arma da saia com a mão livre, ergueu-a e apontou para ele.

— Sua vez — disse ela

Ele voltou o olhar para ela, e desta vez não se controlou. Seus olhos eram como mil toneladas a pressionando, frios e pesados como chumbo, e parecia que gelo surgia ao redor de seus membros e coração. A mão afundou no pulso dela, e ela ofegou de dor. A queimação da marca da Biblioteca nas costas e o peso do pingente no pescoço eram novamente ocorrências distantes, afastadas da opressão presente do olhar dele.

Dance conforme a música, finja que ele venceu, parte da mente dela sugeria. *Largue a arma...*
    Ela pensou nessa frase. A parte mais importante parecia ser *largue a arma*, e essa era a última coisa que ela faria. Não podia parar de lutar agora. Se fizesse isso, perderia. Mas estava usando toda a sua força, e assim que ela perdesse o foco, sua vontade falharia.
    Ela podia sentir que estava perdendo, centímetro a centímetro. A arma estava fria e distante na mão dela, e ela mal conseguia continuar a segurá-la.
    Faça alguma coisa.
    Ela não podia.
    — Responda-me — disse ele.
    Ela lutou com a Linguagem em busca de *quebre, estilhace, caia*, mas sentia a boca começando a formular um *sim*.
    — Acredito que a dama esteja recusando seu convite — disse Vale na escuridão atrás dela.

CAPÍTULO 20

Lorde Guantes se virou para olhar para Vale, interrompendo sua conexão com Irene. Ela respirou em grandes ofegos de ar. Mal havia espaço em sua cabeça para pensar e os pensamentos foram: *Mantenha a arma apontada para ele.*

— Peregrine Vale, acredito. Este camarote está trancado — disse Lorde Guantes. — Como você...?

— Eu não fiz nada — interrompeu Vale. — Cheguei antes de a apresentação começar e fiquei esperando atrás daquelas cortinas. Achei sua conversa muito interessante.

— Entendo. — O tom de Lorde Guantes ainda era comedido, mas Irene detectou uma sensação de raiva ardente e incerteza. Ele parecia não saber a qual dos dois direcionar sua vontade e, por consequência, seus poderes. Ela se perguntou, de repente, se ele não *podia* controlar os dois ao mesmo tempo.

— E como *você* chegou a Veneza? — perguntou Lorde Guantes. — Eu tenho de ser constantemente interrompido quando estou ocupado?

— Uma consequência infeliz da sua linha de trabalho — disse Vale. — Winters, vamos?

— Acho que não — disse Lorde Guantes, segurando o pulso dela com mais força ainda. — A dama fica aqui.

— Lamento decepcioná-lo — disse Irene. Ela tinha recuperado o controle agora. — Mas se puder nos dizer onde ficam os *Carceri*, nós agradeceríamos.

Lorde Guantes fez um ruído debochado.

— Acha mesmo que eu diria?

— Tenho de insistir que responda à pergunta — disse Vale. Sua voz estava mortalmente fria.

Lorde Guantes deu de ombros.

— Ou? — disse ele.

— Ou vou explodir a sua cabeça. Sei que sua espécie tem habilidades incomuns, senhor, mas não acredito que seja capaz de enfeitiçar a nós dois, senão já o teria feito. E acho que uma bala na cabeça, disparada a três metros de distância, lhe causará sérias inconveniências.

Lorde Guantes fez uma pausa, pontuada por um som de tambores da orquestra, que se espalhou pelo teatro.

— Pelo menos me conte como chegou aqui — disse ele. — Se estiver trabalhando para Silver, talvez nós possamos chegar a algum acordo. — Ele não estava mais se concentrando em Irene, mas na ameaça mais imediata, que era Vale. E Vale estava começando a franzir a testa por causa da distração, agora que tinha que lutar contra a vontade de Lorde Guantes.

Guantes está tentando ganhar tempo. E Kai estava ficando sem tempo.

— **Braços da cadeira, quebrem-se** — murmurou Irene.

Os braços das duas cadeiras se estilhaçaram, destruindo o que devia ser um par valioso de antiguidades. Lorde Guantes caiu para a frente, o pulso de Irene se soltou e ela o puxou da mão dele. Recuou para perto de Vale, mantendo a arma apontada em Lorde Guantes.

Ele arregalou os olhos e hesitou por um momento. Em seguida, levantou-se da cadeira e andou de costas para perto da amurada do camarote, erguendo as duas mãos como se em rendição.

Irene lançou um olhar rápido para o lado e viu que Vale estava de pé perto da porta. Uma máscara preta das mais comuns escondia parte do rosto dele. Além disso, vestia uma jaqueta simples e uma calça preta. Ela não o teria reconhecido nem olhado duas vezes para ele em outras circunstâncias. Ele não desviava a atenção de Lorde Guantes.

— Cuide da porta, Winters — disse ele, sereno como sempre.

— Está aberta — respondeu Irene. Ela esticou o braço para testar a maçaneta, que se moveu sob sua mão. — Nós devíamos sair daqui.

O teatro estava quase em silêncio. Tosca cantava *"Vissi d'arte, visse d'amore..."* A voz dela e a orquestra ocupavam o ar como luz atravessando um vitral.

— Vocês não podem fugir — disse Lorde Guantes suavemente. O poder parecia se cristalizar no ar ao redor dele, quase físico e sólido, enquanto ele se empertigava à sua altura normal. Não era uma ameaça. Era uma previsão. Eles não escapariam. Estavam perdidos. Ele já tinha vencido.

Eu quase disse sim para ele... A marca nas costas de Irene ardia de raiva, como se feita com ácido. *Eu quase traí a Biblioteca.*

Seu dedo se enrijeceu no gatilho.

Lorde Guantes percebeu o movimento e deu um passo para trás, segurou-se na amurada do camarote e pulou. Saiu da linha de tiro e de vista, caindo na plateia lá embaixo.

A ação destruiu o feitiço criado pelo seu poder. Parecia que uma fonte brilhante de luz havia se apagado, deixando os observadores atordoados com a luminosidade usual do dia. Irene olhou de lado para Vale e viu que ele ainda estava com sua arma apontada para onde Lorde Guantes estava antes, o aperto tão forte que ela conseguia ver os ossos da mão embaixo da pele.

— Venha — disse ela com pressa, enfiando a arma na saia.

— Nós temos que sair daqui.

Uma tensão interna se rompeu. Vale assentiu e guardou a arma na jaqueta. Então, puxou Irene para fora pelo corredor, quase antes do eco das palavras ter sumido. Felizmente, Sterrington tinha seguido as ordens de deixar Lorde Guantes sozinho, e o corredor estava vazio.

Eu devia ter atirado nele, repetia o cérebro de Irene em um ritmo febril. *Eu devia ter atirado nele...*

— *Ande*, Winters — disse Vale, arrastando-a consigo. — Estou perplexo de que ninguém tenha reagido a um homem pulando de um camarote no meio da ópera.

— Bom, foi no meio de *Vissi d'arte* — argumentou Irene.

— Ninguém vai se mexer enquanto essa ária não acabar...

Uma gritaria e uma agitação soaram no auditório principal, ecoando pelas paredes do corredor enquanto eles desciam a escada.

— Claro que eu posso estar enganada — concedeu ela. Mas uma questão mais importante surgiu. — Como é que *você* está aqui? Agora?

— Vou ter o prazer de contar quando tivermos tempo. — Ele a guiou para uma porta lateral nas passagens dos bastidores. — Se conseguirmos sair daqui e entrar no meio da multidão antes de isolarem a ópera, talvez fiquemos em segurança.

Irene concluiu que aquela era a melhor definição de "segurança" que eles poderiam ter no momento e assentiu. Pegou o xale esquecido de alguém quando passaram correndo e largou o seu. Talvez ajudasse um pouco na camuflagem. Vale já estava bem disfarçado.

— Aja com naturalidade — orientou Vale, reduzindo abruptamente a velocidade e soltando o braço dela. O burburinho de vozes veio da frente.

— O triste é que isso tudo é bem normal para mim — disse Irene secamente. — Passar alguns meses tranquilos no seu mundo é que foi a experiência incomum. — Ela o seguia e ajeitou a saia. Eles dobraram a esquina e encontraram o corredor quase bloqueado por um grupo de auxiliares de palco e do coral.

— Você sabe o que está acontecendo? — perguntou uma pessoa do coral para Vale. Era um homem jovem, já de uniforme para o ato seguinte, a maquiagem nova e pálida à luz das velas. — Disseram que houve um duelo.

— Não, eu ouvi que foi assassinato — disse outro homem, um dos auxiliares. Ele secava o suor da testa e do pescoço com um trapo sujo. — Pelo que ouvi, ele a estrangulou no camarote dela.

— Nem uma coisa nem outra — disse Vale. O italiano dele era seco e coloquial, mas a linguagem corporal tinha assumido o mesmo gingado distraído dos homens ao redor. — Alguém estava para ser preso pela guarda do Doge. O suspeito pulou do camarote para tentar fugir.

O grupo silenciou. A maioria dos homens fez o sinal da cruz.

— A guarda ainda está lá? — perguntou um deles.

Vale deu de ombros. Irene deu de ombros também e tentou não olhar para trás para ver se havia alguém correndo atrás deles.

— Então por que *vocês* estão tentando sair pelos fundos? — perguntou outro auxiliar. — Têm motivos para evitar a guarda do Doge, é?

Antes que Vale pudesse responder, Irene o puxou pela manga, suplicante.

— Querido, nós temos que correr! Se Giorgio nos pegar juntos, você sabe o que ele vai fazer. Esses cavalheiros são honrados, não vão nos trair nem contar para ele...

Olhares foram trocados entre os homens.

— Nós não vimos nada — disse um deles, esticando a mão vazia.

— Isso mesmo — disse Vale. Ele enfiou a mão em um bolso interno, pegou uma bolsa e colocou algumas moedas na mão esticada. — Para beberem à saúde do Doge.

Com alguns acenos de cabeça, eles saíram pela porta dos bastidores, e dois minutos depois Vale conduzia Irene a bordo de uma gôndola. Nenhum grupo frenético de guardas foi atrás deles, e Irene começava a achar que eles talvez conseguissem mesmo fugir.

— Volte para o Palácio do Doge e passeie um pouco por ali, para podermos apreciar o cenário. E vamos ouvir uma música — instruiu Vale, jogando outra moeda para o gondoleiro. Ele ajudou Irene a se sentar na área mais ampla do barco (ela ainda não conhecia o jargão náutico, uma coisa importante para uma Bibliotecária), colocando uma almofada para ela antes de ajeitar seu corpo alto ao lado. A postura podia parecer casual, um homem e uma mulher juntos em uma gôndola, o braço dele nos ombros dela, mas ela conseguia sentir a tensão no corpo dele.

— Obrigada. — Irene precisou se forçar a dizer as palavras. Para seu desgosto, ela estava tremendo, como consequência do confronto que tivera com o poder de Lorde Guantes. Enfrentar um feérico do nível dele estava bem acima do seu nível salarial, ela disse para si mesma enquanto trincava os dentes. Vale estava ali. Eles estavam em segurança... Por enquanto. E precisavam conversar.

Ela ergueu o rosto para os olhos de Vale por um momento e levou as mãos à parte de trás da cabeça para desamarrar as fitas da máscara. Ninguém estava olhando, e com sorte ninguém sabia o que procurar. Ela massageou o pulso machucado e Vale começou a falar. Ele preferiu o inglês, a voz baixa.

— Peço desculpas por surpreendê-la assim, Winters. Quando Lorde Silver se recusou a me deixar tomar o Trem, achei que era melhor tomar minhas próprias providências. Lamento que isso tenha envolvido enganar tanto você quanto ele, mas não havia tempo para discutir a questão. Ao sair como saí, pude montar um disfarce para entrar no Trem entre os feéricos menores.

Ela meneou a cabeça positivamente, lembrando-se das suas palavras magoadas ao sair como um furacão da sala de Silver.

— Estou preocupada, pois você pode ser contaminado pelo Caos só por estar aqui — disse ela. — Silver não estava mentindo. É um risco para os humanos visitar esses mundos. Você se expôs...

— Não senti nada de estranho até agora — disse Vale bruscamente. — Será que já não estou um tanto imunizado? Você já disse que em meu mundo há mais Caos do que Ordem. E não tive problema com os outros feéricos no Trem. O volume de estranhos facilitou que eu me passasse por um deles. Mas suponho que já tenha feito suas investigações, Winters. O que você descobriu?

Na noite anterior, Irene estava furiosa com ele. Mas aceitou contrariada o argumento. Talvez fosse a suposição tácita dele de que não tinha feito quase nada que precisasse ser *desculpado* que ainda a incomodasse. Ela repassou com Vale os detalhes do prazo da meia-noite, a barganha para fugir no Trem e o paradeiro de Kai nos *Carceri*, onde quer que eles ficassem.

— Ah — disse Vale com satisfação. — Isso está de acordo com minhas investigações.

— Espero não ter perdido tempo *demais* — disse Irene com uma certa irritação.

— De jeito nenhum, Winters. — Vale relaxou nas almofadas com ela, a voz em um tom que poderia ser interpretado como o sussurro de um amante. — Foi bem simples. Veneza é conhecida como um celeiro de crime organizado, sociedades secretas e espiões. Os Venezianos, a Mala del Brenta, a 'Ndrangheta, a Carbonária...

— Eu acho que a Carbonária só surgiu algumas centenas de anos depois de "agora" — disse Irene com certo pedantismo. Claro que Vale saberia sobre o lado criminal das coisas. — Você deve ter reparado que o período cronológico é diferente daquele do seu mundo.

Vale suspirou.

— A questão continua valendo, Winters. As pessoas aqui estão acostumadas ao conceito de indivíduos mascarados anônimos fazendo perguntas e esperando obter respostas. Quando eu soube que este lugar é controlado por um grupo misterioso chamado de os Dez, só precisei me passar por um agente deles. Foi fácil rastrear os movimentos de Lorde Guantes depois que ele chegou aqui acompanhado de um homem inconsciente, que deve ser Strongrock. Eu passei a maior parte do dia e da noite de ontem perambulando pela cidade, entrevistando testemunhas e...

— Você estava fingindo ser um dos agentes secretos dos Dez? — sibilou Irene, chocada.

— Há vantagens em uma cidade com máscaras — disse Vale. Por baixo da sua máscara, a boca se curvou de forma complacente ao luar.

— Acho que você subestima o quanto eles são eficientes.

— Ela teve que resistir à vontade de olhar para trás por cima do ombro. — Eles também seguiram os Guantes ontem à noite, procurando por algum comportamento suspeito. Quase me prenderam.

Vale assentiu, com uma aceitação casual do fato de que ela obviamente conseguira evitar uma prisão. De certa forma, aquilo era um elogio.

— Em todo caso, eu sei onde Strongrock foi visto pela última vez, logo antes de sumir. O local deve ser a entrada desses seus *Carceri*, ou pelo menos incrivelmente perto. O que não consigo fazer é me infiltrar convenientemente no lugar. Eu tinha pensado em sequestrar Guantes ou a esposa dele e usar como refém, mas é possível que seja um pouco exagerado.

— Mas, juntos, talvez nós consigamos alguma coisa... — sugeriu Irene. Era como o balançar de um pêndulo, do fracasso quase certo a uma possibilidade real de sucesso. Ainda faltavam algumas horas até a meia-noite. Talvez ainda houvesse tempo de salvar Kai.

— Se nós não soubéssemos aonde ir, seguir Lorde Guantes seria o próximo passo lógico. — Vale se acomodou e olhou de forma meditativa para o canal à frente, para os lampiões e janelas que ladeavam a passagem aquática escura.

O gondoleiro fez uma pausa na rendição vocal (uma cantoria sobre junho, a lua etc., em um agradável registro de tenor, ainda que não do nível de uma ópera) para lançar um cumprimento a uma gôndola passando. Irene olhou para o outro barco com nervosismo, mas ele só transportava mais um casal reclinado, bem parecido com ela e Vale. Nada de soldados. Nada de inquisidores. Nada de Lorde Guantes.

Ela tentou pensar no que Vale dissera em vez de simplesmente refutá-lo logo de cara. Guantes estava em uma lista muito curta de pessoas que ela não desejava ver nunca mais.

— Você acha que Lorde Guantes vai dar uma olhada em Kai para ter certeza de que ele está no lugar onde foi deixado, agora que conseguimos fugir?

— É bem provável, Winters. Ele também deve preparar uma armadilha. E nosso objetivo é bem óbvio, infelizmente: encontrar Strongrock assim que pudermos.

Irene franziu a testa.

— Mas não estará Lorde Guantes esperando que o sigamos, sendo ele o único caminho até Kai? E não estará preparado para nós?

Vale parecia pensativo.

— Se preparar armadilhas é o que gosta de fazer, ele vai precisar de tempo para montá-la e para voltar e se exibir de forma extravagante, nos provocando a segui-lo. Tudo isso nos leva ao que estávamos tentando fazer de qualquer maneira: chegar aos *Carceri* primeiro, a tempo de encontrar Strongrock antes de ser levado ao leilão.

Irene começava a assentir em concordância quando se deu conta de que os sons do canal estavam mudando. Havia uma calma no ambiente, um silêncio que parecia físico se aproximando da gôndola, engolindo os barulhos menores no caminho. Ela se empertigou, soltou-se do braço protetor de Vale e deu de cara com seis gôndolas escuras se aproximando da deles. Os barqueiros que se aproximavam estavam protegidos por capas pretas e se moviam com uma leveza nada humana, os remos praticamente não agitavam a superfície da água.

CAPÍTULO 21

— Dê meia-volta — ordenou Vale ao gondoleiro. — Você vai receber um bônus, claro...
— Não existe bônus bom o bastante que faça valer a pena contrariar os Dez — disse o gondoleiro, sua voz tremendo. Ele empunhou o remo de forma ameaçadora. — Fiquem onde estão.

Alegar inocência não ia ajudar. A pergunta era: quanto alvoroço Irene estava preparada para fazer para que conseguissem fugir em segurança?

Bastante, ela decidiu.

Ela ficou de pé e respirou fundo.

— **Água do canal, congele profunda e densamente!** — gritou, com a voz no máximo.

Suas palavras pairaram no silêncio. A gôndola parou de repente, fazendo Irene cair de joelhos. Vale a segurou e a colocou de pé. O silêncio tinha acabado; o ar agora estava tomado pelo estalo dos barcos de madeira presos, e um frio intenso subiu da superfície repentinamente dura do canal. As gôndolas que se aproximavam estavam entre os barcos presos, e os homens nelas também pareceram brevemente congelados pelo choque.

— O gelo vai nos aguentar? — perguntou Vale, indo direto ao ponto.

— É bom que aguente — respondeu Irene, enquanto pulava da lateral do barco. O gelo estalou sob seu peso, mas não quebrou. Ela começou a andar apressada para a margem do canal; a superfície da água havia congelado com pequenas marolas e ondas, dando a seus pés um certo apoio. Além de quase se afogar, suas experiências de colégio interno incluíam aventuras perigosas em lagos semicongelados, então não era a primeira vez que ela fazia aquilo. Irene segurou Vale quando ele quase escorregou. Estrondos vindos das gôndolas mais distantes sugeriam que seus perseguidores enfrentavam mais dificuldades.

Em circunstâncias normais, multidões de observadores estariam nas margens abarrotadas, mas a presença da polícia secreta dos Dez esvaziou a área de forma eficiente. Irene e Vale saíram do gelo sem que ninguém os atrapalhasse. Eles ganharam talvez um minuto, mas não mais. E os mascarados de preto estavam correndo atrás deles com mais desenvoltura agora.

Era hora de atrapalhá-los um pouco mais.

— **Gelo, quebre!**

O interessante foi que o gelo não se partiu todo de forma homogênea. Uma parte se estilhaçou em pequenos fragmentos, afundando na água como pó, enquanto outros pedaços permaneceram grandes, icebergs em miniatura deslizando pelo canal. Os homens no gelo caíram na água gelada em um silêncio estranho, mas ainda seguiam na direção de Irene e Vale.

Vale segurou o braço de Irene e a puxou até uma viela próxima. Correram por uma ponte estreita e passaram entre uma fileira de casas velhas.

— Nós temos que despistá-los — disse o detetive, e ela se perguntou se dizer o óbvio era um hábito dele.

— Onde Kai foi visto pela última vez? — perguntou Irene.

— Na Piazza San Marco — respondeu Vale. Ele a ajudou a pular um muro de pedra entre duas casas e entrar em um jardim particular, e pulou em seguida. — No Campanário.

— Claramente os Dez acreditam no conceito de se esconder à plena vista — murmurou Irene. Ela chutou uma galinha do caminho, causando um cacarejar e uma revoada de penas. — Com licença — ela acrescentou para um proprietário indignado que abriu a porta dos fundos de casa para reclamar. Distração, distração... Eles precisavam de uma distração. — Vale, se fôssemos espiões estrangeiros que vieram para cá com sabotagem em mente, o que teríamos como alvos?

— Os próprios Dez — sugeriu Vale. — Ou tentaríamos assassinar o Doge ou explodir o Arsenal. Mas o Arsenal seria mais fácil, pois tanto ele quanto o Campanário ficam a nordeste daqui. Você pode fazer com que nossos perseguidores achem que esse é o nosso alvo?

— Eu posso tentar. — *Mas como?* Ela se perguntou. Lembrava-se do Arsenal de Veneza agora: um complexo de estaleiros e arsenais tão grande e industrial que forneceu imagens para o *Inferno* de Dante. E ela tinha uma noção suficiente da geografia da cidade para saber que ficava diretamente sobre a água, com vista para as muitas ilhas espalhadas até o mar aberto.

Pés correndo soaram ao longe, atrás deles. E mesmo que Vale tivesse uma capacidade sobrenatural de encontrar o caminho pelas vielas da cidade depois de apenas um dia, os servos dos Dez ainda estavam bem próximos e chegando mais perto.

Ela precisava deixar um rastro óbvio se quisesse que a distração funcionasse.

— Nós precisamos ir para perto da água — disse ela brevemente. — Preciso de um barco, e vamos precisar de alguma coisa para colocar dentro dele.

Vale inclinou a cabeça e assentiu. Ele mudou de rota, levando-a por uma rua à direita, na direção do barulho do mar.

Os dois saíram em um pequeno cais, entre duas fileiras de pensões e lojas, com meia dúzia de barcos a remo amarrados na extremidade. Perfeito. Se bem que era também um beco sem saída, sem nenhum lugar para ir além da água. Era melhor que a ideia funcionasse.

— Desamarre aquele — Irene instruiu Vale, apontando para o barco mais próximo. Ela arrastou uma cobertura de lona do barco ao lado e colocou no primeiro, jogando seu xale por cima por garantia. De onde eles estavam, ela conseguia ver a grande curva da lagoa veneziana e o mar aberto depois. Dessa distância, o Trem pairava sobre a água em sua plataforma protuberante como uma corrente, mas depois dele ela podia ver os prédios do outro lado da curva, a oitocentos metros ou mais para o leste. Agora que sabia para onde olhar, o Arsenal se tornara óbvio. Mesmo àquela hora da noite, ardia com o fogo de forjas, em uma silhueta irregular com chaminés em atividade, muros altos e mastros de navios, além da fumaça que subia de lá para a noite limpa.

Vale recuou com um grunhido quando a corda se soltou.

— Você consegue controlar o barco remotamente, já que vai direcioná-lo para tão longe?

— Posso fazê-lo começar a se deslocar e deixar que eles sigam atrás — disse Irene, forçando um tom de confiança na voz. Congelar e estilhaçar o canal a deixara com uma dor de cabeça chata e uma sensação de fraqueza. Ela queria ter tido a chance de jantar. Ou até almoçar. Possivelmente, de tomar café da manhã. Colocou a mão na quilha do barco enquanto ele balançava na água. — Certo, afaste-se... **Barco em que estou tocando, vá rapidamente para o mar, contorne o Trem feérico e siga na direção do grande estaleiro a leste, parando apenas quando chegar lá.**

A energia lhe escapou como sangue. Mas Vale a segurou, antes que ela pudesse cair na água, quando o barco seguiu em frente, abrindo caminho pelas ondas para o mar. Com um braço em volta da cintura dela, ele a conduziu para uma viela menor entre duas peixarias, arrastando-a para as sombras.

Eles conseguiram se esconder bem na hora em que os perseguidores chegaram.

Irene se encostou na parede, agradecida pelas sombras irregulares do prédio antigo e malcuidado. Juntos, ela e Vale viram os homens mascarados (a maioria pingando do mergulho no canal) apontando para o barco agora distante, avaliando o caminho que ele estava percorrendo e chegando à conclusão óbvia na hora que fez a curva na direção do Arsenal.

Houve uma espera enervante depois que os servos dos Dez se afastaram. Ela precisava ter certeza de que eles não estavam de espreita na esquina, apenas aguardando que ela e Vale saíssem do esconderijo. Irene imaginou dois relógios: um marcando os segundos até ela ter certeza de que era seguro sair de onde estavam, outro contando os minutos para o leilão de Kai. Não era uma imagem reconfortante.

Quando se puseram em movimento novamente, era o começo da noite e as ruas ainda estavam movimentadas, mas ninguém olhou duas vezes para eles. Sem os servos dos Dez em seu encalço, havia barulho suficiente para tranquilizar Irene de que mais ninguém ouvia a conversa dos dois. E todo mundo estava mascarado agora. A luz dos lampiões transformava em vazios escuros as frestas para os olhos e deixava as máscaras ornamentadas parecidas com caveiras. O som de instrumentos de sopro veio da janela superior de uma casa, dando um tom sinistro para a noite. Vale comprou dois doces de um vendedor de rua e entregou um para Irene enquanto caminhavam.

Pararam na beirada da praça e Irene olhou para o seu objetivo. A torre do Campanário se destacava sozinha em um canto da praça, com uns noventa metros de altura. Ela viu o campanário propriamente dito, de mármore claro, o cume piramidal no alto e a figura cintilando no topo, ao luar. Uma série de janelas estreitas de moldura de mármore ocupava uma lateral da parede de tijolos da torre em uma linha pontilhada. Era distante demais de qualquer um dos prédios ao redor para que ela e Vale pudessem chegar até lá pelos telhados. E, mais importante, um grupo de oito guardas cuidava do único portão embaixo.

— Vamos torcer para que não tenham uma política de atirar primeiro e perguntar depois — concluiu ela.

— Se chegarmos perto o bastante, você pode usar aquele seu truque? — perguntou Vale. — Aquele em que você os convence de que estão vendo outra coisa? Do contrário, teremos que fingir que estamos levando uma mensagem.

Oito pessoas eram mais do que ela já tinha tentado afetar, mas não havia muita escolha na questão.

— Você vai ter que me segurar quando eu fizer isso. — Ela terminou de comer o doce e limpou os farelos das mãos. — Vai me exaurir, ao menos por alguns minutos. Mas você está certo, é a melhor opção. Eu queria que pudéssemos ver o que há lá dentro.

— Só consegui ver a escada quando olhei mais cedo — disse Vale. — Disfarçado de mendigo, claro. Pude chegar perto o bastante para ver pela passagem em arco da entrada. Qualquer obstáculo vai estar mais para dentro, provavelmente.

E provavelmente alguma coisa que eu terei que resolver.
Irene assentiu e se preparou.
— É melhor irmos logo, antes que Lorde Guantes nos alcance — disse ela. Deu um passo ousado à frente, o braço de Vale ainda quase afetuosamente na cintura dela, e procurou não olhar para trás nem tentar ouvir se estavam sendo seguidos.
Quando chegaram aos guardas, dois deram um passo à frente, cruzando as lanças na frente de Vale e Irene.
— Hoje não, amigo — disse um deles. — Se você é novo na cidade, volte amanhã e vai poder ficar na Piazza para ouvir o sino tocar.
Vale olhou para Irene, e ela soube que chegara sua vez. Respirou fundo e deu um passo à frente.
— **Vocês veem a mim e ao homem ao meu lado como pessoas que têm o direito de estarem aqui e entrarem no Campanário** —, disse ela, aumentando a voz para alcançar todos os guardas.
Ela sentiu a compulsão afetá-la, apertando-a como uma linha de pesca presa à realidade, e cambaleou quando o impacto a atingiu. Seu nariz começou a sangrar de novo, o sangue escorrendo pelo rosto sob a máscara, e por um momento sua cabeça latejou tão alto que ela mal conseguiu ouvir a voz de Vale quando ele ordenou aos guardas que abrissem a porta. Aparentemente, era de fato pior quando você tentava afetar várias pessoas ao mesmo tempo. Bom saber. Se bem que, com sorte, nunca mais precisaria fazer isso. Porém, pelo jeito como as coisas andavam, teria de fazer na manhã seguinte, e sem os benefícios de um café.
Os guardas bateram continência e recuaram, apoiando as lanças no chão.
— Certamente, senhor — disse um deles, a expressão mudando abruptamente para pura deferência. — Estamos a seu serviço.

Vale deu um aceno breve para os homens e apertou o braço na cintura de Irene, erguendo-a quando ela se desequilibrou. Ele a conduziu pela entrada de mármore em arco. Havia deuses entalhados em pedra e a luz dos lampiões enganava seus olhos, pois as figuras pareciam olhar para os dois acusando-os. Outro par de guardas abriu os delicados portões de bronze, permitindo que eles entrassem no prédio em si.

Irene se perguntou, em meio à dor de cabeça intensa, quem os guardas achavam que eles eram. Os Guantes? O Conselho dos Dez? Inspetores regulares do Campanário que foram verificar se havia morcegos na torre?

Estava muito escuro lá dentro. As janelas estreitas permitiam que o pouco luar que havia entrasse na estrutura oca. Mas a luz inclinada só ia até as paredes, deixando a escadaria de ferro central na escuridão, espiralando para o centro da torre praticamente vazia. Não havia guardas lá.

— Você consegue ficar de pé? — perguntou Vale, soltando-a.

Irene titubeou, mas ficou ereta.

— Acho que sim — disse ela, tirando a máscara do rosto o suficiente para secar com a manga o sangue que escorria do nariz. Tinha parado, mas a dor de cabeça continuava.

— Então é melhor irmos logo. Isso foi fácil demais para o meu gosto.

É porque não foi você quem teve que fazer acontecer, pensou Irene, mas tinha que concordar. Eles tiveram uma sorte danada de fugir de Lorde Guantes e chegar lá primeiro. Esse tipo de sorte não durava. Sentimentos de paranoia imediatamente sugeriram que podia ser uma armadilha, mas ela e Vale seguiram pela escada de ferro forjado, o detetive na frente. Cada passo estalava e gemia debaixo dos seus pés, ruídos desconfortavelmente altos no interior da torre do sino. A escada ficava protegida no lado externo por painéis curvos de ferro

trabalhado, finos como renda, mas os degraus pareciam sólidos sob seus pés.
Cerca de quarenta e cinco metros acima do chão, Vale parou. Os dois recuperaram o fôlego por um momento enquanto ele apontava para cima. Havia um teto diretamente acima dos dois, e a escada espiralava por ele.

Irene prestou atenção, mas não havia som vindo de cima e o ar tinha aquela característica específica de espaço vazio. Embora os dois estivessem alertas na subida, não havia ninguém no campanário. Mas a escadaria continuava subindo ainda mais, espiralando pelo teto. Lá em cima, os sinos estavam pendurados em vigas: corpos apavorantes e volumosos de metal. O luar passava pelos quatro arcos nas paredes, exibindo os detalhes do piso. Pelo menos agora eles conseguiam enxergar melhor.

Vale olhou ao redor, franzindo a testa.

— Fica em algum lugar aqui ou mais para cima? Winters, você identifica algo importante?

— Eu... — Irene procurou palavras para descrever o que estava sentindo. — Este lugar parece ser algum tipo de intersecção. Consigo dizer isso, mas não muito mais. Você sente alguma coisa?

— Eu sou apenas humano — disse Vale. Ele percebeu o olhar que ela lhe deu, mesmo com a máscara. — Francamente, Winters, considerando os nossos arredores, acho que você devia ficar *feliz* com isso. — Ele passou pelo arco, entrou no pequeno aposento e começou a examiná-lo, lançando um olhar profissional para o piso. — Infelizmente, os tocadores de sino bagunçaram qualquer pista que pudesse ser útil. Só consigo ter certeza de que algumas pessoas subiram ainda mais alto por essa escada.

Alguma coisa incomodava Irene, além da aura geral de poder do local. Ela tinha a sensação de que estava deixando passar alguma conexão. Ela olhou para o local onde Vale estava cutucando o piso, depois para os próprios pés na escadaria de ferro, e tudo fez sentido.

— Interessante — murmurou ela.

— O que disse? — disse Vale.

— O ferro. — Ela bateu delicadamente com a ponta do pé na escada. — Todos os feéricos que conheci detestavam a substância. Por que colocar uma escadaria de ferro na entrada principal de uma prisão particular?

— Necessidade arquitetônica? — sugeriu Vale, sem muita convicção.

— Não. — Ela estava pensando no propósito da prisão.

— Isto, tudo isto aqui, a localização e os guardas, a escadaria de ferro, tudo isso não é só para impedir a entrada de invasores. É para impedir a entrada de *feéricos* invasores.

— Isso me faz pensar sobre a natureza dos prisioneiros. — Vale voltou-se para a escadaria. — Mas acho que não há mais nada a descobrir neste andar.

— Concordo — disse Irene. — Vamos ter que subir mais.

A escadaria passou desconfortavelmente próxima dos sinos quando eles chegaram na altura deles, perto o bastante para ela poder esticar a mão e tocar no bronze escuro. Os dois estavam subindo mais quietos agora, depois do ritmo anterior, rápido e barulhento, tentando fazer o máximo de silêncio possível. Havia luz no andar acima, o amarelo de chamas de lampião. Mas não havia som de conversa nem movimento.

Um tiro soou de repente no ar, estalando no metal da escada. Irene se encolheu e procurou cobertura, mas não havia nenhuma.

— Ergam as mãos acima da cabeça. — A voz veio de cima deles, em italiano. Estava tensa, a voz de um homem que reagiria mal a surpresas. — Vocês vão avançar lentamente e sem fazer ruídos que possam ser mal interpretados. Fiquem na escadaria e não tentem sair. Sabemos que vocês estão em dois, então não tentem fingir nada diferente disso.

Vale assentiu e levantou as mãos.

— Estamos subindo — gritou ele para cima. — Não vamos tentar nada.

— Não tentem mesmo — respondeu a voz.

O pequeno ambiente embaixo do telhado no topo da torre era apertado. Havia pouco espaço para os quatro guardas que os esperavam com pistolas nas mãos. Irene, dois passos atrás de Vale e olhando por trás da cintura dele, conseguia vê-los muito bem. Dois lampiões ardiam dos dois lados da escada, pendurados nas vigas, e os guardas tinham um bom campo de fogo. Eles estavam posicionados atrás da única saída da escadaria no telhado. E, presos entre os corrimões de segurança entrelaçados, não havia espaço para eles se esconderem.

Mas a escadaria continuava subindo. Não terminava no telhado, onde, mediante todas as regras da lógica e do bom senso, devia acabar, mas continuava a subida impossível. Uma brisa fresca chegava a eles, carregada com o cheiro de água e pedra.

Os Carceri, pensou Irene. *Devemos estar nos limites da entrada.*

— Identifiquem-se — disse o primeiro guarda. — Se estiverem carregando alguma autorização, mostrem, mas com movimentos lentos.

Suborno ou intimidação não os ajudariam a passar por aqueles guardas; eles estavam alertas e eram profissionais. Distraí-los era uma possibilidade, mas desta vez havia uma solução mais simples. Irene virou o rosto até os lábios tocarem na parede protetora de ferro da escada e murmurou:

— **Painéis de ferro, se fechem para envolver a escadaria e bloquear qualquer tentativa externa de entrada.**

O metal pareceu gritar enquanto se movia, estalando e fazendo força contra as molduras dos painéis internos e bielas que o sustentavam. As laterais da escadaria entortaram e perderam o formato, gerando uma barreira entre eles e os guardas, deformando o design dos painéis vazados e os transformando em sucata.

Mas era sucata protetora. Vale começou a se mover, subindo ainda mais a escada, passando pelos guardas no espaço do telhado e indo para a parte que não deveria existir. Irene seguia apenas um passo atrás dele.

Um dos guardas reagiu e disparou a pistola. A bala ricocheteou em um painel e estalou na parede de pedra. Outro guarda teve mais bom-senso e correu em volta da escada até encontrar um espaço entre dois painéis tortos e, através dele, apontar a pistola para Vale e Irene. A bala raspou no braço de Vale e atingiu a viga de ferro no centro da escadaria; depois, caiu tilintando pelos degraus em uma sucessão de ruídos agudos. Sangue respingou e Vale falou um palavrão, segurando o braço, mas continuaram correndo.

A escadaria se alargou impossivelmente enquanto subiam e eles deixaram os guardas furiosos para trás. Em termos práticos, já deviam ter passado pelo telhado da construção, mas a escadaria continuava. As paredes estavam mais distantes agora, pouco visíveis na escuridão, com apenas os contornos dos blocos de pedra grandes aparecendo com clareza.

Irene não sabia nem de onde essa pouca quantidade de luz vinha. Decidiu não pensar nisso, exceto para torcer que não sumisse. Subir uma escada frágil de ferro forjado em altura desconhecida, quase na escuridão e com guardas em algum lugar lá embaixo, já era ruim. Subir na escuridão total seria ainda pior.

Um sopro pesado de vento desceu pela escada, fazendo o metal gemer e tremer.

— Está ficando mais escuro! — gritou Vale por cima do ombro.

Irene queria que ele não tivesse dito isso.

— Talvez eles costumem subir com lampiões — respondeu ela. — Como está seu braço? Foi grave?

— Só um arranhão — disse Vale com desdém. — Você não pode usar sua Linguagem para fechar o ferimento?

— Você é uma entidade viva — explicou Irene entre ofegos de respiração. — Posso ordenar que feche, mas não vai necessariamente ficar fechado. Eu precisaria de um conhecimento anatômico detalhado para fazer com que ficasse fechado. Ataduras serão mais úteis.

Estava ficando claro de novo. As paredes estavam distantes agora, e a escadaria era uma única espiral de metal no meio de um espaço amplo assustador. Ainda não havia como definir de onde a luz vinha. Quando olhou pelos espaços nos painéis de ferro, Irene viu paredes distantes e um teto ainda mais distante, mas não o céu, nem luzes artificiais. Ela estava respirando pesadamente agora, e suas pernas doíam.

Outro sopro forte de vento fez a escadaria tremer novamente. Desta vez, Irene e Vale passaram a ir mais devagar, e ela viu a mão dele apertar a viga central para se apoiar. Sangue sujava a manga da sua camisa e a jaqueta.

— Pare aqui — disse Irene com firmeza. — Há luz suficiente. Preciso fazer um curativo no seu braço antes que você perca mais sangue.

Vale olhou pelas aberturas nos painéis.

— Consigo ver alguma coisa um pouco acima. Talvez devêssemos chegar lá primeiro.

— Se houver algum perigo lá em cima, prefiro ter estancado seu sangue antes de o encontrarmos.

— Ah, muito bem — disse ele com alguma petulância, e se sentou na escada, apoiando o braço no joelho. — Não parece tão sério.

Irene não sabia se atribuía sua atitude a um desdém natural por ferimentos, já que levar tiros devia ser um risco do ofício, ou a uma simples determinação a não admitir fraqueza. Em vez de iniciar uma discussão, sentou ao lado dele e puxou a manga. Uma linha fina e vagarosa de sangue escorria do local onde a bala rasgara os músculos do braço dele.

— Você teve sorte — disse ela calmamente. — Não acertou nenhuma artéria.

— Eu certamente teria notado se tivesse acertado — murmurou Vale.

— Você trouxe conhaque?

— Não. Mas duvido que tenhamos tempo para assepsia, de qualquer modo.

Tempo. Sim. O tempo era um relógio voraz comendo os minutos e os levando cada vez para mais perto do desastre.

— Com licença — disse ela, pegando a faca. Alguns segundos de trabalho transformaram a manga suja de sangue de Vale em um par de pedaços de pano, um para cada lado do braço, e a barra da saia dela foi transformada em faixa.

Vale olhou para o monte desajeitado de tecido

— Você teve treinamento de enfermagem, Winters? — perguntou ele por entre dentes.

— Só noções básicas de primeiros-socorros e de salvamento de vidas. Você sabe, torções, fraturas, ferimentos a bala, ácido sulfúrico, esse tipo de coisa. — Ela guardou a faca. — Queria saber se haverá mais guardas lá no alto.

— Vamos descobrir. — Vale começou a subir a escada de novo, tão rápido que Irene se perguntou se ele achava que precisava provar alguma coisa. Mas ele parou de repente e apontou. — Olhe ali.

Irene seguiu com o olhar o dedo que apontava até onde a escada finalmente acabava; era como o final de um tubo vertical, com o teto ainda perdido em algum lugar mais acima. Sentia vertigem só de pensar na distância que subiram. E havia outro arco na lateral da escada à frente. Por essa passagem, uma ponte do mesmo ferro da escadaria se erguia sobre o abismo circular que os cercava, atravessando a queda íngreme para se juntar a um caminho do outro lado.

A escadaria era um ponto único no meio de um amplo vazio, e além desse vazio havia uma paisagem arquitetônica incrível e impossível. Paredes de pedra com arcos se erguiam ao longe, em uma escala não humana, como uma catedral construída para cobrir um país inteiro. Pontes feitas de pedra e ferro uniam esses arcos e atravessavam pequenos abismos cinza-claros e cinza-escuros à pouca luz. Escadarias desciam por paredes ou penduradas em cabos compridos, que por sua vez eram presos a um teto muito acima. Pequenas grades marcavam as janelas nas laterais de pilastras e torres, minúsculas do ponto de vista de Irene e Vale. O vento passava pelas pedras, zumbindo nas escadarias altas e sussurrando pelas fileiras de arcos. Era um labirinto. Devia haver mais ali do que dava para ver de onde eles estavam, e não havia como saber até onde ia. Não havia paredes vazias nem paisagens à distância.

E não havia gente em lugar nenhum. Ninguém.

— Um método de entrada muito barroco e complicado — disse Vale em tom de insatisfação.

Irene estava pensando na questão.

— Talvez — disse ela lentamente — a única entrada ou saída deste local, ao menos para os feéricos, seja pela escada. Os degraus de ferro enfraqueceriam qualquer feérico que tentasse entrar... Ou sair. Afinal, não seria bem uma prisão se eles pudessem viajar entre mundos e simplesmente emergir dentro deste espaço, como fariam normalmente se fossem poderosos o bastante.

Vale assentiu.

— Bom, vamos torcer para que não seja à prova de dragões e de Bibliotecárias. Strongrock está sendo contido de alguma forma. Mas, se podem conter um dragão, vamos ter que torcer para conseguirmos remover o que estiver sendo usado.

Irene suspirou. Tirou a máscara, apreciando a sensação de ar frio no rosto depois da subida.

— Eu precisaria de uma biblioteca para abrir uma saída, ou pelo menos de uma boa coleção de livros, isso supondo que funcionasse aqui, apesar de não ter funcionado em Veneza propriamente.

— Ah, bem — disse Vale. Ele lançou a ela um de seus raros sorrisos. — Você se saiu muito bem com aquelas placas de ferro quando os guardas estavam nos interrogando. Meus elogios.

Irene também sorriu.

— Nós formamos uma boa equipe. — Era incomum que ele a elogiasse em vez de simplesmente aceitar a eficiência dela. Mas ela não queria ficar emotiva demais e constrangê-lo.

— Formamos mesmo — concordou Vale. Ele se virou para a ponte de ferro e começou a atravessá-la. Era ampla o suficiente para os dois andarem lado a lado. Felizmente, havia amuradas em ambas as laterais, mas, ainda assim, era uma construção preocupantemente frágil. Não, Irene se corrigiu mentalmente, era bem sólida. Só parecia frágil se comparada à *escala* de tudo que havia ao redor.

Vale parou novamente quando eles saíram da ponte no piso de pedra. Olhava em volta, pensativo.

— A área a ser revistada é demasiadamente grande. No entanto, os guardas que escoltaram Strongrock devem ter passado por aqui nos últimos dias. Se conseguirmos encontrar o rastro deles...

— Na verdade, tenho outra ideia — disse Irene. — Eu tentei usá-la em Veneza, mas havia Caos ambiente demais interferindo. Como esta área foi concebida para ser uma prisão de feéricos, pode funcionar melhor aqui. Dê-me um momento, por favor.

Vale assentiu e recuou para assistir.

Ela pegou o pingente do tio de Kai, enrolou o cordão algumas vezes no pulso para ter certeza de que não o deixaria cair e fez uma careta quando a corrente pressionou os hematomas deixados por Lorde Guantes. Era um objeto dragoniano. E havia, ou pelo menos deveria haver, apenas um dragão na área.

Irene levantou a mão para que o pingente ficasse pendurado na frente do rosto dela.

— **Semelhante atrai semelhante** — disse claramente na Linguagem. — **Aponte para o dragão que é sobrinho daquele ao qual você pertence.**

O pingente tremeu e se projetou em ângulo, apontando em uma direção a quarenta e cinco graus do local para onde eles estavam virados. Ao se virar para lá, puxou o pulso dela.

— Lá — disse Irene, e tentou não ficar com os joelhos bambos de alívio. Ou, possivelmente, de exaustão. Desta vez, funcionou. Concentrar-se no pingente a esgotou, e ainda a estava esgotando, como sangue escorrendo de um corte pequeno. — Acho que encontramos o caminho.

— Muito bem, Winters! — exclamou Vale. — Vai durar muito tempo?

— Não sei — Irene teve de confessar. — Mas posso fazer de novo se precisarmos triangular o local.

Vale assentiu.

— Nesse caso, vamos torcer para que não seja longe.

Os passos ecoaram na pedra quando eles saíram andando no amplo vazio. Era como se estivessem caminhando por um vasto conjunto de palcos, com uma plateia invisível assistindo dos bastidores.

CAPÍTULO 22

Eles andaram por pelo menos meia hora até ouvirem algum ruído que não fosse dos seus próprios passos. O pingente continuava sinalizando o caminho, puxando o pulso de Irene como um pêndulo procurando água, embora apontasse inconvenientemente em uma direção geral, como o voo de um corvo, em vez de mudar a direção a cada cruzamento ou escadaria.

O local tinha uma atmosfera que Irene só conseguia descrever como *morta*, o tipo de lugar onde nunca tinha havido vida. Mesmo a madeira ou as cordas usadas em meio ao granito e ao mármore frio tinham uma aparência fossilizada e inflexível, em vez de exibirem sinais de vida orgânica. Os lagos cercados pelos quais eles passavam eram límpidos e escuros. Nada nadava neles, nada se movia e nada incomodava a água. Nada *vivia* ali.

Ela não tinha experiência com arqueologia ou arquitetura para interpretar o trabalho nas pedras. Algumas vezes, Vale apontou para uma estátua de leão ou para a curva de um arco e murmurou alguma coisa sobre "influência babilônica" ou "trabalho saxônico característico", mas ela não podia fazer mais do que assentir. Ela nem sabia se categorizar a construção indicaria a *verdadeira* história do local. Isso poderia sugerir que pessoas de verdade moraram ali em algum momento.

Também não havia pegadas no caminho, nem poeira ou marcas de sujeira. Não havia sujeira nenhuma. Vale também murmurou qualquer coisa sobre isso, antes de render-se à "impossibilidade geral do local".

A única coisa boa foi que a dor na marca da Biblioteca, disparada pelo ambiente de Caos intenso de Veneza, tinha diminuído. Chegou a um ponto em que Irene *quase* deixou de reparar na presença dela, mas reparou na ausência. Fazia um certo sentido. Se o local era uma prisão para feéricos, deveria enfraquecê-los, e não lhes dar força.

Eles passavam embaixo de um bastião alto quando ouviram o primeiro som. Era um sussurro grave e penetrante do outro lado da parede. Ecoou entre as pedras e gerou uma agitação em resposta no canal ao lado deles. Era quase... *quase* compreensível, de um jeito que fez Irene querer parar e ouvir, tentar entender o que estava sendo dito.

Ela se virou e notou a mesma vontade nos olhos de Vale.

Irene segurou o braço do detetive e o puxou para longe do sussurro, até só os passos deles romperem o silêncio novamente. O sussurro ainda a tentava a olhar para trás e permanecer por lá, como se ela tivesse esquecido alguma coisa importante, algo que precisava voltar e resolver.

Mas o pingente ainda os impelia para a frente. Eles subiram um amplo lance de escadas, passaram por outra ponte alta e por uma sequência de lances angulosos, que sempre iam para a esquerda, mas não resultavam em voltar ao mesmo lugar. Pelo menos que ela pudesse perceber.

De repente, um grito rompeu o silêncio. Veio de uma esfera de metal enorme — não, de uma *jaula* esférica de metal — pendurada no espaço vazio. Estava presa a cabos e correntes que subiam até um teto quase impossível de enxergar. O barulho foi chocante e repentino, como o grito de uma coruja no meio de uma noite pacífica, inumano e animalesco. O que quer que houvesse dentro da jaula, Irene não queria que saísse.

Ela já tinha considerado os prisioneiros potenciais aliados anteriormente. Tinha imaginado que ela e Vale poderiam libertar alguns deles e fugir com Kai na confusão. Mas quanto mais ela vivenciava a amplidão e o frio fundamentais da prisão, menos gostava da ideia. Aquele tipo de prisão sugeria um tipo muito perigoso de prisioneiro, elementos tão estranhos e insanos que até assustavam outros feéricos. Assim, soltá-los poderia ser o tipo de má ideia que terminava com um grito e um golpe.

— Quanto você acha que falta, Winters? — perguntou Vale.

— Não faço ideia — disse Irene, dando de ombros. — Eu poderia argumentar que Kai não deve estar longe da entrada, por mera questão de conveniência. Mas eles podem ter algum tipo de transporte que seja mais rápido do que caminhar.

Vale assentiu.

— Eu tinha esperança de pelo menos encontrar alguns rastros — disse ele de novo, indicando a pavimentação de pedra imaculada à frente.

— Acho que a situação pode não ser tão ruim quanto pensamos — insistiu ela.

— De que maneira? — perguntou Vale.

— Alguns dos feéricos podem querer uma guerra. — Ela pensou nos dias anteriores. — Mas Lorde Guantes não está sendo tratado como um convidado particularmente honrado aqui. Ele precisou dos seus próprios capangas para fazer sua segurança na ópera. Estava sendo vigiado pela polícia secreta dos Dez também. Parece que os Dez estão concedendo a ele só um nível mínimo de cooperação.

— Mas por que os Dez cooperariam com os Guantes se não os estão apoiando totalmente? — disse Vale. — Se eles preferem governar a própria terra, em vez de expandir suas fronteiras, isso é prerrogativa deles. Então, por que se meterem com coisas maiores?

— Porque os Dez não podem simplesmente *não* cooperar com os Guantes, quando eles aparentam estar fazendo um grande gesto político — disse Irene. — Seria como, ah... — Ela tentou se lembrar das complexidades políticas do mundo de Vale. — Como se alguém tivesse capturado um espião francês no meio de Londres e anunciado para todos os jornais. O governo teria que lidar com o assunto com severidade, mesmo que preferisse varrê-lo para debaixo do tapete e mandar o espião de volta para a França ou até mesmo trocá-lo por um espião seu. O jogo de poder dos Guantes tornou impossível que os Dez ficassem neutros, ou correriam o risco de perder respeito e poder. E se os Guantes tiverem sucesso... Nesse caso, os Dez certamente ganham com uma guerra, assim como todos os outros feéricos. Mas se os Guantes fracassarem e passarem vergonha, os Dez vão querer se dissociar deles, assim como todo mundo.

— Plausível — disse Vale. — Mas estamos tentando invadir a prisão particular dos Dez aqui, Winters. Se conseguirmos, eles vão ter todos os motivos para nos querer tão mortos quanto os Guantes querem, ou ainda mais. Estamos atacando diretamente a sua base de poder, mesmo culpando os Guantes por isso...

Ele parou e fez sinal para Irene ficar em silêncio. Ao longe, quase inaudível apesar do silêncio opressivo, ela conseguia ouvir o som de passos, levado até eles por algum truque da arquitetura.

Guardas. Ou perseguidores. Ou as duas coisas.

O lance de escadas seguinte foi brutal. Subia a um ângulo de talvez sessenta graus, cada degrau feito de mármore claro, escorregadio e alto o bastante para as pernas de Irene estarem doendo na metade do caminho. Vale chegou ao topo na frente dela e olhou para trás, mas ainda não havia ninguém em seu encalço.

Irene chegou ao último lance. Em seguida, trincando os dentes, olhou o pingente de novo. Estava finalmente apontando para um lugar concreto, um pilar enorme à direita da escada. O pilar era mesmo gigantesco, tinha quase trinta metros de diâmetro, e pelo que ela podia ver ia do piso ao teto da prisão. Pontes surgiam dele como espigões em alturas variadas, e era ornamentado com flâmulas que exibiam desenhos incompreensíveis feitos em cinza sobre fundo cinza.

Porém, quando chegaram lá, não havia nenhuma janela ou grade evidente levando ao seu interior. Irene andou em volta, segurando o pingente esperançosamente, mas embora indicasse o pilar de todas as direções, não salientava nenhum ponto de entrada.

— Eu posso tentar lhe ordenar alguma coisa — ela disse, em dúvida. — Mandá-lo se abrir ou algo assim. — Poderia dar certo, mas também poderia abrir todas as outras portas fechadas que estivessem ao alcance da voz dela. E ela não queria conhecer os outros prisioneiros.

— Deixe-me examinar primeiro — disse Vale. Ele estava todo alerta agora, tenso e concentrado. Ficou de joelhos na frente da coluna, inclinando-se até o nariz estar a um centímetro do piso. A partir dali, ele engatinhou e observou o pilar de forma misteriosa. Depois do que pareceu uma eternidade, ficou de pé e passou os dedos pela junção de dois blocos de pedra. — Eu... Sim, acredito que encontrei. Aqui. — Sua voz estava baixa, mas tão tensa quanto uma corda de violino afinada. Ele bateu em um ponto específico aproximadamente ao nível do olho. — Winters, acredito que haja uma tranca de algum tipo aqui. Normalmente, exigiria uma chave, mas considerando as circunstâncias...

Irene assentiu. Parou ao lado dele e se inclinou até os lábios quase tocarem na pedra.

— **Tranca, se abra** — murmurou ela.

A junção na coluna se abriu, e um dos blocos de pedra se moveu para dentro, revelando uma passagem curta e escura com um espaço aberto logo depois. Estava em silêncio total quando eles entraram.

O aposento no centro do pilar era frio e escuro, iluminado por raios estreitos de luz que entravam por aberturas na parede bem no alto. E ali estava Kai, finalmente, acorrentado na parede mais distante.

Teria sido mais adequado esperar e fazer algum comentário inteligente, mas Irene já tinha passado do ponto da dignidade. Ela passou os braços ao redor de Kai, sem se importar com a possibilidade de haver armadilhas, e simplesmente o abraçou por um momento.

Ele vestia uma camisa e uma calça que já tinham visto dias melhores, além de um colete surrado, e os hematomas se destacavam em roxo no rosto. Uma coleira pesada e escura envolvia seu pescoço, sem tranca visível, e correntes grossas de ferro prendiam os pulsos à parede. Ele olhou para Irene e Vale como se fossem uma impossibilidade, como se não pudessem estar lá de verdade.

Irene respirou fundo. Seus olhos ardiam e, por um momento, ela achou que ia passar vergonha e chorar.

— Não estou nem um pouco impressionada com essas acomodações — disse ela, afastando-se de Kai com esforço.

Ele estava vivo, algo de que ela duvidara nos momentos mais sombrios. Enfiou o pingente pela cabeça de novo. — Vale, você acha que consegue abrir essas travas?

Aparentemente sem palavras, Vale segurou o ombro de Kai por um momento, provavelmente o mais próximo que ele chegaria do abraço de Irene, e se virou para examinar os grilhões de ferro nos pulsos dele.

— Se fossem trancas normais, eu certamente conseguiria — disse ele. — Infelizmente, desconfio que contenham encantamento feérico. Você pode me dar alguma informação sobre elas, Strongrock?

Kai abriu a boca, fechou e a abriu de novo.

— Irene... Vale... — Sua voz estava enferrujada e rouca. Ele olhou de um para o outro desesperadamente. — Vocês são reais, não são? Não são algum tipo de ilusão? Se eu pedisse para vocês me beliscarem, vocês me beliscariam?

— Sim — disse Irene intensamente. — Eu beliscaria. E beliscaria com tanta força que você desejaria não ter pedido. Kai, nós estamos aqui, não somos uma alucinação. Nós viemos. — Ela o abraçou de novo para tentar convencê-lo. — E provavelmente estamos perdendo tempo. Vou responder às suas perguntas depois. Você sabe alguma coisa sobre esses grilhões?

— A coleira é encantada para me manter com esta forma e restringir meus poderes — Kai parou e balançou a cabeça. — Desculpem. Eu ainda não consigo... Não sei nada sobre as outras. Talvez se Irene usasse a linguagem... Como vocês *chegaram* aqui? Estamos nos *limites do Caos*.

— Estamos na antiga prisão de um grupo particularmente corrupto de feéricos, cujo mundo é semelhante a uma Veneza romântica do século XVII — disse Vale, dando um passo para trás, visivelmente evitando demonstrações emotivas. — Nós chegamos de trem. Winters, pode cuidar das correntes. É impossível para mim abrir essas trancas.

Irene gostaria de ser tão suscinta quanto Vale ao se reportar a Coppelia. Claro que se reportar a Coppelia pressupunha que ela tinha conseguido sair viva dali...

— Hum — disse ela, inclinando-se para perto e olhando para as correntes. — Minhas habilidades não me permitem sentir nada de específico sobre elas. Vale, talvez seja melhor se afastar. Vou tentar a coleira primeiro.

Ela pensou por um momento e, usando o máximo de precisão que conseguiu, disse:

— **Coleira em volta do pescoço do dragão, destranque-se e se abra.**

Sua voz se espalhou no ar como tinta em água, enquanto a Linguagem ecoava pelo aposento. Ela queria ter falado baixo, mas alguma coisa fez o ar tremer como uma batida de tambor sufocada. Ela sentiu Vale se encolher e dar um passo para trás e Kai ofegou de dor, as costas se arqueando enquanto a coleira se apertava em seu pescoço.

Irene teve um momento para pensar *Eu matei Kai*, um instante que pareceu se prolongar pela eternidade.

— **COLEIRA, SE ABRA!** — gritou ela, lançando às palavras todo o peso e todo o foco que conseguiu.

A coleira tremeu, a superfície ondulando e cintilando como seda molhada, e depois se despedaçou. Os fragmentos voaram; dois cortaram os braços esticados de Kai e se afundaram nas paredes de pedra e no chão. Kai desabou, pendurado pelas correntes nos pulsos, tossindo e ofegando. Uma nova marca vermelha de pressão aparecia vividamente no pescoço dele.

Completamente esgotada, Irene esticou a mão para se apoiar na parede, cambaleando no lugar. Percebeu Vale correndo para verificar a pulsação de Kai e murmurar para ele,

313

mas no momento Irene só conseguia se concentrar em respirar e ficar de pé. Havia um propósito naquela coleira, e ela precisou de muita força para quebrá-la.

— Irene? — A voz de Kai. Rouca, mas funcionando.

— Deixe-me dar uma olhada nessas algemas — ela disse, recompondo-se e indo se juntar aos dois. Ela esperava que não estivesse cambaleando.

— Vamos torcer para que tenham sido feitas para prender feéricos — observou Vale. — Assim, devem ser menos eficientes para prender Strongrock.

— Para prender feéricos? — disse Kai, olhando para os pulsos com desgosto.

— Esta é uma prisão feérica — disse Irene. — Você não é o tipo de prisioneiro habitual. Tudo bem. Vamos lá.

Houve um anticlímax quando as algemas se abriram sem drama depois de uma única frase na Linguagem. Kai caiu para frente de joelhos, mas logo se levantou, massageando os pulsos onde o metal machucara a pele.

Havia outra coisa no aposento agora. Estava ligada à raiva crescente nos olhos de Kai e ao jeito como ele se portava. Era a mesma pressão que Irene havia sentido quando o tio de Kai voltara sua atenção total para ela, só que mais primitiva, mais perigosa e com mais probabilidade de explodir a qualquer momento. *Eles aprisionaram um dragão. O que acontece quando o dragão é libertado?* Ela pensou ouvir um ribombar distante lá fora.

Ela precisava mantê-lo concentrado.

— Kai — disse ela. — Fique conosco. Nós temos um plano para sair daqui, mas há homens atrás de nós. Precisamos atravessar Veneza e chegar ao Trem Feérico, nosso caminho de entrada e de saída daqui, mas acho que você não vai conseguir tolerar este mundo na sua forma original.

Kai olhou para ela, os olhos completamente pretos de repente. Por um momento, o padrão de escamas ficou visível na pele das bochechas e das mãos, e as linhas do rosto se tornaram diferentes, apavorantes.

Irene retribuiu o olhar.

— Recomponha-se — disse ela. Teria sido mais fácil segurá-lo pelos ombros e pedir que ele fosse o homem em quem ela aprendera a confiar. Mas isso teria sido tratá-lo como humano e, no momento, ele estava muito longe disso.

— Você não faz ideia do que está me pedindo — sussurrou Kai. Havia um tom subjacente na voz dele, grave e ressonante, como o estrondo controlado de ondas distantes.

Irene percebeu Vale dando um passo para trás, mas não quis afastar o olhar de Kai, não quis interromper o contato visual.

— Não — disse ela —, mas espero que faça o que pedi mesmo assim.

Kai respirou de forma ofegante... Então, algo aconteceu e ele voltou a ser totalmente humano. Cambaleou para a frente, passando os braços pelos ombros de Irene e se apoiando nela, o corpo todo tremendo. Um trovão sacudiu o ar lá fora, mais perto agora.

— Desculpe — sussurrou ele, quase inaudível. — Desculpe, Irene. Eu queria acreditar que alguém viria, mas achei que não houvesse como alguém chegar até mim aqui.

O chão tremeu debaixo dos pés deles. Uma onda lenta e ribombante bateu na pedra como uma pulsação ou, percebeu Irene, como um alarme.

— Nós não temos tempo para isso — disse Vale brevemente, um segundo antes dela. — Você consegue andar, Strongrock?

Kai se afastou de Irene, a respiração ficando mais lenta. Ela deu um tapinha nas costas dele, tentando tranquilizá-lo e agir como uma mentora em vez de demonstrar o quanto se preocupava.

— Acho que disparamos algum alarme — disse ela.

— Então é melhor corrermos — disse Vale.

Eles saíram e, de repente, ficou claro que o trovão no ar e a pulsação nas pedras não eram uma pequena curiosidade atmosférica. O interior do pilar os protegera do vento opressivo de tempestade que agora percorria o espaço. Tremores sacudiam o chão. Irene não tinha gostado da quietude estéril de antes, mas essa nova tempestade em evolução não era muito melhor. Ela fechou rapidamente a porta da cela com a Linguagem para encobrir seus rastros, parando por um momento vingativo para torcer que Lorde Guantes ficasse chocado ao encontrar a cela vazia.

Pedras caíram ao longe, e o estrondo seco da queda soou pela paisagem de pontes e arcos como canhões distantes. Parecia que o tremor estava chegando mais perto. Não, ela não estava imaginando. O tremor *estava* chegando mais perto.

— É melhor a gente correr — disse e eles saíram em disparada.

Vale fez para Kai um relato breve dos últimos dois dias, enquanto eles percorriam o longo trajeto até a entrada da prisão. Irene disse uma coisa aqui e outra ali, mas no geral poupou o fôlego para a corrida. Ficar quieta também deu a ela uma chance de analisar Kai mais adequadamente. Ele parecia em saúde física razoável, sem ferimentos sérios. Os hematomas não pareciam piores do que os causados por uma briga de rua normal (algo que já tinha acontecido a Irene uma ou duas vezes), à exceção da marca deixada pela coleira no pescoço. Mas ele ainda parecia diminuído. Não tinha a segurança de sempre, a certeza impensada de que era a coisa mais poderosa nas redondezas. *Possivelmente, é uma coisa boa para a saúde dele em longo prazo, mas, mesmo assim... Eu queria que não tivesse acontecido. E não sei se ele vai aguentar uma briga.*

Quando eles desceram o lance de escadas, Kai viu alguma coisa.

— Esperem — disse ele. — Podemos fazer uma pausa rápida?

Irene acompanhou o olhar dele. Não havia nada ali exceto um laguinho. Ela não conseguiu afastar a sensação de que era perigoso, e estava provavelmente cheio de coisas com tentáculos demais e dentes demais. Se bem que nada tinha tentado comê-los *ainda*.

— Só um momento. — Vale franziu a testa; a queda de pedras estava chegando mais perto. — Os guardas que deixamos para trás já devem ter dado o alarme. E esse barulho, seja o que for...

— Ou é um alarme — disse Irene —, e estamos sendo perseguidos, ou eu danifiquei fundamentalmente a natureza deste lugar ao usar a Linguagem, e tudo está desmoronando, o teto está caindo. Não sei se isso seria muito melhor.

Kai se ajoelhou na beirada do laguinho, pegou água nas mãos e jogou sobre a cabeça. Ela desceu por seu cabelo e escorreu pela camisa, grudando-a ao corpo. Ele suspirou de alívio, fechou os olhos e molhou o rosto.

— É seguro — ele disse, virando-se para Vale e Irene enquanto se levantava. — Eu só preciso me limpar. Não há nada vivo nessa água.

— Nem em parte alguma deste lugar — disse Vale. — Exceto pelos prisioneiros, imagino. Você acha que eles poderiam se libertar, Winters?

— Seria burrice ter um sistema de alarme que liberta todos os prisioneiros ao disparar — disse Irene. Um borrifo de poeira caiu da curva de um arco acima deles, e a superfície do laguinho tremeu em ondas longas e escuras. A instabilidade estava chegando bem mais perto. — Vamos correr agora e conversar depois? — sugeriu ela.

O chão tremeu embaixo deles quando voltaram a correr. Pedaços de pontes e de pilares começaram a cair do alto, espatifando-se no chão em grandes explosões de som e estilhaços de mármore. Parecia o lento desenrolar de um pesadelo, em que as pedras caindo e o vento crescente estavam sempre atrás deles, forçando-os a seguir em frente, os músculos doendo, ofegando para respirar, sem permitir que eles descansassem. Não podiam se dar ao luxo de parar. As pedras estavam desmoronando a menos de cem metros atrás deles, deixando pedaços caírem nos abismos enormes. Gritos distantes soaram pelo vento uivante enquanto prisioneiros escondidos gritavam em fúria na tempestade. Irene só conseguia se concentrar em correr, em colocar um pé na frente do outro, e na saída à frente. Eles tinham que sair antes que a destruição os alcançasse, senão estariam perdidos. Devia haver só mais duas pontes agora entre eles e a saída, e se conseguissem chegar a tempo...

Uma percepção fria surgiu na mente dela. *Nós não estamos fugindo, nós estamos sendo guiados como coelhos em pânico. E onde há um caçador direcionando coelhos, há uma armadilha no final.*

Ela se obrigou a olhar ao redor, observando o horizonte em vez do caminho até a ponte à frente. E foi assim que percebeu o reflexo brilhante da arma. Com um esforço que fez suas pernas gritarem de dor, ela se jogou para frente e se chocou com Vale, derrubando-o na hora em que a bala ricocheteou a poucos centímetros da cabeça dele.

CAPÍTULO 23

Os três caíram no chão com graus variados de desenvoltura, e Irene torceu desesperadamente para que a amurada e os pilares de mármore da ponte bloqueassem pelo menos os tiros mais perigosos.

Rastejando, ela espiou pela abertura da amurada na direção dos disparos e viu seis guardas com aparência disciplinada. Estavam em uma rampa que contornava a lateral do pilar, na altura do centro da ponte, em uma posição conveniente para disparar. O que atirou com a arma longa a estava recarregando com uma eficiência fria, enquanto os outros se ajoelhavam, prontos para disparar.

— Parecem rifles carregados pela boca — sibilou Vale.

— O que você quer dizer? — murmurou ela.

— Quero dizer que são muito precisos, Winters. — Por causa do esforço, o curativo improvisado estava agora manchado de sangue. — Aquele tiro não foi para me acertar. Foi para nos assustar.

— Se eu não tivesse derrubado você, ele teria acertado! — disse Irene com rispidez, agora precisando erguer a voz para ser ouvida, por causa do som de pedras caindo. — Vale, eles querem levar Kai vivo, talvez até queiram me levar viva, mas acho que não se importariam de matar *você*! Pelo amor de Deus, fique abaixado!

— Inferno — murmurou Kai. Ele chegou para o lado e se levantou um pouco para olhar o outro extremo da ponte. — A amurada termina lá no final, o que quer dizer que seremos um alvo fácil quando chegarmos lá. Porém, se eles não querem nos matar, estão aqui para nos manter encurralados... — Ele engoliu em seco.

Até outra pessoa chegar para lidar conosco. O pulso direito de Irene latejou com a lembrança do aperto, e ela o apoiou na pedra fria.

— Nós podemos voltar? — perguntou ela.

— Estamos a menos de dez minutos da entrada — resmungou Vale. — Se voltarmos agora e tomarmos um caminho diferente, talvez não consigamos encontrar a entrada de novo e acabaríamos perdendo mais tempo.

Irene tentou pensar. Eles tinham chegado até ali. Ela *não* aceitaria o fracasso.

— Kai, se você mudar de forma...

— Eu seria um alvo fácil antes de conseguir levantar voo — ele disse rapidamente. — E mesmo que eles estejam evitando atirar em mim agora, não podemos pressupor que continuarão a pensar assim.

Irene suspirou. Nem tinha chegado à parte em que dizia *então você pode fugir sozinho, enquanto eu e Vale seguimos para a saída separadamente*, mas desconfiava que ele tinha deduzido o plano e o rejeitado.

— Provavelmente estamos em local alto demais para tentar pular da ponte — disse Vale, espiando por trás de um pilar para ver o que havia abaixo. — Hum. Outro daqueles enormes reservatórios artificiais. Parece haver bastante água, o que poderia aliviar nossa queda, mas não temos como saber a profundidade. E o pilar que os soldados escolheram está praticamente tocando a extremidade.

Irene se perguntou se a calma de Vale era só uma fachada. Eles estavam presos entre a destruição às suas costas e os homens à sua frente, com um pêndulo cortante marcando o tempo que eles ainda tinham. Ela precisava correr, apressar-se, tentar *alguma coisa*. Se ao menos soubesse o quê.

— Esperem. — A voz de Kai se tornou imperativa de repente. — Deixem-me dar uma olhada. — Ele se arrastou até o pilar seguinte e se levantou para inspecionar a água abaixo. — Hum. Uma queda de uns bons trinta metros. Não daria certo para vocês, não. Mas esse corpo d'água é enorme. Parece grande o suficiente. E fundo o suficiente.

— Fundo o suficiente para quê? — perguntou Vale.

— Para erguê-lo. Não há nada vivo lá para me impedir.

— Kai... — disse Irene, mas ele já estava agindo.

— Fiquem abaixados. — Com um aceno para Irene e Vale, ele ficou de pé e pulou pela amurada em um único movimento. Uma bala, disparada tarde demais, bateu em pedra e tirou uma lasca.

Irene segurou um quase grito, abaixando-se entre os pilares e assistindo a Kai cair. Ele converteu o salto em um mergulho com a graça de um atleta profissional e afundou na água, que pareceu se erguer para recebê-lo, brilhando como mercúrio líquido quando ele desapareceu na escuridão.

Por um momento, nada aconteceu. A garganta de Irene se fechou e ela mal conseguia engolir. As mãos de Vale apertavam um pilar, e ela podia ver os nós dos seus dedos brancos.

De repente, a água se avolumou como um domo e Kai ascendeu dentro dele. Ele foi subindo sem esforço aparente até chegar ao alto do domo, a água parecendo sólida como vidro. Irene teve dificuldade de olhar, pois os soldados pareciam próximos demais. Mas Kai ergueu as mãos enquanto eles miravam suas armas, e uma onda rolou pelo enorme reservatório na direção deles. Desenrolou-se como uma língua de serpente, pegando velocidade conforme subia. Projetava-se para cima e para fora, reagindo ao movimento da mão de Kai, e quebrou sobre a pequena plataforma dos soldados com um peso nada natural. A massa de água derrubou-os no chão e o estrondo da queda ecoou pela caverna, encobrindo o som de pedras caindo por um momento.

— Mova-se, Winters — disse Vale, como se não estivesse deitado olhando para Kai até um momento antes. Ele a segurou pelo cotovelo para ajudá-la a se levantar e os dois correram pela ponte até as escadas do outro lado, descendo por elas sem nenhuma preocupação de tentarem se esconder.

Kai apareceu andando na superfície da água, agora na mesma altura deles, para cumprimentá-los. Água escorria de suas roupas e cabelo e pingava de suas mãos, até que um último filete ondulou em volta dele como uma cobra e voltou para o corpo d'água que o sustentava.

— Os guardas estão inconscientes ou feridos — relatou ele, passando as mãos pelo cabelo com um suspiro. — Ah, como isso é bom. Acho que a água lá de fora não vai ser tão agradável. Haverá um toque feérico grande demais nela.

— Eu não sabia que você era capaz de fazer isso — disse Irene, quase sem palavras. Sentia-se um pouco mais tranquila. Talvez eles até tivessem alguma chance agora. Ela teve vontade de beijar Kai, mas o bom senso falou mais alto. Agora não era hora.

E quando será a hora ou o lugar certo?, disse-lhe uma voz interior, sem ajudar em nada. *Ele acabou de salvar sua vida. Está aí parado, as roupas grudadas no corpo. Ele nem tentaria impedi-la. Na verdade, pelo jeito como está olhando para você...*

— Você conseguiria fazer de novo? — perguntou Vale com urgência.

— Ah, sim. — Kai deu de ombros, e os músculos do peito enrijeceram. — As águas obedecerão à minha vontade, ao menos aqui. Posso ter mais dificuldade lá fora.

— Eu não acho que você possa afirmar sua autoridade contra os Dez em Veneza — avisou Irene, e o momento passou.

— Eu estava pensando em usá-lo aqui, não lá — disse Vale, chamando-os a entrar em movimento de novo. Um pedaço de pedra cedeu e se desmanchou perto do pé dele, e Irene agarrou o seu braço para firmá-lo. — Winters, se me lembro corretamente, havia outro corpo d'água perto da escada que levava a este lugar, não? — Ela assentiu, concordando. — Muito bem, e se Strongrock conseguir erguer a água da base até o nível daquela escada? E então nos levar junto? Sei que ele consegue cuidar da nossa segurança na água, como já fez antes. Os Dez podem impedir alguns humanos que estejam descendo a escada, mas talvez tenham mais dificuldade com uma onda abrindo nosso caminho.

— Acho que a gravidade cuidaria da maior parte das ameaças — concordou Kai.

Irene imaginou a situação. Água escorrendo pela escada até a Praça de São Marcos em uma enorme torrente. Ela *gostou* da ideia. Entretanto, apesar do otimismo de Vale, não pôde deixar de sentir que talvez ainda houvesse questões de segurança pessoal.

— Mesmo assim, ainda teremos de sair do Campanário para Veneza — disse ela, pensativa. — Seria surpreendente se não houvesse guardas nos esperando do lado de fora. Mas, sim, se o movimento da água for violento demais após ter descido toda a altura da torre, nenhum deles vai poder ficar no caminho. Kai, você consegue fazer isso e ao mesmo tempo nos manter... bem, *vivos*?

Kai parou um momento para pensar, o que não foi tão tranquilizador quanto Irene gostaria, mas assentiu.

— Pode ser desconfortável, mas vocês ficarão em segurança — disse ele.

— Excelente — disse Vale. — Ah, estamos quase lá. Strongrock, quando atravessarmos aquela área aberta, chegaremos ao lago que mencionei. Há uma última ponte sobre ele, que vai nos levar quase até a saída. Podem ter posicionado guardas armados lá, é o que eu faria. Você talvez precise erguer a água para afastá-los primeiro. Acha que consegue? — Ele se virou para olhar para Kai.

— Vai ser um prazer — disse Kai. — Mas este lugar está desmoronando. E se eu acabar provocando danos à saída?

— Ainda é nossa melhor opção — disse Irene com firmeza, decidindo guardar as preocupações para si. — Além do mais, você reparou que os tremores de terra diminuíram um pouco? Talvez o propósito fosse nos levar para a emboscada...

Mais escombros caíram, quase em cima deles desta vez, e o piso de mármore tremeu sob seus pés, abrindo-se em fragmentos. Um sopro enorme de vento os fez cambalear.

— Ou talvez não. Vamos fazer isso logo — disse Irene com pressa. Ela não acrescentou *porque podem estar nos ouvindo*, mas conseguiu ver exatamente isso no rosto dos dois.

Saíram correndo juntos. Não havia sentido em ter cautela agora, pois as pedras caindo e o vento encobriam qualquer ruído que fizessem. Além disso, não havia sinal de guardas e atiradores quando eles subiram na última ponte.

Quase nenhum sinal. Irene viu um brilho vermelho, uma manga de camisa escondida apressadamente, violentamente óbvia no mármore sem cor.

— Vocês acham que o caminho está livre? — perguntou Kai, sua voz a uma altura suficiente apenas para ser ouvida por eles.

— Não, olhe *ali* — disse Irene, apontando, a voz igualmente baixa. — Eles estão em cima da entrada, esperando que cheguemos até eles.

— Era muito provável — concordou Vale. — Agora, como planejamos, Strongrock.

Kai assentiu. Deixando pegadas molhadas para trás, correu até a beira da ponte e se jogou no lago em um mergulho, sumindo abaixo da superfície. A água começou a se avolumar em uma onda crescente, avançando e subindo, ficando mais alta a cada momento.

A extensão da ponte em arco tremeu embaixo deles. Se seguissem em frente, talvez caíssem em uma emboscada. Se ficassem onde estavam, ela e Vale podiam acabar esmagados.

— **Pedra, fique firme!** — gritou Irene o mais alto que conseguiu. Sua voz não chegaria ao teto, mas se pudesse segurar a ponte por tempo suficiente, Kai poderia cuidar dos soldados.

Gritos foram ouvidos por cima do barulho de pedras caindo, vindos da frente. Sob os pés de Irene, uma rachadura longa atravessava a ponte, preta no mármore branco, parecendo caligrafia de criança. A ponte grunhiu embaixo deles em um estrondo longo de pedra se quebrando, mas ficou no lugar.

Irene e Vale trocaram um olhar e decidiram que a emboscada era um perigo menor. Conforme corriam, o piso de mármore oferecia uma superfície oscilante sob seus pés: ainda no lugar, mas tremendo contra as forças que ameaçavam derrubá-lo. Era quase impossível ouvir qualquer coisa agora, em meio ao ruído forte de pedras e do vento alto.

— Aqui! — berrou Kai com a voz quase elevada demais para pulmões humanos. — Eu limpei nosso caminho!

Houve um *ping* rápido quando alguma coisa bateu no corrimão de mármore ao lado de Irene. Primeiro, ela achou que fosse um fragmento de pedra, mas depois percebeu ter sido uma bala.

— Ah, não, não limpou — murmurou ela.

— Talvez seja o melhor que ele possa fazer — gritou Vale em meio ao vento. Tinha feito uma pausa ao ouvir a bala, assim como ela, e estava olhando ao redor, desesperado. — Winters, não há outro caminho para sairmos daqui. Temos que arriscar. Venha!

Era verdade, mas uma Bibliotecária não conseguia falar tão rápido a ponto de impedir uma bala. Eles estavam na metade do caminho, então a distância considerável que restava da ponte era um declive, mas isso não ajudava muito...

Ah, ajudava, sim.

— Kai, prepare-se para nos pegar! — gritou ela. — **Superfície de mármore da ponte, fique cem vezes mais escorregadia!**

Ela se jogou em um deslizar desesperado, e o tremor seguinte a fez cair de bunda no chão. Isso só fez aumentar sua velocidade. Como uma criança escorregando em uma colina, ela deslizou sem parar pela curva da ponte, bem mais rápido do que se estivesse correndo. A superfície oscilante também a jogava imprevisivelmente de um lado para o outro. Ela esperava que isso atrapalhasse os atiradores. Pelos xingamentos que ouvia às suas costas, Vale era tão incapaz quanto ela de controlar seus movimentos, e uma saraivada de balas estalou na pedra alguns metros atrás dele.

Kai estava na superfície agora agitada do reservatório, onde o final da ponte encontrava o piso. Ele estava cercado por um tubo de água em movimento, que havia se formado como um escudo ao seu redor. Havia seis guardas espalhados pelo chão, inconscientes ou gemendo depois de serem atingidos pela onda gigante. Sem dúvida, a pólvora que carregavam estava tão encharcada quanto eles. Vinte metros mais adiante, seu destino estava finalmente visível: a escadaria de metal que os levara de Veneza até lá, estendendo-se no abismo escuro que se tornara o Campanário. A ponte de metal que cobria esse abismo até o piso estava na frente deles. Kai assentiu ao vê-los, a postura preparada, e quando Irene e Vale chegaram mais perto deslizando, ele levantou os braços no ar.

A água começou a se erguer em volta dele, envolvendo-o em uma coluna cada vez maior. Como um tornado não natural, a água subia na direção do teto distante com um rugido, audível mesmo com o som das pedras caindo. De repente, parou, o poder controlado no limite do rompimento. Em seu interior, o cabelo de Kai flutuava ao redor da cabeça, como se soprado pelo vento, e as mangas da camisa ondulavam com a força do fluxo.

Uma onda se projetou para envolver Irene e Vale, arrancando-os da superfície de mármore, lisa como gelo, e segurando-os. Os soldados que conseguiam se mexer procuraram se esconder, abandonando as armas. Irene gritou quando a água começou a subir ao seu redor e lutou para manter a cabeça fora da onda, sua saia agora um volume apertado em volta das pernas.

— Preparem-se! — ressoou a voz de Kai nos ouvidos de Irene, mesmo com o barulho da água. — Vou conseguir controlar o começo da descida pelo Campanário, mas provavelmente não até o final, então prendam a respiração!

O pensamento *Isso vai doer* destacou-se em meio ao caos. Ela esvaziou os pulmões e inspirou o máximo de ar possível, tentando armazenar tanto oxigênio quanto conseguisse. Ela e Vale estavam alguns metros acima do chão agora, sendo arrastados em direção à tromba d'água de Kai. Pairando sobre o solo, ela se viu tomada por uma nova sensação de surpresa. As ondas imensas que Kai erguera ainda pareciam pequenas na imensidão daquela prisão, concebida para entidades muito maiores e muito mais *poderosas* do que eles. Criaturas que, mesmo que conseguissem se libertar, não conseguiriam passar por uma escadaria tão estreita. Era o que ela esperava.

As águas do pseudotornado formaram um arco alto sobre a ponte de ferro e pararam acima da escadaria pela qual eles entraram na prisão. De repente, fluíram pelo abismo, um fluxo agitado de escuridão líquida que se centralizou na escadaria, fazendo a estrutura inteira tremer e latejar conforme se chocava contra o ferro. O som era tão alto que Irene levantou as mãos para cobrir os ouvidos, na tentativa de bloqueá-lo. Ela conseguia imaginar o jorro de água seguindo pela espiral da escadaria. Jatos dispaririam em todas as direções, pelas aberturas nas laterais, mas a força principal continuaria descendo. E quando a abertura escura em volta da escada se estreitasse e voltasse às dimensões do Campanário lá embaixo, haveria ainda menos espaço para a água escapar. Não haveria para onde ir exceto para baixo e para fora.

Ela esperava que qualquer pessoa no caminho tivesse o bom senso de sair correndo.

Kai fez um sinal no sentido dela e de Vale, e as águas os levaram em sua direção, como meros objetos presos a uma corrente. Ela deu um último e profundo respiro, o estômago com um nó de puro pavor, e o jorro de água carregou os três, balançando, pelo ar dentro do funil de água. Irene ficou aliviada, porque, se havia ar, Kai os estava mantendo em segurança, como havia prometido. Eles passaram por cima do abismo em um arco suave, como o voo de uma flecha, e despencaram pela escada.

Inicialmente, o empuxo foi surpreendentemente suave. Ela se encolheu por instinto, cruzando os braços acima da cabeça, e assumiu posição fetal. A luz sumiu em poucos momentos, quando a água levou os três pelas primeiras curvas da escada. Não foi tão nauseante quanto poderia ter sido. Parecia mais o deslizar guiado de um tobogã, e ficou claro que Kai estava no controle. Ela se agarrou a esse pensamento como se fosse um talismã. Estava descendo uma escadaria extremamente alta debaixo d'água, em alta velocidade e na escuridão. Mas podia confiar em Kai. *Ele está no controle*, ela repetiu para si mesma.

De repente, ficou mais frio, e a água não a estava mais aninhando, mas somente a carregava, como um pedaço de palha. *Nós atravessamos os limites de Veneza*, pensou ela com tristeza, enquanto se agarrava ao que ainda lhe restava de fôlego. *Kai não consegue agir aqui, então vamos ter que aguentar o resto.*

A água agora a jogava contra a amurada lateral da escada, empurrando-a para baixo como os destroços de um naufrágio, girando-a cada vez mais rápido. Ela bateu na escadaria de novo, nas laterais, nos degraus de baixo e nos de cima. A maioria das batidas foi nos quadris e nos ombros, e ela manteve a cabeça bem encolhida, a respiração queimando os pulmões. Não havia espaço para pensar, só para o pânico puro, conforme ela despencava na escuridão.

Abruptamente, foi cuspida para fora. O jorro de água a arremessou pelo pórtico elegante do Campanário e pelos portões abertos, até a praça em frente. Irene rolou no chão por vários metros até parar. Permaneceu deitada em meio às poças d'água, com as partes do corpo que tinham batido na escadaria doendo.

Água fria escorria das bochechas e ela ofegou para respirar. Sua cabeça ainda estava girando, e ela vomitou nas pedras molhadas o pouco que havia no estômago.

— Winters! — gritou Vale para ela, sua voz cortando o tumulto geral. — Aqui!

Ela olhou em volta, desorientada. Era noite. Lampiões brilhavam e balançavam loucamente ao vento, e a praça estava uma confusão. Como ela, havia outros indivíduos caídos na água, e o fluxo final se espalhava pela Piazza. Inundava as lojas e os prédios públicos ao redor, ou corria pelo chão até o mar. Guardas uniformizados em volta da entrada do Campanário também tentavam se manter em pé. A quantidade de gente sugeria uma quase multidão, ou assim havia sido, antes de se acrescentar uma inundação absurda na quase escuridão. Definitivamente, havia uma multidão agora. A iluminação municipal tênue, combinada às máscaras que a maioria usava, transformava a cena em um pesadelo.

Kai estava caído de cara no chão, gemendo. Vale, parecendo ferido, mas capaz de se mexer, estava com um dos braços de Kai em torno de seus ombros, tentando levantá-lo. O fato de ele ainda não ter conseguido dizia algo importante sobre sua condição. Seu braço estava sangrando de novo. Irene pôs sua máscara enquanto ia se juntar a eles, as juntas protestando a cada passo, e colocou o ombro embaixo do outro braço de Kai.

— Vamos... Vamos para o Trem — tossiu ela, sentindo o gosto de bile a cada palavra.

— Não precisa dizer o óbvio, Winters — disse Vale com rispidez.

— Peguem-nos! — gritou Lorde Guantes de algum lugar na escuridão, a voz furiosa e não deixando transparecer qualquer sinal de autocontrole.

Acho que não serei convidada para a ópera novamente. Irene hesitou e tentou entender onde eles estavam.

— Ali, à direita — ofegou ela, apontando com a mão livre para onde a praça levava à água. Seu corpo doía como se alguém tivesse batido nela com um limpador de tapete. — Siga para a direita, como se nós fôssemos para a Biblioteca Marciana.

— Claro — grunhiu Vale. Ele estava carregando mais peso de Kai do que ela. — Guantes vai pensar que estamos indo para uma biblioteca...

Irene poupou seu fôlego e simplesmente assentiu. A multidão estava em volta deles agora, tentando sair da Piazza. Ela e Vale não eram os únicos que carregavam um amigo semiconsciente. Ainda que estivessem entre os mais molhados.

Os gritos da multidão atrás deles sugeriam que os capangas de Guantes estavam abrindo caminho rapidamente, por isso Irene precisava esconder seu destino. Ela parou de repente com Kai e Vale entre dois lampiões, pouco antes da saída da praça. Respirou fundo e se preparou.

— **Lampiões, estilhacem e se apaguem!** — gritou ela com toda a força que ainda tinha.

Sua voz se espalhou sobre a multidão, e os lampiões acima explodiram em uma nuvem de vidro, as chamas se apagando de uma vez. Outras luzes menores se partiram dramaticamente em pedaços, se desfazendo onde estavam, em vitrines de lojas ou em barracas de rua, ou conforme eram carregados pelas pessoas na multidão.

A área ficou abruptamente bem mais escura e a aglomeração, bem mais assustada e inoportuna. Não dá para se ter tudo.

— Agora, a gente corre — ofegou Irene, e foi o que eles fizeram.

CAPÍTULO 24

Eles correram pela escuridão, os três cambaleando juntos. Kai estava quase inconsciente, a respiração entrecortada no ouvido de Irene, e ela queria desesperadamente descansar por alguns minutos. Mas mesmo que pudesse ignorar Lorde Guantes e seus criados, que os perseguiam, havia uma sensação no ar da qual ela não gostava, um limite febril para um tumulto. Eles estavam no limiar de um conflito. Ou de algo pior.

As pedras no chão pareciam segurar os seus pés, mas ela trincou os dentes e seguiu em frente. Não seria por causa dela que seriam capturados.

— Dói... — murmurou Kai.

— Estamos quase lá — ofegou Irene de forma tranquilizadora, sem se dar ao trabalho de verificar se era verdade. — Só aguente um pouco mais.

— Não — disse Kai com um pouco mais de clareza agora. Havia dor genuína na voz. — Meus pés...

Irene e Vale pararam, e Vale a incitou a olhar para baixo. O calçamento estava subindo pelos sapatos de Kai, parecendo segurar seus pés enquanto borbulhava de um jeito anormal na quase escuridão. Irene olhou nervosamente para os próprios pés, mas não parecia ter sido afetada, assim como Vale.

Vale respirou fundo.

— Solte-o, Winters — instruiu ele. — E se prepare para abrir o nosso caminho. — Com um gemido de esforço, ele se inclinou e jogou Kai por cima do ombro, como um bombeiro.

Mais sangue manchou o curativo em seu braço.

Certo. Aquilo poderia funcionar. Se os pés de Kai não estivessem tocando o chão... Eles estavam quase no Trem. Talvez mais cinco minutos. Se conseguissem chegar lá.

Ela abriu caminho pela multidão, usando os ombros e cotovelos para forçar a passagem para si e os homens. Logo atrás, os gritos pareceram mais altos e mais direcionados, e ela tentou não pensar no que aconteceria quando Guantes percebesse que eles não estavam indo para a biblioteca. Tinham que chegar ao Trem, e Lorde Guantes era totalmente capaz de chegar a essa conclusão. *E onde estaria Lady Guantes?* Irene esperava que não saber a resposta não acabasse sendo fatal.

As pulseiras que Silver tinha lhe dado pareciam vibrar em seus pulsos, latejando com um calor próprio, e a máscara grudada em seu rosto era como uma mão sufocante. *Será um sinal de que os Dez também estão me procurando?*, perguntou-se. *Talvez estejam procurando qualquer coisa que não seja nativa deste lugar. E aqui, só Kai e eu não somos feéricos nem humanos normais...*

Ela seguiu em frente pela multidão e cambaleou em um vazio repentino ao chegar perto do mar. As pessoas tinham o bom senso de não ocupar o espaço da beirada, onde a escuridão da água se prolongava ao longe, com as ondas suaves captando a luz dos lampiões na espuma branca. As luzes da ilha mais ao longe eram visíveis como pontinhos cintilantes, interrompendo os longos trechos de sombra onde o céu noturno era indistinguível do mar. O Trem era uma listra intensa de luz na escuridão, com os quadradinhos das janelas iluminadas brilhando como um convite. Porém, em termos mais práticos, estava uns cem metros adiante seguindo pelo cais. Pelo menos.

O barulho da multidão estava mudando e Irene se virou para olhar para trás, enquanto um arrepio de apreensão descia por suas costas molhadas. Havia alguma coisa no jeito como as pessoas estavam se movendo... E falando...

Elas estavam agindo em sincronia. Como uma matilha de cães, todos erguendo lentamente os focinhos enquanto se concentravam no invasor, a multidão olhava para eles, como se alguma forma de inteligência conferisse vida a todos eles.

Os olhos dos venezianos brilhavam como os de um gato na escuridão, e eles até respiravam juntos, em um sussurro audível mais alto do que a água. O ar estava tomado por uma atenção nem um pouco humana, uma *presença* que gelava o sangue e paralisava sua mente em pânico. *Os Dez. Os Dez nos encontraram.*

— Winters... — disse Vale muito baixo, como se receasse que um som mais alto pudesse causar uma explosão de violência. *Faça alguma coisa* foi dito, sem que palavras fossem necessárias.

Irene descartou rapidamente múltiplas possibilidades em pensamento. A Linguagem podia congelar a água, mas não a lagoa toda, nem o bastante para que chegassem ao Trem. E confundir a percepção de tanta gente estava além da sua capacidade.

Até os barqueiros nas gôndolas estavam se virando para olhar...

Antes que pudesse pensar duas vezes, ela já estava agindo: ergueu a saia e pulou na gôndola mais próxima. O gondoleiro não estava esperando por isso e ela bateu com o ombro em sua barriga, empurrando-o para fora da embarcação, enquanto ele cambaleava e tentava recuperar o fôlego. Vale estava logo atrás dela, já colocando Kai na gôndola.

A multidão inteira ainda olhava para eles em silêncio mortal. Era paralisante. Irene engasgou, tentando fazer a boca e a língua trabalharem enquanto lutava com a adrenalina misturada ao medo, mas as palavras finalmente saíram:

— **Amarras no ancoradouro, desfaçam-se. Gôndola na qual estou,** *vá na direção do Trem.*

A gôndola começou a se mover antes que a corda (e todas as outras cordas ao alcance da voz dela) se desamarrasse totalmente. Por um momento apavorante a embarcação distendeu a amarra ainda presa à doca, enquanto a multidão se aproximava com um grito único de muitas vozes de fúria. Ela conseguia ver o branco dos olhos arregalados e sem expressão. Gaivotas levantaram voo dos telhados e calhas com alarido, explodindo em um agitar de asas pálidas na escuridão.

De repente, a corda arrebentou e se soltou, e o barco disparou em movimento. Vale desabou com um Kai semiconsciente e Irene caiu sobre suas mãos e joelhos, conforme a gôndola abria caminho pela água como uma lancha a motor na direção do Trem, a impressão tão convincente que ela quase acreditou sentir cheiro de fumaça.

Uma desconfiança desagradável surgiu em sua mente e ela se virou para olhar para Kai. A madeira da gôndola estava realmente ficando chamuscada, e havia fumaça no local onde ele a tocava. Uma descoloração se espalhava como uma infecção na pele de Kai. *Ele é tão alérgico a este lugar, quanto o lugar é alérgico a ele. Eu jamais teria conseguido escondê-lo aqui para fugir depois.* Ela se virou para o Trem, cada vez mais próximo, com uma sensação de medo e irritação misturados por causa de mais um obstáculo: como eles efetivamente entrariam naquela coisa? Ainda assim, embarcar em um trem saindo de uma gôndola pegando fogo, no nível do mar, era um problema menor considerando o que eles estavam deixando para trás.

A gôndola bateu na lateral do Trem e balançou loucamente para um lado e para o outro. Em um convite mudo, a porta mais próxima se abriu imediatamente, e Vale se segurou nela para firmar a gôndola na lateral do Trem, enquanto Irene subia no vagão. Outras gôndolas, cheias de venezianos de olhos arregalados, se aproximavam deles pela água sob um silêncio mortal que era quase mais apavorante do que urros e ameaças. Ela puxou Kai pelos ombros enquanto Vale empurrava, levando-o para o Trem com a força que a adrenalina ainda lhes oferecia. Ela mal havia puxado metade do corpo dele para dentro quando a gôndola em chamas cedeu embaixo de Vale. Ele se jogou para a frente e se segurou na beirada da porta, enquanto as tábuas afundavam debaixo dele.

— Vale! — gritou Irene, soltando os ombros de Kai para ajudá-lo.

Vale cuspiu água do mar.

— Eu consigo — ofegou ele, batendo os pés para erguer-se na água e se lançar para dentro do vagão. — Cuide de Strongrock!

Irene puxava Kai freneticamente. Ele era um peso morto, os olhos fechados e o corpo inerte, mas ela conseguiu arrastá-lo inteiro para dentro do vagão na hora em que Vale conseguiu entrar. Com o canto do olho, viu a multidão batendo nas portas do lado da plataforma. Ela ignorou. Achava que o Trem não deixaria as pessoas entrarem.

O interior do Trem estava em silêncio, e eles se viram em um vagão luxuoso, todo de veludo e decoração marfim, o que fez suas roupas encharcadas e desarrumadas parecerem ainda mais inadequadas. Mas o desafio agora era fugir daquela Veneza antes que o Cavaleiro, os Dez ou quem quer que fosse pudesse impedir.

Estava na hora. Irene respirou fundo, ficou de pé e disse com firmeza:

— **Trem, Corcel, Cavalo, ou como quer que eu deva chamá-lo, estou aqui para libertá-lo, para podermos escapar juntos. Mostre-me como.**

Um estrondo sacudiu o vagão, alto demais para ser humano, e Irene colocou as mãos nos ouvidos antes de identificar tardiamente o vapor do escapamento do Trem. O barulho diminuiu até se tornar um tremor tolerável, as rodas vibrando no lugar, mas ainda não exatamente se movendo, enquanto os pistões trepidavam em seus cilindros.

— Por que não está se movendo? — perguntou Vale. Ele tirou o cabelo molhado do rosto.

— Acho que só vai conseguir quando eu o libertar — disse Irene. Ela olhou ao redor em busca de alguma indicação óbvia e torceu para que não envolvesse ir para o lado de fora novamente.

Vale franziu a testa.

— O que você fez antes? Contou uma história?

Irene sufocou um momento de irritação por Vale estar dizendo *a ela* como usar a Linguagem e assentiu, montando mentalmente uma narrativa. Certo, essa serviria.

— **E a princesa voltou de sua jornada, com o príncipe junto** — bem, no chão — **e o cavaleiro a seu lado.** — Ela não podia correr o risco de deixar Vale de fora da história, pois o Trem poderia deixá-lo para trás. — **E a princesa disse para o cavalo: "Onde está o seu cabresto e onde estão as suas rédeas para que eu possa libertá-lo de ambos?".**

A porta de seu vagão se abriu para o corredor. E, com um suspiro, Vale ergueu Kai sobre os ombros de novo e cambaleou com o peso.

Irene passou pela porta primeiro, e ela se fechou logo em seguida, quase prendendo seus dedos. Ela podia ver Vale e Kai do outro lado pela janelinha, mas não conseguia abrir a porta, por mais que girasse a maçaneta.

— *Deixem-nos em paz!* — gritou ela ao avistar rostos na escuridão atrás de Vale, na plataforma do lado de fora do Trem.

O zumbido do motor se estabilizou em um *chuq-chuq* regular, uma ansiedade trêmula para partir. Talvez nessa história a princesa precisasse libertar o corcel sozinha. Ela tinha confiado nele até aqui, e teria de continuar a confiar.

Após um gesto tranquilizador (assim ela esperava) pela janela, Irene seguiu pelo corredor.

A porta no final da passagem levava à escuridão. Não o tipo de escuridão que permitia enxergar o caminho, mas uma escuridão total, do tipo que sugeria abismos subterrâneos ou porões escondidos. Ela achava que pedir para que luzes fossem acesas não ajudaria em nada.

Com um suspiro baixo, Irene passou pela porta.

De repente se viu na locomotiva do Trem, que também estava escura, mas agora ela conseguia enxergar um pouco mais. Era cheia de mostradores e alavancas complexas, uma caldeira a carvão para fornecer vapor e muitos pistões com graxa brilhando. Ela olhou ao redor em busca de pistas óbvias de como lidar com a situação.

Ali. Um cadeado pesado de prata e uma corrente prendiam uma das alavancas maiores, mantendo-a em posição vertical. Parecia mais ornamental do que funcional, algo que qualquer um poderia desatar da manivela e remover com facilidade. No entanto, ela lembrou a si mesma, o simbolismo podia ser importante aqui. A lembrança de outra corrente meses atrás, e da armadilha que nela fora urdida, fez Irene hesitar. Naquela vez, ela havia sido infectada por Caos puro e só sobreviveu porque Kai a libertou. E ele não estava com ela agora.

O maquinário vibrava ao seu redor. De repente, outro grito foi arrancado do apito de vapor, como se (não, ela tinha certeza) o Trem estivesse impaciente com a demora. Mas o que ela podia fazer para se proteger em um ambiente de Caos intenso se qualquer coisa ali poderia ser capaz de infectá-la?

Bem, talvez ela pudesse tentar se proteger de antemão desta vez...

Ela passou o dedo na graxa oleosa e rabiscou rapidamente seu nome na Linguagem na palma da mão esquerda; depois, repetiu o procedimento na direita. Com sorte, definir a si mesma desta forma ajudaria a impedir a entrada do Caos. Era melhor que funcionasse, pois ela estava sem ideias.

— E a princesa viu o cabresto e as rédeas do cavalo — enunciou ela, flexionando os dedos. As palavras vibraram em sua boca e ecoaram na locomotiva quando ela as pronunciou.

— E ela disse para o cavalo: "Agora vou libertá-lo do cativeiro, e em troca você vai me ajudar, e aos que estão comigo, a fugir".

A vibração em volta dela aumentou, latejando alto o bastante para seus ouvidos doerem.

— E a princesa segurou o cabresto e as rédeas...

Ela tinha que gritar agora para conseguir se ouvir acima do som do motor. A Linguagem fazia sua garganta doer e pesava nos pulmões. Seu corpo se movia enquanto ela falava e ela não conseguia, nem em nome da própria sanidade, ter certeza de que estava se movendo por vontade própria ou porque a Linguagem forçava os movimentos.

339

Ela fechou a mão sobre a corrente e as pulseiras dadas por Silver se estilhaçaram, os fragmentos voando e cascateando até o chão em uma explosão de elos. A máscara que cobria seu rosto se dissolveu, virando um pó que grudou em sua pele molhada. Ela conseguia sentir seu nome na Linguagem arder na palma das mãos, mas o metal da corrente em si estava frio e tão normal quanto qualquer coisa ali podia ser.

— E os tirou do pescoço do cavalo...

Ela ergueu os braços, retirando a corrente do local onde estava, isto é, sobre a alavanca de metal, como um laço. Por um momento, a corrente pareceu se agarrar ao topo da alavanca, arrastando-se pela parte de cima como se não desejasse ser solta.

Ela firmou os dentes.

— E se soltaram! — gritou ela.

O tilintar metálico da corrente se soltando se espalhou pela cabine, ainda mais alto do que a pulsação dos motores. Os elos de metal estavam grudentos na mão dela agora, como óleo sólido. Deslizaram por suas mãos, enrolando-se nos punhos de forma quase afetuosa.

O Trem tremeu todo, o movimento se espalhando pelos vagões como o estalar de um chicote. Irene perdeu o equilíbrio e caiu de joelhos. Como se estivesse esperando por esse momento, a corrente se lançou na direção do pescoço dela. Ela gritou de choque, esticando as mãos agora presas pela corrente o mais distante do corpo que pôde, segurando desesperadamente os elos para impedir que se aproximassem mais. As pontas da corrente roçaram friamente na pele dela, tentando se aproximar da garganta.

De repente, a corrente deslizou entre seus dedos, libertando os pulsos, mas se lançando na direção do pescoço. Ela conseguiu enfiar os dedos entre a corrente e a pele, mas a corrente

a apertou mesmo assim, cortando sua carne em uma tentativa cruel e deliberada de assassinato. Sua pulsação ecoava nos ouvidos ainda mais alto do que o bramido do apito do Trem.
Ela fechou os olhos, tentou controlar o pânico e se agarrou ao último fiapo de consciência. Ainda havia ar em seus pulmões.
— **Corrente, afrouxe** — ofegou ela, as palavras saindo em um sussurro que mal se podia ouvir. — **Afrouxe o bastante para que eu possa respirar.**
A corrente relaxou o aperto (e as luzes que estavam piscando na visão de Irene diminuíram), mas continuou a se mover e se flexionou sobre os dedos dela, espreitando ao redor da garganta como se tentando encontrar um novo caminho de ataque. Se de alguma forma a corrente tinha ganhado vida, a Linguagem não teria efeito duradouro sobre ela. Seria possível jogá-la pela janela? Ou melhor, destruí-la? Mandá-la despedaçar-se? Mas e se os pedaços voltassem a se reunir?
A porta da caldeira chamou sua atenção. Ela cambaleou até lá e a abriu. O calor escapou com força, queimando seu rosto e a fazendo sufocar de novo. A corrente a apertou ainda mais, como se reagindo a isso, pressionando os dedos da outra mão contra o pescoço e puxando a cabeça dela para trás.
— **Corrente de prata feérica** — disse ela, sendo o mais precisa possível —, **afrouxe! Torne-se inativa! FIQUE PARADA!**
A corrente ficou inerte por tempo suficiente para ela puxá-la por cima da cabeça e segurar com firmeza com as duas mãos. Então, enrolou-a e a jogou na caldeira. A corrente estalou e se retorceu ao deixar suas mãos, tentando se mover e se lançar de volta sobre ela. Irene fechou a porta da caldeira, as mãos doendo por causa do calor escaldante. A corrente bateu na porta, mas depois de alguns segundos os últimos saltos desesperados cessaram.

E, então, a alavanca grande cedeu por vontade própria. O apito de vapor ressoou novamente, mas desta vez foi um grito exultante de libertação, de uma liberdade selvagem que finalmente podia se soltar. A locomotiva toda tremeu e o Trem entrou em movimento.

CAPÍTULO 25

Por um longo momento, Irene só conseguiu se inclinar, descansando as mãos nas coxas e respirando. O tecido molhado da saia acalmou as palmas chamuscadas das mãos, e havia um grande torpor dolorido em sua mente. Ela conseguira. O Trem se movia. Os três estavam em segurança, a bordo.

Eles *conseguiram*.

Pela janela, ela só via água escura, ondulando e crispando, com luzes distantes iluminando a espuma. Com sorte, seria uma viagem mais rápida até a Londres de Vale do que havia sido para chegar aqui. A atmosfera no Trem devia ser quase tão tóxica para Kai quanto a de Veneza.

Ela abriu a porta da locomotiva e hesitou. O vagão seguinte *não* era o mesmo do qual ela tinha saído. O Trem devia ter se reorganizado para levá-la rapidamente ao final da estrutura.

— Ah... — disse ela, sentindo-se meio tola ao se dirigir ao Trem de forma tão informal. — Você pode me levar de volta ao vagão onde estão meus companheiros?

O vagão permaneceu em silêncio.

Tudo bem. A resposta devia ser "não", então ela teria que caminhar. Gritar com o Trem seria perda de tempo, mas bater a porta fez com que se sentisse melhor.

Como antes, cada vagão era diferente e exibia novos níveis de luxo. O único elemento inferior aqui era ela. Conforme ela percorria a extensão do Trem, ele parecia se mover de forma mais errática do que antes, com os balanços e sacolejos de trens a vapor comuns. A cada passo, Irene tinha que se equilibrar para não cair.

O sexto vagão também lhe pareceu vazio, até ela avistar uma pessoa reclinada em um sofá de veludo preto, segurando uma taça de bebida verde-pálida. Só não era a pessoa que ela esperava ver.

— Zayanna? — disse ela, sem entender.

— Clarice! — Zayanna tentou esconder a taça de bebida embaixo do sofá, mas derramou um pouco, e as gotas deixaram marcas chiando no tapete. Ela estava de biquíni de novo, com os membros longos da cor de bronze exibidos artisticamente na escuridão do sofá e o cabelo caindo por um ombro. — Eu já ia recomeçar a procurar... — Ela franziu a testa. — Espere um momento. Era por você que eu devia estar procurando?

— Era? — Irene tentou pensar em uma mentira plausível.

— Bom, você me encontrou agora, então não precisa se preocupar com isso...

De repente, seu cérebro pareceu funcionar. Zayanna estava no Trem, aparentemente procurando por ela. Isso queria dizer que os outros também a estariam procurando. E Vale e Kai... Seu estômago deu um nó.

— Por que você estava me procurando? — Ela queria desesperadamente ouvir qualquer resposta, menos a que estava esperando.

— Bem. — Zayanna enrolava distraidamente uma mecha de cabelo, mas também estava observando Irene com atenção pelos olhos entrefechados. — Houve um boato de que você tinha resgatado o dragão e estava fugindo com ele. Querida. E nós estávamos com você mais cedo, então fomos considerados seus potenciais cúmplices... Até aceitarmos ajudar na busca, só para provar o quanto não estávamos envolvidos e o quanto não éramos traidores. Querida.

Irene abriu bem os braços.

— Eu *pareço* ter um dragão escondido aqui?

— Não — disse Zayanna imediatamente. — Porque ele está agora sendo mantido em outro vagão do Trem.

Irene respirou fundo.

— Muito bem, então — disse ela, e ficou surpresa com o quanto sua voz parecia normal. Onde estava o nó no estômago, a exasperação que dava dor de cabeça, ou melhor, a *fúria* por causa de mais um obstáculo no caminho, mais uma interferência maldita dos malditos Guantes? — Terei de fazer alguma coisa sobre isso.

Zayanna franziu a testa.

— Tem certeza de que devia estar me contando isso, Clarice?

— Encare desta forma — disse Irene. Sua mão procurou a coronha da arma que ainda estava escondida na saia molhada. A pólvora estaria encharcada, mas Zayanna não sabia disso. — É mesmo do seu interesse confrontar-se com um tipo armado, perigoso e que resgata dragões, como eu? Falando sério, Zayanna, eu achei que você estivesse reclamando antes porque nunca interagia com heróis.

— Eu estava reclamando de nunca conseguir *seduzir* os heróis, querida. — Zayanna sorriu. Enrolou o cabelo de novo, os dentes brilhando e mais do que um pouco pontudos. — Mas acho fofo que você tenha prestado atenção.

— Se me entregar para os Guantes, não vai ter nem essa chance — disse Irene, resignando-se mentalmente por vir a lidar com uma rotina de sedução potencialmente inconveniente.

345

Ainda assim, se Zayanna fosse como Silver, ela provavelmente teria o mesmo prazer se Irene rejeitasse as investidas, desde que de modo suficientemente melodramático. Mas, primeiro, ela tinha uma fuga para organizar. — Tem alguém no próximo vagão?

— Atrox Ferox e Athanais — disse Zayanna. Ela franziu a testa. — Estamos falando de uma sedução séria aqui? Uma coisa verdadeira de paixão?

— Há uma chance, se sairmos disso vivas — disse Irene. Ela podia estar exagerando um pouco, mas Zayanna parecia acreditar. Até onde podia forçar a outra mulher? — Você sabe se os patrões de Atrox Ferox e de Athanais pendem à estabilidade ou se preferem entrar em guerra com os dragões? E quanto ao seu?

— Lorde Judge é o patrão de Atrox Ferox, e ele se inclina à estabilidade — disse Zayanna sem hesitar. — Assim, Atrox Ferox está aqui para relatar os eventos, e não por causa de alguma aliança com o beligerante Guantes. Não há dúvida, querida, de que Lorde Judge é uma dessas pessoas com as quais você pode contar. Mas não sei sobre Athanais, nem sobre o patrão dele. Se é que ele tem um.

— E o seu? — insistiu Irene. Ela não fazia a menor ideia de quem era Lorde Judge, mas a neutralidade dele pareceu encorajadora.

Zayanna suspirou, e o movimento de ombros pareceu genuíno.

— Querida, ele não *liga*. Foi por isso que mandou uma pessoa como eu em vez de um representante em quem realmente confiasse. Ele vai acabar seguindo a maioria, como sempre. Claro que não deseja que eu comprometa seus interesses, então não quero ser pega fazendo nada que não devesse, mas, fora isso, ele não está nem aí.

O que queria dizer que não havia oportunidade para Zayanna avançar... A não ser que *Irene* lhe oferecesse uma chance de desempenhar um papel.

— Pelo que você diz, ele não se interessa por perdedores — ela disse casualmente. — Se os Guantes fracassarem, ele não vai querer saber deles, até negaria conhecê-los.

— Ah, naturalmente — disse Zayanna. Ela apertou os olhos de novo. — Não é o que qualquer um faria?

— Certo — disse Irene, consciente da enormidade do risco. Mas se ele compensasse, haveria uma chance. Ela tirou a arma molhada da saia úmida e ofereceu para Zayanna, com a coronha virada. — Preciso da sua ajuda, Zayanna. Como aliada. Como *amiga*. Quero que fique atrás de mim e use meu corpo para esconder a arma enquanto eu estiver falando. E se a conversa não der certo, vou precisar que você ameace as pessoas com ela. — Talvez um leve toque de envolvimento emocional pudesse ser uma boa ideia. — *Por favor?* — acrescentou ela esperançosamente, piscando os olhos de um modo que, ela esperava, fosse atraente.

Zayanna arregalou os olhos.

— Você quer que eu fique atrás de você com uma arma carregada?

— Quero — disse Irene com firmeza.

— Ah, *querida*. — Zayanna se jogou em cima dela, encostou a cabeça em seu peito e passou os braços em volta do seu corpo, ignorando a roupa molhada. — Ninguém nunca me disse nada tão *romântico* em toda a minha vida.

Irene a afastou delicadamente, um tanto incomodada pela arma na mão.

— Vamos fazer isso — disse ela, cruzando os dedos mentalmente, torcendo para que Zayanna estivesse certa sobre a neutralidade de Atrox Ferox. Afinal, ele era o outro que tinha armas.

347

Ele e Athanais estavam no corredor do vagão seguinte quando Irene abriu a porta, e ele levantou a arma na mesma hora. Parecia futurística, aerodinâmica e grande demais, embora isso talvez se devesse ao fato de estar apontada para ela. Irene levantou as mãos acima dos ombros, ciente de Zayanna logo atrás.

— Boa noite, cavalheiros — disse ela de forma agradável.

— Clarice. — Atrox Ferox olhou para ela diretamente, os olhos escuros apertados. — Ou algum outro nome seria mais apropriado?

Que maravilha, estou sendo estereotipada como a espiã mestre nessa história. Acho que eu preferia ser subestimada.

— Meu verdadeiro nome não é importante — disse ela, tentando dar um toque de autoridade à voz. — O que importa é a razão de eu estar aqui.

— Uma questão de grande traição, pelo que eu soube — disse Athanais. Ele carregava um alaúde atravessado no corpo e suas mãos se contraíam acima das cordas, como se o instrumento também fosse uma arma. — Há alguma outra forma de ver a situação?

Irene baixou as mãos lentamente. Atrox Ferox não parecia disposto a atirar, e era cansativo ficar com elas erguidas.

— Pessoalmente, eu chamaria de tentar impedir uma guerra. Se você chamaria ou não de grande traição, depende da sua visão política.

— Um esclarecimento seria útil — disse Atrox Ferox. Ele não baixou a arma, mas Irene decidiu considerar a falta de disparos algo promissor. — Uma explicação verdadeira, ainda mais.

— Sequestrar o filho de um rei dragão para leiloá-lo é um gesto audacioso, tenho que concordar com isso — disse Irene. Ela se virou para olhar pra Athanais, mas manteve Atrox Ferox em seu campo de visão. — Poderia dar início a uma guerra. Poderia até dar início a uma guerra que vocês poderiam vencer. Mas não vamos nem falar das consequências para os humanos das esferas afora, certo? Seria deprimente. Mas sequestrar o filho de um rei dragão e conseguir perdê-lo no meio de Veneza, no território pessoal dos Dez? E permitir que ele escapasse? Não estou muito impressionada com Lorde e Lady Guantes, não mesmo. Se alguém desejava iniciar uma guerra, eu esperaria que fosse alguém um pouco mais eficiente. Verdadeiros líderes não deveriam ser tão facilmente ludibriados. Se eu fosse você, Athanais, não chamaria uma interferência nos esquemas deles de "grande traição". Eu chamaria de uma ação menor que vai poupar muitos problemas para vocês no futuro.

— Não estou interessado em vencer ou perder uma guerra — disse Athanais. Seus dedos desceram um pouco mais e roçaram nas cordas. — Talvez só estar envolvido seja suficiente? Pela fama, pela história... Sendo assim, não tenho certeza se ligo para o seu argumento. Foi uma boa tentativa, tenho que admitir isso. Mas não o bastante para salvá-la.

— Talvez não — disse Zayanna às costas de Irene, antes que ela pudesse pensar em outra linha de argumentação. — Mas isto será. Se tocar uma única nota, eu atiro em você.

Athanais engoliu em seco.

— Atrox! Ela também virou uma traidora. Atire nela!

— Se atirar nela — disse Irene secamente —, vai envolver o patrão dela nisto. Quer mesmo que isso ocorra?

— É ela quem está apontando uma arma para mim, não o contrário — cortou Athanais. — E quanto a você... Nós nem sabemos quem ou o que você é. Pelo que sabemos, você pode ser mais um dragão disfarçado.

— Eu sou apenas uma desconhecida — disse Irene, se perguntando quanto tempo ainda tinha até Athanais pedir reforços.

Se houvesse guardas no vagão seguinte, um único grito bastaria. — Isso tudo não vale seu tempo. A melhor coisa que você pode fazer é se afastar e ficar longe do fracasso dos Guantes. As pessoas se lembram de fama e histórias, Athanais, mas também se lembram de fracassos. Retire-se enquanto pode.

Ela percebeu Atrox Ferox ficando tenso e se preparou para se abaixar, mas ele se mexeu na direção oposta e moveu a arma para bater com a coronha na cabeça de Athanais, em um rodopiar de aço e couro preto. O outro homem caiu, os olhos rolando para dentro da cabeça, e o alaúde despencou sobre o corpo em um ruído de cordas.

Irene respirou fundo e disse:

— Obrigada.

— Seu argumento é sólido — disse Atrox Ferox secamente. Ele pegou Athanais com o braço esquerdo e segurou o homem inconsciente contra o corpo. — Por que gastar energia com uma causa perdida? Mesmo agora, se o prisioneiro fosse devolvido, muito poder já se perdeu. O nome dos Guantes não é mais o que era.

— Ah, sim — concordou Zayanna. — Ele pulou do camarote na ópera, foi arrastado pela água na Piazza e teve que correr para pegar o Trem. Não é isso que se espera de um patrão. Eles deveriam estar acima dessas coisas. — Ela fez uma pausa. — Clarice, *você* teve alguma coisa a ver com isso?

— Um pouco — admitiu Irene o mais casualmente que pôde, desfrutando da imagem de Lorde Guantes sendo arrastado pela Piazza como um trapo molhado.

Atrox Ferox não permitiu que sua fachada impassível se alterasse, mas seus olhos se arregalaram, e ele pareceu impressionado.

— Quando vistos pela última vez, os Guantes estavam quatro vagões para trás. Tinham dois prisioneiros, o dragão e um outro, cujos poderes desconheço. O vagão está protegido. Além disso, o Trem está sendo perseguido.

— Perseguido? — disse Irene, alarmada. Ela achava que as coisas não podiam piorar, mas estavam piorando. Só mais uma cereja no bolo.

— Outros dentre os grandes estão se envolvendo — disse Atrox Ferox. — Mesmo os que não tinham interesse no dragão desejavam tomar o Trem para si, para depois domá-lo. E o Cavaleiro vem com tudo, para recuperar o que é dele. Por isso, o Trem foge.

— Vão conseguir alcançá-lo?

— Talvez em uma hora. — Atrox Ferox deu de ombros, a luz batendo nas placas de aço do traje. — Talvez menos, se a sorte os favorecer.

Irene sufocou uma vontade de passar as mãos pelo cabelo.

— Então, me corrija se eu estiver errada. Os Guantes estão a bordo. Eles têm dois reféns. Estão a quatro vagões daqui com... quantos guardas?

— Dois guardas armados — disse Atrox Ferox. — E Sterrington. Vou colocar Athanais momentaneamente em um local em que ele não será incomodado. — Ele abriu a porta do compartimento e o ajeitou em um sofá creme.

— E quantos guardas há em cada vagão entre nós? — Irene estava tentando avaliar sua posição, mas, independentemente de como o fizesse, as palavras VOCÊ VAI PERDER pareciam inevitáveis, de uma forma preocupante.

Atrox Ferox deu de ombros.

— Uns seis em cada vagão, e o mesmo nos vagões depois deles. Você deve ter causado uma impressão e tanto.

— A sua fala era significativamente menos formal agora, indo e vindo, e Irene se perguntou o quanto disso era pose deliberada.

Zayanna suspirou e se inclinou às costas de Irene, passando os braços pelo seu pescoço.

— Querida, odeio dizer, mas isso não está parecendo bom. Você consegue encantar os olhos deles?

— Provavelmente não — admitiu Irene: eram muitos. Sua mente passou a avaliar outras táticas. Ela *lera* Sun Tzu, afinal, e conhecia seu inimigo. Supunha que Atrox Ferox não estivesse preparando uma armadilha, e isso sem falar de Zayanna, em quem ela só podia confiar um pouco, se é que podia.

Ela tinha de pensar fora da caixa. Pedir para Atrox Ferox e Zayanna a escoltarem como "prisioneira" era uma possibilidade, mas conseguia pensar em inúmeras formas pelas quais isso podia dar errado.

Algo surgia no fundo da sua mente. *Fora da caixa.* O Trem era basicamente uma série de caixas. Então, ela precisava ir para fora do Trem. Mas poderia...? Ela olhou para o teto do compartimento. Havia dois alçapões discretos, um em cada ponta do vagão.

Certo.

— Clarice? — disse Zayanna, e Irene percebeu que eles estavam esperando que ela falasse.

— Acho que tive uma ideia — disse ela. *Uma ideia bem ruim.* — Preciso encurtar minha saia, preciso ser erguida e preciso de uma arma. Atrox Ferox, posso pegar a sua emprestada?

Ele pensou por um momento e a entregou.

— Se alguém perguntar, direi que você me dominou e a arrancou de mim — avisou ele.

— Parece bem razoável — disse Irene. Ela pegou a arma e avaliou o peso nas mãos. — Quantos tiros ela dispara?

— Quinze. Você vai ver que o coice é pequeno.

— O que você quer dizer com erguida? — perguntou Zayanna. — E onde entramos nisso? — Ela tirou uma faca de algum lugar (e Irene achou melhor não se perguntar como ela a tinha escondido se estava de biquíni) e ofereceu a Irene.

Irene segurou a arma embaixo do braço e começou a cortar a saia até os joelhos com a faca.

— Eu quero dizer que vou para cima do Trem.

Houve um silêncio mortal. Finalmente, Zayanna disse:

— Querida, você está completamente maluca? É tremendamente corajoso da sua parte, mas...

— O Trem não tentou me impedir até agora — disse Irene. A faca cortou a saia molhada, exibindo as meias e os sapatos. — Estou contando que isso queira dizer que posso me deslocar pela parte de cima. Fico agradecida pelo que vocês dois fizeram, mas não quero metê-los em mais confusão.

Era mentira, mas era mais educado do que tentar se livrar deles.

— Se bem que, se vocês conseguissem inventar alguma distração, eu ficaria agradecida.

— Isso está dentro dos limites do que é adequado — enunciou Atrox Ferox.

Zayanna encostou os nós dos dedos na boca, mostrando os dentes brancos enquanto os mordia.

— Eu vou gritar — prometeu ela. — Vamos tirar alguns guardas do caminho. Ah, tome *cuidado*, Clarice.

Você está seguindo o arquétipo da Donzela em Apuros em vez do da Sedutora Sombria agora, refletiu Irene secamente. Mas disse apenas, enquanto prendia a arma de Atrox Ferox na roupa:

— Só tomem cuidado. Os dois. Por favor.

Eles assentiram. Atrox Ferox encostou um joelho no chão sob o alçapão mais próximo e ofereceu um apoio conveniente.

Irene se equilibrou nos ombros dele e olhou para cima. O alçapão redondo era grande o bastante para ela passar confortavelmente, e tinha uma tranca pesada de um lado e duas dobradiças grandes do outro. A mecânica era bem óbvia. A adrenalina a alimentava novamente, e assim, antes que pudesse mudar de ideia, ela puxou o trinco e empurrou com força o metal frio. O alçapão se abriu com um gemido alto das dobradiças e, como um uivo, o barulho do vento encheu o vagão. Não era nada silencioso: algo a ser lembrado do outro lado.

Ela olhou para o céu noturno, cheio de estrelas e escuridão.

— Agora, por favor — disse ela.

Atrox Ferox se levantou embaixo dela, erguendo-a suavemente. Ela subiu para o lado de fora do Trem, os dedos tateando em busca de apoio.

O vento quase a arrancou de cima do vagão antes que ela conseguisse se equilibrar. Irene se deitou desesperadamente no metal, deslizando pela superfície na hora que o alçapão se fechou embaixo dela. O impacto a lançou contra a amurada decorativa de um dos lados do teto, e ela se agarrou ao apoio com a força do pânico. O metal polido estava gelado, e por um momento suas mãos começaram a escorregar. Ela se obrigou a segurar com mais força, os lábios formando xingamentos silenciosos soprados pelo vento, a Linguagem inútil ali. Finalmente, conseguiu enfiar o quadril na abertura estreita entre a amurada e o teto do Trem para se equilibrar.

Infinitas dunas pálidas de areia esculpida passavam sob as estrelas frias enquanto ela tentava voltar a se deslocar. Seu medo muito prático e muito presente da morte lutava contra a necessidade de salvar os amigos. Mas o tempo estava se esgotando. Ela seguiu em frente.

O vento provocado pelo movimento a empurrou no teto, como se ela estivesse em um brinquedo radical de parque de diversões, mas enquanto permanecesse deitada na superfície de metal para se deslocar, era possível. O som do vento e das rodas do Trem encheu seus ouvidos, sacudindo-a até os ossos.

Quando chegou ao final do vagão, antes da parte coberta que o ligava ao seguinte, Irene levantou a cabeça brevemente para se certificar do tamanho do Trem. Parecia se prolongar por dezenas de vagões, um fluxo quase infinito de mercúrio e escuridão atravessando o deserto. Mais adiante, no limite do que podia enxergar, ela avistou perseguidores, e seu estômago deu um nó. Não conseguia vê-los claramente, mas alguns eram escuros e outros eram brilhantes; alguns podiam ser cachorros ou lobos, enquanto outros podiam ser cavaleiros ou motociclistas, talvez carros. Mas estavam espalhados no horizonte, todos seguindo inexoravelmente o Trem. E, na liderança, havia uma figura solitária, correndo pelos trilhos. O Cavaleiro, indo buscar o Cavalo de volta para concluir sua história.

Ela viu fracasso naquele momento. A não ser que se lembrasse de alguma coisa.

Largando um apoio precioso de mão, ela passou os dedos em uma junção nos painéis de metal do telhado até sentir uma beirada irregular rasgar a pele e tirar sangue. Enfiou a mão no corpete, encontrou o pingente que o tio de Kai lhe dera e o puxou por cima da cabeça. A corrente prendeu no cabelo embaraçado e sujo, e ela precisou forçá-lo para se soltar. O que ele tinha dito mesmo?

Coloque uma gota do seu sangue nisto e solte ao vento...
Irene fechou a mão arranhada no pingente. Mas nada aconteceu. Não houve mudança dramática de temperatura, nem luzes brilhando, nada. Algum tipo de sinal seria legal.

Por favor, faça isso funcionar, pensou Irene, e jogou o pingente na escuridão ao redor. Brilhou por um momento à sua vista, talvez um cintilar da corrente de prata, e sumiu.

Ela continuou rastejando pelo Trem.

CAPÍTULO 26

O Trem oscilava e balançava. Após quatro sofridos vagões, cada um deles uma dança com a morte, Irene concluiu que devia ter chegado.

Agora, precisava verificar o interior do vagão. Mas, felizmente, o velho clichê era verdade: as pessoas nunca olham para cima. E não conseguiriam ouvi-la de onde estava, tampouco. Ela se posicionou acima do alçapão mais próximo, firmou a mão e gritou:

— **Alçapão, fique transparente.**

O aço obedeceu. Do lado de dentro, o ambiente parecia aconchegante, de um jeito escuro e metálico. Possivelmente, por causa da luz quente dos lampiões a gás e o contraste com vários vagões frios e escuros. Mas o mais importante era que seu ângulo de visão permitia que ela visse Vale e Kai claramente. As mãos e os pés dos dois estavam amarrados, com os pulsos unidos nas costas. Estavam no chão, na mesma extremidade que ela do vagão, e pareciam inconscientes. Sterrington estava de pé ao lado deles, uma pistola na mão, com uma postura que sugeria que atiraria neles à menor provocação. Por falta de palavra melhor, ela parecia irritada. Assim, o primeiro passo de Irene teria que ser neutralizar Sterrington e a arma dela.

Os Guantes estavam em outra parte do vagão, perto da extremidade oposta. Lorde Guantes estava sentado, a testa profundamente franzida para os reféns, sua concentração neles quase palpável. *Afaste o olhar*, o instinto de Irene clamou, e então se virou para Lady Guantes. A mulher andava lentamente de um lado para outro no vagão, posicionando um pé de sapato cinza deliberadamente na frente do outro. Ela estava completamente seca (ao contrário de Lorde Guantes, cujos veludos caros exibiam sinal de umidade). O vestido de seda balançava em volta dos tornozelos conforme ela andava, e a capa de pele estava apertada nos ombros; as mãos enluvadas apertaram suas beiradas enquanto ela dizia alguma coisa que Irene não conseguiu ouvir.

— **Alçapão, volte ao seu estado normal.** E obrigada — disse Irene com a voz mais baixa que conseguiu. Ela não sabia o quanto podia usar da Linguagem, mas não queria correr riscos. Flexionou as mãos uma de cada vez para recuperar as sensações enquanto se preparava. Tudo bem. Sua situação era bem ruim. Mas ela tinha o elemento surpresa e a Linguagem. E uma arma.

Se bem que Sterrington também tinha uma arma. E Lady Guantes e Lorde Guantes talvez estivessem armados também. Talvez ela devesse cuidar para que ninguém tivesse armas...

Irene recuou para onde os dois vagões se encontravam. A junção tinha paredes e teto feitos de lona, e oscilava de forma alarmante a cada movimento do Trem. Felizmente, ela não precisaria subir em nada disso, pois havia uma escada na lateral do vagão. Ela ficou fora do impacto do vento quando se agarrou à escada e tirou o cabelo embaraçado do rosto para poder enxergar com clareza.

As seções de ligação davam para os corredores dos vagões e não para os compartimentos internos. E os corredores estariam cheios de guardas, de acordo com Zayanna e Atrox Ferox. Mas eles não esperariam que ela entrasse através da parede do vagão, isso se ela ainda tivesse adrenalina suficiente para usar a Linguagem adequada. A coronha da arma de Atrox Ferox estava fria em sua mão suada.

— **Parede do Trem à minha frente** — gritou ela —, **se abra como uma porta e me permita entrar no vagão. Depois, se feche.**

Para seu alívio, o metal à sua frente se abriu com obediência, e ela entrou no vagão um metro atrás de Sterrington e dos prisioneiros. Ela cambaleou com a súbita interrupção da pressão e do vento. Mas Sterrington já estava se virando e erguendo a arma, Lady Guantes estava girando, a mão se movendo embaixo da capa, e Lorde Guantes estava se levantando. Irene jogou a arma de Atrox Ferox para o outro lado do compartimento, diretamente para os Guantes.

— **Armas** — gritou, enquanto Sterrington erguia a arma para ela —, **explodam!**

O vagão ecoou com a explosão, e o Trem tremeu.

Foi feio. Não tinha como não ser. Sterrington berrou de dor quando a arma na sua mão explodiu em uma flor de fogo. Ela segurou o pulso para tentar estancar o sangue, o osso branco aparecendo através da pele da mão destruída.

Lorde e Lady Guantes tentavam se levantar do chão. A arma de Atrox Ferox explodiu com muito mais violência do que a de Sterrington, mas eles não estavam tão perto. Da arma, só sobrou uma marca de queimado, como uma mancha exótica que se destacava na parede coberta de cinza. Fragmentos de metal haviam cortado as almofadas da cadeira e penetrado no tapete grosso, além de marcado as vidraças escuras das janelas.

Mas os dois Guantes pareciam ilesos, à exceção de algum dano às suas roupas. O que quer que Lady Guantes tivesse embaixo da capa, não era uma arma. Uma faca, talvez. Irene achava que ela não era o tipo de mulher que andava desarmada.

— **Portas, se tranquem.** — Houve cliques quando as duas portas do compartimento que davam para a passagem se trancaram, deixando os capangas do lado de fora. — Se vocês tentarem qualquer coisa — disse Irene rapidamente, os ouvidos ainda ecoando por causa da explosão —, faço pior. Sterrington, vá para perto deles. — A mulher cambaleou pelo vagão na direção dos Guantes, o rosto mortalmente pálido.

— Minha querida srta. Winters — disse Lorde Guantes. — Parecia que você já tinha esgotado seus recursos. — Ele falou com uma arrogância casual, mas a fúria pura nos olhos e a secura da voz traíram o frágil autocontrole.

— Lorde Guantes — interrompeu Irene antes que ele pudesse pegá-la desprevenida de novo. Lady Guantes também estava com a atenção voltada para Irene, nenhum dos dois fazendo qualquer esforço para ajudar Sterrington, que devia estar em choque. — Se eu quiser — continuou Irene —, posso estilhaçar as janelas em cima de vocês, romper o chão e o teto, botar fogo na mobília e quebrar cada osso de vocês, à medida que for enunciando seus nomes. — E que bom que ela não estava dizendo isso na Linguagem, porque não era totalmente verdade. Mas uma parte era. Sua mão foi até a faca de Zayanna, ainda presa na bainha. — Não tenho escrúpulo nenhum em usar meus poderes integralmente.

— E devemos supor que seja tão perigosa quanto Alberich? — perguntou Lady Guantes com ceticismo. Ela se moveu para a direita, afastando-se de Lorde Guantes.

Houve uma batida na porta do compartimento.

— Vocês devem assumir que sou bem perigosa — respondeu Irene.

Lorde Guantes deu um passo para a esquerda. *Eles estão tentando dividir minha atenção.*

— Então, por que não está usando esses poderes incríveis? — perguntou ele em tom de curiosidade educada.

— Porque isso poria todo mundo neste vagão em perigo.

— As batidas nas portas estavam ficando mais altas. Ela respirou fundo: tinha que parecer estar no controle. — Mas ser sua prisioneira seria pior, então vou agir se for obrigada. Então, vamos lá, Lorde e Lady Guantes. Estou pedindo que vocês *me* ofereçam uma alternativa melhor. Dispensem seus homens. Vamos conversar.

— E se nós não quisermos? — perguntou Lady Guantes. A mão deslizou para dentro da capa de novo.

— Nesse caso, eu começaria ordenando a esta faca que entrasse no olho do seu marido. — Irene tirou a faca da bainha.

— E, independentemente do que tente, madame, vou chegar primeiro.

A sinceridade dela deve ter ficado evidente, pois Lady Guantes parou, a mão ainda embaixo da capa, e Lorde Guantes deu um pequeno aceno para a esposa.

Com o canto do olho, Irene percebeu Vale se mover. As pálpebras se abriram e se fecharam de novo, mas não era o piscar sofrido de alguém recuperando a consciência lentamente, e sim um sinal claro. Ele estava desperto.

— Guardas, recuem! — disse Lorde Guantes impetuosamente, erguendo a voz para que atravessasse a porta. — É uma ordem. *Recuem.* — A voz dele ecoou nos ossos de Irene, e ela teve que enrijecer o braço para impedir que sua mão tremesse. — Chamo-os se houver qualquer problema adicional.

Fez-se silêncio no corredor, e o Trem sacolejou conforme se movia, as sombras de grandes árvores passando pela janela. Lorde Guantes olhou para a esposa e se virou para Irene.

— Convincente, srta. Winters, mas não estou disposto a me render.

— Não estou pedindo rendição — disse Irene, a mente em disparada enquanto ela tentava pensar no que *devia* exigir. — Deve haver alguma forma de nós dois podermos sair dessa. Você talvez já tenha conseguido sua guerra. A família deste dragão — ela cutucou Kai com o pé — já sabe que ele foi sequestrado por você.

Lorde Guantes ergueu as sobrancelhas.

— Por mim?

— E por Lady Guantes, claro — disse Irene. — O tio dele me mostrou fotografias de vocês dois. Você não precisa mais de Kai, já conseguiu o que queria.

Lorde Guantes franziu a testa.

— Você quer dizer que nos identificou pessoalmente para ele?

— Vocês são bem conhecidos — disse Irene. — Ele tinha fotos de vocês. A Biblioteca tem registros de vocês. Não sou a única pessoa a lhes apontar o dedo. E mesmo que alguma coisa aconteça comigo, vocês ainda estarão marcados como os responsáveis.

— Então, libertá-la não faria diferença. E, se a deixarmos ir, você terá ainda mais coisas para contar — disse Lorde Guantes de forma agradável.

Irene se viu hipnotizada pela fala dele e mordeu a língua ao sentir uma onda da compulsão atingi-la. Quanto mais ela permitisse que ele falasse, mais oportunidade daria para ele usar sua magia.

— Mas ele não pode alcançá-lo se você permanecer em mundos de Caos intenso, pode? — insistiu ela.

— Você ficaria surpresa com a distância que um rei dragão pode alcançar... — começou Lorde Guantes.

— Meu amor, vamos nos ater ao essencial — interrompeu Lady Guantes. — Suponhamos que façamos um acordo que permita a você sair dessa. O que ganhamos com isso?

Irene quase suspirou de alívio.

— Bom, *eu* deixo que *vocês* saiam desta. — Ela sorriu e fez um gesto com a faca.

— Só isso? — disse Lady Guantes.

— Podem distorcer a história como quiserem — disse Irene secamente. — Só estou interessada em sair daqui e levar Kai para a proteção do tio dele. Quero seu juramento sobre nossa segurança. Se quiserem, digam que imploramos, que rastejamos, que vocês nos manipularam como quiseram. Digam o que quiserem para os outros feéricos, não vamos contradizê-los. Aleguem que foram superiores a nós o tempo todo. Não vou discutir. Não *estarei presente* para discutir.

— Isso pode valer alguma coisa — disse Lorde Guantes, pensativo. — Ah, pare de choramingar e faça uma atadura na mão, Sterrington. Mas eu precisaria de mais.

— Você já tem provocação suficiente para uma guerra — disse Irene amargamente. *A não ser que eu consiga persuadir a família de Kai de que sua volta em segurança é suficiente para manter a paz...* — Vocês me expulsaram de Veneza. E expuseram uma Bibliotecária espiã que estava tentando se infiltrar no meio dos feéricos, se elaborarem assim. E podem dizer facilmente que somos inferiores demais para valer a pena perder tempo perseguindo, ou, alternativamente, levar o crédito por nos fazerem fugir. Sua escolha.

— E que juramento você quer que nós façamos? — perguntou Lady Guantes. Ela deu um passo na direção de Irene, as duas mãos vazias agora, os olhos na faca.

Irene sabia que poderia estragar tudo pelo que trabalhou se não acertasse agora. Se a formulação das palavras abrisse espaço para interpretações, os feéricos se aproveitariam disso.

— Quero que vocês dois jurem que permitem que nós, eu, Vale e Kai — ela indicou os dois enquanto falava —, saiamos deste lugar aqui e agora, em segurança, sem obstruções e interrupções da parte de vocês nem de outros sob seu comando ou seus aliados, por ação ou falta de ação, de modo que retornemos sãos e salvos ao mundo no qual Kai foi sequestrado. — E, quanto a isso, ela levaria Kai e Vale também, se necessário, pela entrada mais próxima da Biblioteca. Eles talvez tivessem que passar os anos seguintes disfarçados ou visitando outros mundos, mas estariam vivos.

— É uma formulação bem detalhada, srta. Winters — disse Lorde Guantes. Ele deu um passo para trás para ficar ao lado de Sterrington e olhou para a mão destruída dela. — Hum. E o que você ofereceria em troca?

— Sair deste lugar sem tomar nenhuma outra ação contra vocês e os seus — disse Irene. — E eu e meus dois aliados aqui não procuraríamos vingança contra vocês, por ação ou falta de ação. — Kai não ia gostar, mas devia isso a ela. No entanto, o que a família dele ia fazer não era da sua conta. Irene esperava que mantivesse os Guantes fugindo e com medo por alguns séculos.

— Nenhuma oferta de serviço? — sugeriu Lady Guantes.

— De jeito nenhum — disse Irene. — Meu juramento à Biblioteca me proíbe.

— Você fala pela Biblioteca? — perguntou Lorde Guantes.

— Parece estar negociando por conta própria aqui, srta. Winters. Estou surpreso de ouvi-la fazendo sugestões tão grandiosas sem autoridade real. O que seus superiores diriam?

Irene sentiu a pressão da vontade dele de novo e soube que ele tinha encontrado uma fraqueza. Ela *estava* lá por conta própria. *Tinha* fugido para salvar Kai sem ordens para tal. Se chegasse a um acordo particular com eles, além de sua barganha com o Trem, ela estaria ainda mais encrencada quando voltasse (isso se conseguisse escapar...)?
Ela recuou do caminho da dúvida.
— Besteira! — disse ela secamente. — Isso é uma besteira absurda. Eu *sei* que meus superiores não querem que haja guerra, e é a isso que tudo se resume. Pode fazer todas as insinuações que quiser. Mas entenda que, aqui e agora, **eu falo pela Biblioteca**.
As palavras vibraram no ar do vagão como um cabo de alta tensão em uma tempestade. E ela esperou que a Linguagem a punisse pela mentira, mas as palavras se sustentaram como reais. Os dois Guantes se encolheram, e até Sterrington, distraída pela dor, encolheu-se um pouco.
— O acordo ainda a favorece mais — disse Lorde Guantes, sua aura de poder próxima demais para ela ficar à vontade.
Irene afastou o olhar dele deliberadamente e olhou para Lady Guantes, que também estava incomodamente próxima. — Mas talvez nós possamos negociar. Com uma jogadora como você do outro lado, é possível até considerarmos arranjos de longo prazo...
— Está bom — disse Lady Guantes, interrompendo-o. Ela respirou fundo. — Meu amor, temos que fazer o que pudermos com as opções disponíveis. Recomendo que aceitemos a proposta da srta. Winters.
— Talvez... — começou Lorde Guantes.
Nesse momento, Sterrington gemeu de puro sofrimento. Irene olhou para ela automaticamente e viu que Lorde Guantes tinha se inclinado para apertar a sua mão ferida com o

polegar. Foi nessa hora que Lady Guantes agiu. A mulher se jogou sobre Irene, cobrindo o espaço entre elas mais rápido do que ela acharia possível. Derrubou Irene no chão, prendendo-a com seu peso corporal. Irene lutou para continuar segurando a faca enquanto Lady Guantes se esticava por cima dela, mas levou uma cotovelada cruel no estômago e teve dificuldade de respirar. Lady Guantes bateu com a cabeça dela no chão e enfiou o antebraço em sua boca para calá-la. Sua mão esquerda segurou o pulso direito de Irene, mantendo a faca fora da jogada.

Irene mordeu e sentiu o gosto do sangue de Lady Guantes.

Lady Guantes fez uma careta, o rosto a menos de trinta centímetros, o triunfo ardendo no olhar enquanto empurrava com mais força.

— Pare de desperdiçar seu tempo, srta. Winters. Você não é melhor do que os outros, se distrai com facilidade. Meu amor, você pode vir apagá-la?

Irene mordeu com mais força e levantou a mão esquerda, atacando o braço direito de Lady Guantes. Mas a outra mulher tinha a vantagem da força, do peso e da posição. Irene conseguia ouvir os passos tranquilos de Lorde Guantes se aproximando, junto com os gemidos de Sterrington. Lutou furiosamente, mas não conseguia se desvencilhar do aperto da mulher. Lorde Guantes parou sobre ela, escolhendo o momento. Irene tentou virar a cabeça para o lado, soltar o rosto para poder falar, mas Lady Guantes a manteve presa.

Porém, no limite do campo de visão de Irene, Vale se mexeu, virando as pernas para bater de lado em Lorde Guantes e rolando com o movimento para usar todo o seu peso. Lorde Guantes caiu para a frente com um grunhido indignado e despencou em cima de Lady Guantes e Irene. Lady Guantes perdeu o equilíbrio, e Irene conseguiu virar a cabeça para o lado. Sangue do braço de Lady Guantes escorria por sua boca, e Irene cuspiu enquanto gritava:

— Feéricos, saiam de cima de mim!

As palavras saíram sem ela pensar, de algum local de fúria e terror, mas funcionaram. A Linguagem capturou os Guantes e os jogou para longe de Irene, derrubando-os e a deixando caída no tapete, tentando respirar. Ela viu Vale se ajoelhar depois de ter conseguido mover as mãos amarradas para a frente do corpo, mas Kai ainda estava inconsciente. Irene apertou o cabo da faca e também ficou de joelhos. De repente, Lorde Guantes estava na frente dela e a segurava pelo pescoço. Ele apertou o local onde a corrente tentara estrangulá-la, a marca ainda recente, e a botou de pé, forçando a cabeça de Irene para trás, de forma que ela teve que olhar nos olhos dele, mas sem conseguir emitir uma palavra. Conseguia sentir sua pulsação latejando no cérebro, mais rápido do que as rodas do Trem, enquanto o olhar dele a segurava como um alfinete prendendo uma borboleta. Ele tinha todo o poder agora.

Mas ela ainda tinha uma faca.

Irene a ergueu e a empurrou para a frente, sem lutar contra o aperto na garganta, mas indo mais para perto. A faca era afiada, era boa, e ela a enfiou no peito de Lorde Guantes, embaixo das costelas e na direção do coração. Era como se alguém tivesse desenhado um gráfico que ela tinha que seguir. Era desse jeito que esse conto de fadas terminava.

O aperto dele afrouxou e ela caiu para a frente de novo, cada respiração uma ação dolorosa. Ela ouviu Lady Guantes gritando, mas como se fosse apenas um som incidental para seus próprios ofegos, enquanto tentava respirar.

De repente, Vale estava ao lado dela. Ela conseguia ver as amarras nos pulsos dele. Um brilho de bom senso a trouxe de volta, e ela disse com voz rouca e sofrida:

— Amarras, saiam dos pulsos e tornozelos de Vale e Kai.

Lady Guantes estava ajoelhada no chão coberto de sangue, aninhando o marido nos braços. Os olhos dele estavam fechados e ele não se movia, o cabo da faca ainda saindo do peito. Parecia que não devia estar lá. Era indigno. Um tanto humano. Irene se levantou, com Vale a apoiando. Queria afastar a responsabilidade, dizer *eu tentei oferecer um acordo*, mas não podia negar a realidade da cena à sua frente. Em seu pescoço havia sangue das luvas de Lorde Guantes, e suas mãos também estavam ensanguentadas em função do golpe fatal. Conseguia senti-lo, molhado e grudento.

Lady Guantes apoiou lentamente a cabeça do marido no chão e tirou a luva da mão direita dele, dobrando-a e guardando no corpete. Lágrimas escorriam dos seus olhos, mas ela estava calma demais, calma o bastante para fazer o estômago de Irene se contrair de aversão.

— Eu não vou continuar lutando para acabar morrendo — disse ela. — Mas isso não terminou.

Irene queria dizer alguma coisa que aliviasse aquelas lágrimas e aquela calma terrível, e também que interrompesse uma vingança pessoal. Mas nem a Linguagem serviria.

— Vá embora — disse ela. — Não vamos impedi-la.

Lady Guantes assentiu. Ficou de pé.

— Sterrington?

— Ah, não, madame. — Sterrington estava encolhida no assento no fundo do compartimento, parecendo incapaz de agir a favor ou contra quem quer que fosse. — Lamento, mas encerro os meus serviços por aqui. Esse jogo é intenso demais para o meu gosto.

Lady Guantes assentiu.

— *Au revoir*, então. Srta. Winters. Sr. Vale. Dragão. — Ela foi até a porta, a mão enluvada na maçaneta. — Não vou me dar ao trabalho de mandar meus guardas para cima de vocês. Não parece fazer muito sentido agora, e prefiro deixá-los à mercê de perseguidores mais letais. Eles chegarão muito em breve. — Ela sorriu, e foi de gelar o sangue. — Se sobreviverem a eles, vamos nos encontrar de novo.

— **Tranca da porta, se abra** — disse Irene. A última coisa que queria era manter Lady Guantes no vagão.

Lady Guantes saiu para o corredor e fechou a porta ao passar.

— Estamos sendo perseguidos? — perguntou Vale.

— Estamos — disse Irene. — Pelo Cavaleiro e por vários outros feéricos. Devem estar quase chegando agora. — Ela se sentiu exausta de repente, seus recursos quase terminando. Ela se lembrou da outra pessoa presente. — Sterrington, você é um perigo para nós?

Sterrington estava segurando o pulso de novo, tentando estancar o fluxo de sangue.

— Não sou sua amiga — disse ela. Irene conseguia vê-la lutando para manter a civilidade. — Mas não vou guardar ressentimento, porque me envolvi nos problemas de outra pessoa.

Irene assentiu.

— Então é melhor torcermos para o Trem nos levar ao nosso mundo antes que seja tarde demais.

— Nós chegamos às esferas disputadas — disse Sterrington com voz fraca. — Pode ser melhor para vocês pular do Trem e fugir a pé. Afinal, eles sabem que vocês estão aqui.

— Winters? — questionou Vale.

Irene balançou a cabeça.

— Eles já estavam perto o bastante para que eu conseguisse vê-los. Se pularmos agora, eles vão perceber. Nós não conseguiríamos fugir.

— Ah — disse Sterrington.

Parecia não haver nada a dizer depois disso, e Irene baixou a cabeça, cansada. Seu corpo todo doía.

Não havia ruído nenhum vindo do corredor lá fora. Lady Guantes devia ter levado seus guardas. Só havia o martelar do Trem. Ela não tinha mais ideias. Só esperança.

As palavras de Sterrington despertaram uma lembrança.

— Esferas disputadas? — perguntou ela, levantando a cabeça de novo.

Sterrington assentiu.

— Esferas que não pertencem nem apenas a nós nem apenas aos dragões. Os dois lados podem agir nesses territórios.

Irene tinha enviado um chamado de socorro. Talvez fosse hora de gritar de novo, caso alguém estivesse ouvindo.

— Com licença — disse ela, e se ergueu do local onde tinha desabado, um sofá. — Só para ter certeza de que fizemos o máximo possível.

Ela mancou até a janela e apoiou as mãos na moldura.

— **Janela, se abra** — disse ela, a garganta ainda doendo. A janela deslizou na moldura, revelando a paisagem. Era uma floresta exposta ao vento agora, cheia de árvores escuras e folhas sacudindo. Ela se perguntou se seus perseguidores pareceriam uma Caçada Selvagem, caso ela conseguisse vê-los.

Ela direcionou a mente enquanto as mãos se fechavam com força na moldura da janela.

— **AO SHUN!** — gritou ela com toda a força para a noite ao redor. — **REI DRAGÃO DO OCEANO NORTE!**

O Trem tremeu com um ruído de trovão quando trevas maiores do que a noite e a floresta vieram rugindo pelo vento, as grandes asas abertas enquanto voava sobre o Trem. Era uma longa torrente de sombra, com um corpo preto comprido e asas de ébano. Olhos pálidos brilhavam friamente mesmo de longe, e a forma pairou acima do Trem ao percorrer o trilho entre mundos. Atrás do Trem, os perseguidores recuaram, com a figura na frente diminuindo o passo quando o dragão abriu as asas.

Sterrington cambaleou para se levantar e olhar, o rosto branco e os olhos arregalados de choque, e Vale se adiantou para passar um braço de apoio pelos ombros de Irene. Ela precisava disso.

Irene mal conseguia ouvir a própria voz. O que tinha sobrado de sua força estava se esvaindo, e só o braço de Vale a mantinha de pé. Mas ela conseguiu dizer:

— Acho que temos uma escolta confiável.

CAPÍTULO 27

O Trem entrou em Londres com um chiado e um tremor, da mesma forma como havia chegado. Irene viu pela janela as pessoas correndo pelas plataformas e guardas balançando bandeiras freneticamente. Era a movimentação de antes do amanhecer, e o céu pálido estava partido pelos primeiros raios de luz, com o restante da lua se escondendo atrás das nuvens.

Kai tinha recuperado a consciência meia hora antes, mas se movia e falava como um homem sofrendo de gripe, inclinado para a frente como se as juntas doessem e massageando a testa com frequência. A pele estava marcada com hematomas e vergões vermelhos parecendo queimaduras. Vale contou a ele o destino de Lorde Guantes. Kai só assentiu, mas seus olhos tornaram-se desumanos por um momento, selvagens e satisfeitos.

Irene tentara dormir, mas, ironicamente, estava exausta demais para isso. A ideia de um banho quente de banheira enchia seu futuro de uma promessa como o Natal ou o livro novo de uma série favorita. Também conseguia pensar em conhaque. Mas primeiro eles precisavam de *segurança*.

A sombra guia do Trem partiu dez minutos antes de chegarem a Londres, quando a paisagem passou de um ambiente urbano nada familiar para campos de sombras longas, depois para as usinas e fábricas que marcavam os arredores da cidade. Irene viu os olhos prateados distantes de novo quando a longa forma dragoniana se afastou, abrindo asas enormes que pareciam se transfigurar em nuvens escuras de chuva nas pontas. O futuro traria uma entrevista com o rei dragão, e ela não ansiava em nada por ela, mesmo tendo conseguido salvar Kai.

— Eu vou seguir com o Trem — disse Sterrington. Vale e Irene finalmente haviam feito uma atadura na mão dela durante a viagem, e ela apoiava o membro enfaixado no peito de forma protetora. — Não há nada para mim nesta esfera.

Irene assentiu. Sem dúvida, Sterrington reportaria os detalhes do que acontecera para algum outro feérico, mas no momento Irene não conseguia se importar.

Vale tinha aberto a porta que levava à plataforma e o ar de Londres invadiu o compartimento, com todos os seus odores de óleo e humanidade.

— Deveríamos deixar este meio de transporte enquanto ainda podemos — disse ele.

Irene saiu do compartimento atrás de Kai, com um aceno final para Sterrington.

— Obrigada — disse ela para o Trem enquanto saiam. Não sabia se ele estava ouvindo, mas havia lhes prestado um bom serviço no fim das contas.

O Trem cuspiu vapor novamente e logo entrou em movimento, as rodas vibrando nos trilhos conforme deixava a estação.

Irene se virou para olhar para Vale e Kai. Eles não haviam sumido desde que ela lhes dera as costas, estavam todos vivos e, de alguma forma, inteiros. De repente, ela reparou nos olhares que vinham na direção dos três. Eles estavam machucados, imundos e marcados de sangue. E um guarda estava se aproximando, aparentemente escandalizado com a saia cortada dela, já abrindo a boca para reclamar.

— Sim, sim, isso mesmo — disse Vale com impaciência. Ele se virou para Irene, interrompendo o guarda no meio da altercação. — Winters, sugiro que tomemos um táxi.

— Que ideia maravilhosa — disse Irene com voz calorosa, ciente de todos os olhares sobre eles. — E vamos usá-lo para levar Kai de volta à Biblioteca imediatamente.

— Ah, pare com isso... — começou Kai.

Irene ficou furiosa de repente.

— Olha, eu não sei quantos outros feéricos sabem onde você está. Não sei o que podem fazer. Até que eu saiba, a Biblioteca é o único lugar onde posso deixá-lo em segurança. — Ela percebeu que estava gritando e baixou a voz. — Ou você tem alguma outra ideia?

— Talvez eu possa ajudar — disse uma voz familiar atrás dela.

Irene se virou, preparada para fazer um comentário ácido. Mas Li Ming estava ali. Ele (ou ela, Irene ainda não sabia qual era o pronome adequado) estava impecavelmente vestido para aquele mundo, em cinza prateado e gravata preta. Fez uma reverência formal para Kai e uma reverência parcial para Irene e Vale.

— Vossa Alteza, há um transporte local esperando lá fora e preparei um lugar onde você pode se encontrar com meu lorde, seu tio. Há questões de guerra a serem discutidas.

Kai se empertigou e deu um aceno educado.

— Obrigado, Lorde Li Ming. É gentileza sua. Mas meus amigos...

— Naturalmente, a proposta de hospitalidade se estende a todos vocês — disse Li Ming. Irene se perguntou se sua presença era obrigatória. As palavras *questões de guerra* ecoavam na cabeça dela como trovões. *Não, não, não.* Ela achava que eles já tinham deixado isso para trás. Ela e Vale eram testemunhas? Ou esse convite era na verdade uma espécie de prisão preventiva? Mas não *parecia* haver ameaça imediata nas palavras de Li Ming, ou pelo menos não alguma ameaça a eles, nem mesmo a indicação de um desagrado oficial. — Meu lorde, seu tio, desejaria que a cortesia fosse oferecida aos seus colegas. A srta. Winters e o sr. Vale são bem-vindos.

— Obrigado — disse Vale. — É gentileza sua.

Kai olhou para Irene em busca de aprovação. *Jogando a responsabilidade para mim de novo*, ela pensou acidamente. Quando ela deu um aceno leve, ele se virou para Li Ming.

— Então ficamos felizes em aceitar — disse ele.

O trajeto foi tenso. Li Ming se recusou a discutir a questão das hostilidades entre feéricos e dragões, alegando que era uma questão para o tio de Kai, e o interrogou sobre os eventos recentes. Vale ficou em um canto, refletindo, de tempos em tempos olhando para Li Ming com aquele olhar especulativo que sugeria que estava coletando dados. Kai deu uma versão resumida do que tinha acontecido enquanto massageava inconscientemente os hematomas.

Irene ficou sentada no canto oposto ao de Vale e pensou na guerra. Ao Shun estaria preparado para aceitar uma solução pacífica, não? Eles resgataram Kai. Ou alguns dragões queriam tanto entrar em guerra quanto alguns feéricos? Se quisessem, aquele mundo, assim como centenas de outros similares, talvez estivesse fadado ao fim.

Li Ming reservara uma suíte no Savoy Hotel. Os lacaios de confiança dos reis dragões pareciam ter contas polpudas para cobrir seus gastos, pensou Irene rancorosamente. Ela não teria como pagar uma acomodação daquele nível. Mas o quarto era bem bonito, todo branco e dourado, com um tapete verde-claro tão impecável que parecia um crime andar nele. As cortinas pesadas de veludo branco estavam abertas e amarradas com faixas, e a luz matinal fazia o ambiente parecer claro demais. Ela, Vale e Kai eram manchas imundas na elegância ostensiva. Mas manchas tomando café, o que ajudava.

Li Ming interrompeu seus pensamentos com o anúncio que ela secretamente temia:

— Sua majestade, o Rei do Oceano Norte, honra-os com sua presença.

Irene se levantou, curvou-se em uma mesura completa e percebeu Vale se curvando quando a porta se abriu.

Kai levou o punho direito ao ombro esquerdo e, sem vergonha nenhuma, apoiou-se em um joelho e baixou a cabeça.

— Meu lorde, tio — disse ele. — Não sou merecedor de sua presença. Peço perdão por qualquer inconveniência que possa lhe ter causado.

Irene olhou para cima por entre os cílios, esperando uma indicação de quando podia se levantar, rezando para que fosse antes de suas pernas entrarem em espasmos e ela perder o equilíbrio. Como Li Ming, Ao Shun estava vestido adequadamente para aquela Londres, mas seu terno preto impecável, com lenço branco de seda, só podia ter sido feito por um alfaiate real. Ele também apareceu em forma humana completa desta vez, percebeu Irene com alívio, embora o impacto da sua presença fosse só um pouco menor.

— Recebam meus agradecimentos por suas ações em defesa do meu sobrinho — disse ele, finalmente gesticulando para que se levantassem. — Vim discutir o que aconteceu antes de levantar o assunto de guerra com meus irmãos.

— Vossa majestade — disse Irene, e viu Kai sufocar um espasmo. Sem dúvida era uma gafe outra pessoa que não fosse o rei iniciar um tópico de conversação. — Peço permissão para falar.

Ao Shun olhou para ela, e ela sentiu como se estivesse na mira de um canhão.

— Suas ações conquistaram nossa consideração — disse ele. — O que a preocupa?

— Vossa majestade, o sequestro foi executado por duas pessoas apenas — disse Irene. Ela o observava enquanto falava, tentando avaliar as reações às suas palavras, procurando qualquer sinal de emoção. — Uma delas morreu por minhas mãos. E a outra reconheceu a própria derrota e fugiu. Seu sobrinho está de volta. Nós também fomos ajudados por outros feéricos que não queriam que houvesse guerra. Vossa majestade, não estou pedindo leniência em benefício dos feéricos. Mas peço que leve em consideração todos os humanos em todos os mundos entre vocês e eles. Eu imploro para que isso não seja transformado em uma guerra. Seria desproporcional.

— Ela procurou palavras que pudessem afetar um dragão. — E, acredito, injusto.

Os olhos de Ao Shun brilharam em vermelho depois da palavra *injusto*, e o céu lá fora escureceu em resposta, quando nuvens encobriram o sol.

— Suas palavras foram ouvidas — disse ele. — Sua perspectiva é natural por você ser da Biblioteca.

Irene sentiu a pressão do seu desprazer pairando pesadamente (e perigosamente) no ar, e teve que se obrigar a continuar.

— Claro, vossa majestade — disse ela. — Eu sou leal à Biblioteca. E, como tal, posso e devo falar pelos interesses dela. Mas eu também diria que os feéricos sofreram contratempos severos, e isso provou a eles que não é um gesto inteligente sequestrar um dragão qualquer, e menos ainda um da sua linhagem real. Por favor, considere isso suficiente, vossa majestade.

Ao Shun virou a cabeça de leve e afastou dela o olhar.

— Você cumpriu seu dever com meu sobrinho como seu aluno — disse ele. — Suas responsabilidades nessa questão estão encerradas. Não há necessidade de você tomar mais nenhuma medida.

Irene conseguia ver Kai olhando para ela com uma expressão de *por favor, pare de falar agora* no rosto. Do outro lado, Vale permanecia impassível.

— Eu cumpri meu dever com meu aluno — disse ela. — Também tenho um dever com a Biblioteca e com as pessoas nos mundos que ela alcança.

— E você, meu sobrinho? — A voz de Ao Shun assumiu um tom diferente quando ele se dirigiu a Kai. O aposento ficou repentinamente tomado de uma tensão pesada. Ela exercia sua pressão sobre Irene, e ela viu que Vale teve de empertigar os ombros para se manter firme contra ela. Trovões soaram no céu lá fora. — Você tem alguma opinião sobre esse assunto?

A garganta de Kai se moveu quando ele engoliu em seco.

— Meu tio — disse ele, hesitante. Mas sua voz ficou mais forte. — Minha professora fala a verdade. Seria injusto prejudicar os humanos que não têm envolvimento nessas hostilidades. Os feéricos que foram responsáveis pagaram por suas ações. O tempo vai provar que nossos meios são os corretos e que os deles são fracos. Se for necessário que haja retribuição, culpe-me pela tolice de me permitir ser capturado.

— Tolice sua ou descuido da sua professora? — disse Ao Shun, e o ar tremeu de leve com as palavras dele.

— Eu respondo por qualquer falha minha — disse Irene com firmeza. O gosto do medo era azedo em sua boca.

— Os amigos dele também precisam assumir uma parte da culpa, vossa majestade — disse Vale. — Como eu, por exemplo.

Ao Shun olhou para os três. Desenhos de escamas estavam aparecendo na pele das bochechas e das mãos, e as unhas estavam mais longas e mais escuras do que um momento antes. Chuva bateu na janela com o sopro do vento.

Houve uma batida na porta.

Li Ming foi atender.

— Acho que bateu no quarto errado... — começou ele.

— Acho que não. — Era a voz de Coppelia. Coppelia, *aqui*. Irene sentiu como se de repente conseguisse respirar. — Meu nome é Coppelia e sou anciã da Biblioteca. Peço uma audiência com sua majestade, o Rei do Oceano Norte.

— Ela pode entrar — disse Ao Shun, antes que Li Ming pudesse se virar para consultá-lo. — Dou boas-vindas ao conselho de uma anciã da Biblioteca.

Coppelia entrou no aposento usando um vestido de veludo escuro e uma capa, ambos apropriados para se dirigir à realeza, a madeira da mão escondida pelas luvas. E, apesar de estar com as costas eretas e rígidas, ela se apoiava em uma bengala ao andar. *A artrite dela está atacando novamente.* Dentro da Biblioteca, ela era uma professora e uma amiga. Do lado de fora, era mais difícil esquecer que Coppelia era uma mulher extremamente idosa, que acumulou anos de ferimentos como Bibliotecária em campo.

— Vossa Majestade. — Ela fez uma reverência parcial para Ao Shun, precisando se apoiar na bengala. — Por favor, perdoe minha falta de formalidade. Eu faria uma reverência adequada se fosse jovem como essas crianças.

— Não há necessidade de pedir perdão — disse Ao Shun. A chuva lá fora estava diminuindo. — Sua presença é bem-vinda. Deseja se sentar?

Ele a está tratando como uma embaixadora respeitada, um degrau evidente acima de mim, concluiu Irene. *Mas graças a Deus Coppelia apareceu.*

— Só estou aqui por um breve momento, vossa majestade — disse Coppelia. — Vim buscar minha colega, para responder a uma averiguação formal. Espero que não seja um inconveniente.

Irene sentiu a cor sumir do rosto. Então ela teria que enfrentar uma punição pelo que fizera. Tentou se convencer de que sempre esperara por isso, mas não adiantou. Ela não estava pronta.

— Não tenho motivo para reclamar das ações dela — disse Ao Shun. — Ela agiu de forma adequada o tempo todo, e devo a ela minha gratidão pelo que fez.

— Madame Coppelia, você não pode fazer isso! — Kai estava com o maxilar contraído e falou em tom enérgico. — Irene fez tudo que pôde para me tirar de lá. Não foi culpa dela eu ter sido sequestrado. Se alguém deve ser culpado por isso, *sou eu.*

— Kai. — Ao Shun bateu com a mão aberta no braço da cadeira. — Silêncio! — Mas ele pareceu mais atônito do que irritado de Kai ter tido coragem de falar. — Se for uma questão interna, não cabe a você interferir.

— Eu ainda sou aprendiz na Biblioteca — disse Kai, a pele começando a adquirir um tom dragoniano também. — A não ser e até que eu seja removido dessa posição, com a qual meu próprio pai concordou... — Ele parou de falar, o silêncio carregado de significado.

Irene tentou interpretar a expressão repentina de frustração confusa no rosto de Ao Shun. O pai de Kai era seu irmão *mais velho.* Em termos do respeito dragoniano por hierarquia que ela tinha visto, isso sugeria que Ao Shun não podia contradizer as ordens *dele.* A situação estava se degenerando rapidamente para um cenário em que ninguém venceria.

Alguém tinha que assumir a responsabilidade.

— Claro que voltarei para a Biblioteca — disse ela. Ao Shun e Kai romperam o olhar de irritação de um para o outro para olhar para ela. Ela se dirigiu a Coppelia. — Eu admito que violei as regras da Biblioteca ao visitar um mundo de alto nível de Caos sem permissão. Também reconheço que falhei na supervisão adequada a um aprendiz que estava sob minha responsabilidade, o que resultou no seu sequestro por um feérico específico e pode até ter levado a uma guerra.

— São acusações sérias — disse Coppelia. A voz dela estava severa como a de um juiz implacável, mas havia um brilho em seu olhar que Irene reconheceu como aprovação. — Vossa majestade, devo pedir sua permissão para ir embora. Irene e eu precisamos retornar o mais rápido possível.

Ao Shun estava com a testa franzida. Ele tinha o mesmo talento para caretas de Kai, agora que Irene estava prestando atenção nisso.

— É mesmo necessário que ela retorne? Talvez um trabalho avulso possa ser arranjado? Eu não a puniria pelas ações dela. Até ficaria feliz de tê-la a meu serviço.

— Vossa majestade é generoso — disse Coppelia. — As ações dela são muito sérias. Tenho certeza de que ela não desejaria evitar as consequências. Não é, Irene?

Ela podia se jogar à mercê de Ao Shun e aceitar a oferta. Mas também teria que se despedir da Biblioteca, o que seria tão terrível quanto se os Bibliotecários anciãos a expulsassem. De qualquer maneira, ela perderia. Talvez pudesse manter Kai como seu aluno dessa forma, mas perderia mesmo assim.

Ou talvez houvesse uma saída que não fosse *exatamente* uma perda. Dependia de Ao Shun realmente sentir alguma espécie de gratidão pelas ações dela e até onde essa gratidão ia.

— Não abandonarei meu dever agora — disse ela com firmeza. — Minhas ações e minha negligência ainda podem provocar uma guerra, ameaçando centenas de mundos. Eu me submeto à punição que de mim for exigida.

Vale parecia prestes a dizer alguma coisa. Ela chamou sua atenção e desesperadamente olhou para ele, com uma pequena sacudida de sua cabeça. Para aquela aposta gigantesca funcionar, a ameaça a ela tinha que ser genuína.

Coppelia assentiu.

— Eu não esperaria nada diferente. Venha, então.

Por um momento, o aposento ficou em silêncio, e Ao Shun disse:

— Esperem.

— Vossa Majestade? — perguntou Coppelia.

A expressão de Ao Shun poderia ter sido entalhada em pedra.

— Eu peço, como favor e no interesse da *justiça*, que essa Bibliotecária não seja julgada com rigor excessivo. Posso dizer com segurança que não há risco imediato de guerra.

Irene respirou fundo de alívio pelos mundos humanos... E por si mesma. O fardo retirado de repente dos seus ombros a deixou tonta. Não haveria guerra. Ela poderia sobreviver a uma punição, e talvez ela não fosse assim tão ruim, considerando o que Ao Shun dissera. Mas pensou na natureza inflexível da disciplina da Biblioteca e seu coração despencou.

Coppelia fez uma reverência digna.

— Obrigada, vossa majestade. Isso vai ser levado em conta no julgamento. Irene, se quiser se despedir dos seus amigos, faça isso agora.

Irene se virou para Kai e Vale.

— Voltarei se e quando puder — disse ela. — Não façam nenhuma estupidez. — Talvez não fosse a linguagem a se usar na frente de um rei, mas o controle dela estava no fim. E a sombra da investigação pairava sobre ela ainda por cima.

Kai segurou as mãos dela.

— Estarei aqui esperando sua volta — prometeu ele. — Com a permissão do meu tio, claro. — Essa última parte foi acrescentada rapidamente e não pareceu particularmente sincera aos ouvidos de Irene. A julgar pela expressão no rosto de Ao Shun, ele também não a considerou muito sincera.

Vale tocou brevemente no ombro dela.

— Vou ficar de olho em Strongrock durante sua ausência — disse ele. — Espero que você não demore, Winters. Seu conhecimento de línguas é surpreendentemente útil.

Irene sentiu um aperto na garganta. Ela *não* ia passar vergonha.

— Obrigada aos dois — disse com clareza. — Também espero não demorar.

E ela realmente ainda tinha esperanças. Porque Ao Shun não tirou Kai da Biblioteca e porque Coppelia foi até lá ajudá-la... E porque, fosse qual fosse a punição que a Biblioteca lhe daria, ela não achava que seria expulsa. Ainda era parte da Biblioteca, e falou pela Biblioteca quando as coisas estavam em seu pior momento. E, com a ajuda da Biblioteca, eles impediram uma guerra antes que ela pudesse começar.

E porque, apesar de tudo que foi armado contra eles, ela e Vale salvaram Kai.

Irene fez outra reverência a Ao Shun e seguiu Coppelia para fora do aposento, em direção à Biblioteca.

SEGREDOS DA BIBLIOTECA

INFORMAÇÕES CONFIDENCIAIS
SOBRE A BIBLIOTECA E SEUS ESPIÕES

OS CINCO MELHORES ROUBOS DE LIVROS DE IRENE

Como espiã júnior da Biblioteca, Irene é enviada a vários lugares para coletar livros famosos, raros e perigosos e levá-los para a Biblioteca. As razões para isso podem ir desde atrapalhar uma facção perigosa ou salvar um mundo - o Bibliotecário pode não ser informado do motivo. Às vezes, um livro está exatamente onde deveria, em uma biblioteca organizada em um mundo harmonioso, o que torna a busca do tomo uma tarefa simples. Às vezes, uma missão dá muito errado e o espião mal escapa com vida, que dirá com o objeto que fora buscar. É claro que todos os Bibliotecários têm suas histórias de roubos de livros favoritas e seus contos de terror prediletos. Então, pedimos para Irene contar os cinco dela.

Agamemnon, de William Shakespeare
Acho que o primeiro texto que me vem à mente é *Agamemnon*, de Shakespeare. Todo mundo quer se gabar de ter recuperado um Shakespeare único, não é? Foi um daqueles trabalhos em que você sabe exatamente onde o texto está (na coleção particular de um bilionário recluso), mas o problema é tirá-lo de lá. O mundo que continha o livro ainda estava no meio de

uma série de longas guerras, que remontavam às Cruzadas do século XI, e o Império Bizantino era o poder dominante. Um impedimento ainda maior foi que se tratava de um daqueles mundos em que as mulheres têm uma posição de segunda classe muito definida na sociedade. Acabei "pegando emprestado" um exemplar de *Trabalhos de amor perdidos* em outro mundo (essa obra de Shakespeare jamais existiu no mundo alvo). E deixei que o bilionário soubesse de sua existência. Permiti que ele me enganasse, para conseguir acesso à coleção *dele*. Fiquei me sentindo muito satisfeita depois, pois ele pelo menos botou as mãos em um trabalho de Shakespeare que nunca tinha lido. Quanto à peça em si... bom, eu descobri que Shakespeare pegou grande parte do enredo básico emprestado de Ésquilo, o antigo dramaturgo grego. Mas, como sempre, Shakespeare acrescentou detalhes particulares. Eu me pergunto se ele pretendia pegar emprestado o resto da sequência da *Oresteia* de Ésquilo e fazer uma trilogia...

A saga Skjöldunga
A vez em que fui enviada para buscar um exemplar da saga *Skjöldunga* é uma das minhas piores lembranças. Fui posicionada em um mundo de Caos moderado e magia intensa, e havia idiotas portando armas grandes a cada esquina. Imagine navios vikings voadores, bardos entoadores de feitiços e muitos e muitos presságios e desentendimentos. Qualquer um que fosse importante estava tentando iniciar novas guerras. Era como se esperassem que o Ragnarök acontecesse no dia seguinte, e quisessem ter certeza de que haviam matado todo mundo que pudessem antes do apocalipse. Não havia nenhum Bibliotecário em Residência para ajudar naquele mundo. Quase nem havia bibliotecas. E havia muitos feéricos. Piores do que baratas. Eu

trabalhei como barda itinerante e contadora de histórias, e reciclei contos clássicos enquanto tentava distrair bêbados musculosos em tavernas. Se você por acaso visitar esse mundo e der de cara com uma recontagem oral do Capitão Nemo lutando contra Moby Dick, enquanto fugia da Revolução Francesa, agora você sabe por quê. E a guerra que acabou acontecendo, definitivamente não foi minha culpa. Os feéricos também estavam envolvidos, e foram *eles* que soltaram a Bomba Gullinbursti. Eu fui só uma espectadora infeliz.

The Light-House, de Edgar Allan Poe
Outro que tive dificuldade para recuperar foi *The Light-House*, de Poe, depois do falecimento do autor. E a versão que eu queria era a obra completa, um romance inteiro, diferente da versão inacabada encontrada em alguns alternativos. Nesse mundo, Poe foi um escritor famoso durante sua vida, mas ali também tinha problemas com a bebida e a jogatina. Ele viveu no Império Confederado Americano, como ali era chamado, e sua esposa era praticante das magias folclóricas locais. Embora bruxaria funcionasse naquele mundo e fosse um assunto importante nas universidades, a maioria dos feéricos estava na Europa, então, pelo menos, não precisei me preocupar com eles. O problema aqui era que devia haver um criptograma escondido no livro. Era um daqueles casos de "resolva o enigma e receba minha fortuna acumulada", o que levou à escassez de exemplares (além disso, só foi publicado como edição limitada). E várias sociedades secretas e caçadores de tesouros obcecados dificultaram ainda mais a tarefa de encontrá-los. Acabei sendo perseguida na floresta local por uma quantidade enorme de gatos assassinos magicamente transformados. Tive que mergulhar em um lago para evitá-los, mas depois saí na

outra margem e fui confundida com um fantasma afogado... Não foi um dos meus episódios mais triunfantes. E também não foi meu jeito favorito de passar o Halloween.

A história dos heróis leais e dos galantes justos, de Shi Yukun
Um ano depois, fui enviada para adquirir um exemplar de *A história dos heróis leais e dos galantes justos*, a transcrição das apresentações orais do contador de histórias Shi Yukun. Era um daqueles livros que aparecem em vários mundos, mas aquela versão específica era única, pois tinha cem capítulos a mais do que as outras. O mundo onde o livro estava era bem pacífico, o que foi uma variação agradável. Era governado pelo Império Chinês e não havia muita magia nem tecnologia, embora houvesse muito comércio. Tive que estabelecer a identidade de uma estudante estrangeira, viajar por metade da China em um trem lento e conseguir uma vaga na universidade de Ch'ang-an para ter acesso à sua biblioteca. Era lá que o único exemplar conhecido do original completo estava guardado. Depois, passei três meses inteiros entrando escondida à noite e copiando o manuscrito a mão, e só precisei desviar dos guardas algumas vezes. Não foi uma missão que dependia de rapidez, e assim eu pude deixar o original lá. Foi uma missão muito agradável. Até consegui estudar um pouco. Minha vida não é *só* correr e gritar por aí, sabem.

A negação de Lady Catherine, de Jane Austen
Finalmente, uma missão da qual me lembro bem por causa do livro em si. Não estou dizendo que o mundo não era interessante; tinha alto nível tecnológico, níveis moderados de Caos,

dinossauros clonados etc. Mas o mais importante: era o único mundo registrado em que Jane Austen escreveu mistérios. Naturalmente, fui instruída a buscar toda a coleção. O mais difícil de encontrar foi o livro final, *A negação de Lady Catherine*: o manuscrito havia sumido com a morte de Austen. Consegui rastreá-lo até a propriedade particular de um cientista maluco no País de Gales (não estou dizendo que todos os cientistas malucos leem Jane Austen, mas um número surpreendente dos que conheci, lê). Irritantemente, ele era do tipo que enche sua propriedade particular com dinossauros carnívoros clonados para preservar sua privacidade. Tive que me esgueirar por uma passagem subterrânea de uma mina de carvão local desativada. Mesmo assim, fui capturada e quase acabei me tornando uma cobaia (claro que eu fugi. Estou escrevendo isto, não estou?). Ainda tenho um exemplar do livro nas minhas prateleiras, caso esteja interessado. Começa com o assassinato de Lady Catherine de Bourgh...

LENDAS DA BIBLIOTECA

Na Biblioteca, ouvimos muitas histórias sobre o "monstro que mora no porão", ou sobre "o Bibliotecário que tentou encontrar o livro mais velho da Biblioteca e nunca mais foi visto", ou ainda "a vez em que tentaram pular por uma das janelas... que não dão em lugar nenhum". São lendas urbanas típicas... Bem, lendas da Biblioteca. E há as mais clássicas. Do tipo que falam de uma Bibliotecária perdida na parte mais profunda da Biblioteca. Ela pode entrar em uma sala contendo um círculo de cadeiras decoradas, com cavaleiros de armadura dormindo nelas, em que uma voz misteriosa diz: "Já chegou a hora?". E ela diz: "Não, volte a dormir", sai correndo e nunca mais consegue encontrar a sala. Essa é uma história típica no estilo Rei Adormecido e seus Cavaleiros, seja Arthur, Barbarossa ou qualquer outro.

Mas existem outras histórias.

Dizem que um Bibliotecário viu uma vez um gato se espremendo em um canto entre duas estantes (alguns dos Bibliotecários mais velhos têm animais de estimação. Alguns podem ser meio estranhos). Então, ele tirou os livros para olhar atrás e encontrou uma abertura na parede. E como era uma parede de tijolos, e ele era um homem curioso, puxou alguns tijolos para tentar descobrir o que havia por trás da parede. Encontrou uma escuridão ampla e ecoante, o ar seco e imóvel, tão negro que acender uma lanterna no vazio não iluminava nada. Sendo um homem razoavelmente sensato (um homem totalmente sensato não teria removido os tijolos do lugar), ele não tentou descer com uma corda nem nada desse tipo, só colocou os tijolos no lugar. Mas, antes de fazer isso, escreveu um bilhete em um pedaço de papel sugerindo que, se houvesse alguém lá, ele gostaria de conversar, e jogou o papel na escuridão antes de fechar a abertura. Quando voltou para seus aposentos, se sentou com o livro que estava lendo anteriormente e tentou relaxar. Mas, quando abriu na página certa, o marcador de página tinha sido substituído por outra coisa: o bilhete que ele havia jogado na escuridão. O papel agora estava gasto e sujo e, escrito na Linguagem na parte de baixo, lia-se: "**Acho que ainda não.**"

ENTREVISTA COM A AUTORA[1]

Genevieve Cogman já escreveu histórias de ficção maravilhosamente divertidas, que se passam em mundos novos e incríveis. Queríamos saber mais sobre a escrita da autora, seus personagens e a origem desses mundos. Genevieve foi gentil e cedeu à nossa curiosidade literária. Veja a entrevista a seguir.

Se você pudesse escolher uma coisa do mundo de Irene para trazer ao nosso, o que seria e por quê?
Meu primeiro pensamento seria a Biblioteca inteira, mas acho que isso é um pouco de exagero! Então, aceito o login para o sistema de e-mails da Biblioteca, para eu poder começar a acessar os arquivos mais tentadores de lá.

Como suas histórias se formam? As ideias aparecem enquanto você está indo ao trabalho ou ao supermercado? Ou elas realmente aparecem quando você se senta em frente ao teclado?

---

[1] Entrevista concedida à Pan Macmillan, quando da publicação do livro original.

Acho que foi Agatha Christie que disse uma vez que o melhor momento para planejar um livro é a hora de lavar a louça. Para mim, as ideias vêm a qualquer momento, mas raramente em um momento conveniente, como quando estou na frente do computador, pronta para colocá-las em uso. É por isso que costumo ter anotações rabiscadas à mão quando me sento em frente ao computador. Às vezes, eu anoto frases particularmente brilhantes (!) que não quero esquecer (ou pelo menos frases que me parecem brilhantes naquele momento, embora nem sempre pareçam tão boas algumas horas depois). Eu até tenho ideias enquanto estou no meu trabalho regular, durante o dia. No entanto, felizmente para meus personagens, ainda não os fiz sofrer das doenças e ferimentos sobre os quais leio enquanto estou lá.

George R. R. Martin falou sobre escritores serem arquitetos ou jardineiros, no sentido de que ou planejam antecipadamente ou deixam a história crescer. Você se consideraria um ou outro? Se sim, por quê?

Eu me consideraria jardineira, mas do tipo que planta os canteiros de flores antes de começar. Tenho uma ideia do que vai acontecer e um rascunho da história. Também delineio etapas, como, por exemplo, "nessa parte, Irene faz X e adquire a informação Y". Mas, a essa altura, eu ainda não necessariamente decidi os detalhes de como ela consegue a informação. E posso ter outros momentos de inspiração, que se desenvolvem no processo da escrita, ou personagens que deveriam ter uma aparição só, mas acabam fazendo múltiplas aparições ao longo do livro. Além disso, há partes da história que acontecem mais ou menos assim: "Nesse ponto, Irene elabora uma tentativa de fuga brilhante, mas ainda não sei como — pesquisar mais um pouco". Isso pode resultar em um jardim metafórico que precisa ser replantado. Mesmo assim, tudo é válido se gera uma história melhor...

Quando um Bibliotecário usa "a Linguagem", o mundo sofre vários tipos de efeitos mágicos. Você tem um momento de uso favorito da Linguagem em *A Biblioteca Invisível* ou em *A Cidade das Máscaras*? Se sim, o que o torna especial?
Acho que meu uso favorito da Linguagem é em *A Biblioteca Invisível*, quando Irene ordena que os animais empalhados do museu ganhem vida e ataquem os lobisomens. É barroco e dramático, e provavelmente precisa de mais energia do que algumas das outras coisas que ela poderia ter feito, mas foi muito divertido de escrever.

Os Bibliotecários têm a marca da Biblioteca tatuada nas costas. Como é essa marca?
É um retângulo de escrita preta nas costas, com uns trinta centímetros de largura, embaixo das omoplatas. É baixa o bastante para Irene conseguir usar um vestido tomara-que-caia! E há também uma moldura em volta, que parece o contorno de um livro. Qualquer um que olhasse e não fosse Bibliotecário veria o nome de Irene (ou o nome do Bibliotecário em questão) em sua língua. Não dá para cobrir com maquiagem nem tinta, então os Bibliotecários costumam ser cuidadosos com a escolha de roupas. Há boatos de que o contorno em volta do nome do Bibliotecário é, na verdade, uma escrita microscopicamente comprimida que fala em detalhes sobre a Biblioteca. Mas você sabe como são os boatos...

Adoro o humor seco de Irene e a sua capacidade calma de enfrentar quaisquer (quase todas!) ocasiões. Ela foi

inspirada em algum outro personagem de ficção ou surgiu totalmente formada?

Eu gosto de pensar que ela é, em sua maior parte, original, mas devo ter pego características emprestadas inconscientemente aqui e ali. Ela, com certeza, tem uma dívida com as heroínas de Lois McMaster Bujold, sem dúvida. Também vejo certas semelhanças com John Steed, da série clássica de TV *Os Vingadores*, em termos de seus modos educados e da natureza inescrupulosa. (Kai pode ficar com o papel de Emma Peel).

De onde vem o nome Irene? Há alguma história por trás dele?
Irene é uma admiradora de longa data de Sherlock Holmes e das histórias de Conan Doyle em geral, e escolheu seu nome em homenagem à famosa aventureira Irene Adler (para Sherlock Holmes, sempre *a* mulher) em um momento de entusiasmada obsessão. Atualmente, ela sente um certo constrangimento por isso.

Que outros autores a influenciaram, especialmente para escrever os livros sobre a "Biblioteca"?
Vários em que consigo pensar de cara e provavelmente muitos mais nos quais não consigo pensar assim de primeira, mas que, se você mencionasse, eu diria: "Claro, eu devia ter pensado nesses também". Os primeiros nomes que vêm à mente são Ursula Le Guin, Terry Pratchett, Diane Duane, Sir Arthur Conan Doyle, Barbara Hambly, John Dickson Carr, Umberto Eco, Roger Zelazny, Michael Moorcock e Louise Cooper... Além disso, tenho uma dívida com programas clássicos de televisão, como *Doctor Who* e *Os Vingadores*... E com os filmes de kung-fu e wuxia.

Quanto tempo um Bibliotecário precisa trabalhar em campo como espião para poder chefiar juniores como Bibliotecário sênior, posicionado na própria Biblioteca? Normalmente, os Bibliotecários trabalham em campo até ficarem velhos demais ou sofrerem um ferimento grave que os impeça de lidar com o lado físico do trabalho de forma eficiente. Isso costuma significar que trabalham até os sessenta ou setenta anos. Alguns até ficam em campo por mais tempo, se realmente gostam do mundo em que estão vivendo e trabalhando. Mas esses Bibliotecários costumam ser "Bibliotecários em Residência", que dedicam tempo e esforço ao disfarce. Alguns até escolhem ter uma morte natural e confortável em um mundo que tenham passado a amar. Outros retornam à Biblioteca. Assim, podem finalmente parar e ler todos os livros que coletaram, estudar as línguas que queriam aprender, escrever comparações críticas de livros de mundos diferentes, discutir com os colegas... Ah, e serem mentores dos juniores também.

O que entra nos estudos de um bom Bibliotecário espião?
Línguas são muito importantes. Um Bibliotecário que fala (e lê e escreve) múltiplas línguas é muito útil para a Biblioteca, pois pode ser enviado em uma variedade bem maior de missões do que um espião monolíngue. Saúde física em geral, habilidades em artes marciais e talento com armas são úteis, assim como a capacidade de correr rápido quando preciso. Um bom Bibliotecário deve conseguir ser diplomático quando necessário e se misturar bem na maioria das circunstâncias sociais. Alguns Bibliotecários gostam de treinar seus protegidos na arte da espionagem e do trabalho sujo (assassinatos etc.), bem como em estratégia e tática. Outros encorajam seus juniores a aprenderem habilidades como arrombar fechaduras, roubar, ter boa

lábia e dominar a arte de enganar as pessoas. Os Bibliotecários mais velhos, os que nunca saem da Biblioteca, ensinam habilidades úteis menos imediatas, como teoria da arte e crítica literária. Também estão sempre prontos a discutir seus trabalhos de literatura favoritos e falar sobre como as coisas eram mais difíceis na época deles.

O Bibliotecário perfeito é calmo, tranquilo, controlado, inteligente, multilíngue, bom de tiro, bom de artes marciais, corredor de nível olímpico (tanto em velocidade quanto em maratona), bom nadador, ladrão especialista e golpista genial. Eles podem roubar uma dezena de livros de um cofre de segurança máxima de manhã, discutir literatura a tarde toda, jantar com a nata da sociedade à noite e ficar acordados até meia-noite dançando antes de roubar alguns outros tomos interessantes às três da madrugada. É o que um Bibliotecário perfeito faria. Na prática, a maioria dos Bibliotecários preferiria passar seu tempo lendo um bom livro.

Fora os livros (eu sei, o que mais existe além de livros?!), o que seria um prazer procurado por um Bibliotecário perceptivo?

Algum tipo de estimulante para as longas noites com um bom livro, seja chá, café, chocolate, conhaque ou absinto... Irene prefere café com conhaque para os momentos em que um gole de conhaque é realmente necessário. Ela ainda não desenvolveu um paladar refinado para café, mas prefere os bons aos mais baratos. Bradamant gosta de coquetéis, mas prefere que paguem um para ela ao invés de prepará-los. Coppelia gosta do café bem preto, com um cubo de açúcar mascavo, o que redunda em uma coisa tão intensa e agridoce que faria um bebedor casual encolher os dedos dos pés.

Finalmente, o amor pelos livros e bibliotecas é evidente em cada página do seu trabalho. Existe alguma biblioteca em particular que seja especial para você ou que você ainda gostaria de visitar?

Tenho lembranças de bibliotecas de todos os lugares onde morei, mas acho que uma das minhas lembranças mais especiais é da biblioteca da minha antiga escola: Christ's Hospital. Eu era uma das alunas bibliotecárias que ajudavam a manter os livros em ordem, e passava muito do meu tempo livre lá. Eu me lembro dos janelões na seção de ficção e da luz que entrava por eles de tarde. Das mesas e cadeiras de madeira, velhas e pesadas. Das fichas dos livros em cartões (isso foi há mais de vinte anos). Da porta lateral que levava à antiga Dominions Library, onde vários livros de referência e obras mais antigas ficavam guardados, local sempre tranquilo. Havia quadros e cortinas e tudo mais, mas é dos pisos de madeira e das estantes que me lembro, escuros e velhos e pesados, e dos livros em si.

Claro que pode ser que tudo esteja diferente agora, mas as lembranças são um mundo alternativo próprio.

Esta obra foi composta pela SGuerra Design em Essonnes e impressa em papel Pólen Soft 70g com capa em Ningbo Fold 250g pela RR Donnelley para Editora Morro Branco em julho de 2017